世界十大文学名著

战争与和平

（三）

WAR AND PEACE

〔俄〕列夫·托尔斯泰 著

Leo Tolstoy

草 婴 译

上海文艺出版社

目　录

第三卷

第四卷

尾　声

第三卷

第 一 部

1

西欧军队从一八一一年年底起开始加强装备和集中。一八一二年这支几百万人的大军（包括辎重队和供养人员）浩浩荡荡自西向东往俄国边境移动；俄国军队从一八一一年起同样向边境集结。六月十二日，西欧军队越过俄国边界。于是战争爆发了，也就是发生了违反人类理智和人类本性的事。几百万人犯下了全世界法庭在多少世纪里都记录不完的罪恶：暴行、欺骗、背叛、盗窃、伪造文件、印制伪钞、抢劫、纵火和杀人，但干这些事的人却并不认为这是犯罪。

这个非常事件是由什么引起的？它的起因是什么？史学家们天真地断定，这事的起因是奥登堡大公的受辱、大陆体制的破坏①、拿破仑的野心、亚历山大的强硬、外交官们的错误，等等。

因此，只要梅特涅、鲁勉采夫或塔列兰②在朝觐和晚会的间隙用心写一篇巧妙的通牒，或者拿破仑给亚历山大写信表示“仁兄陛下，我同意把公国归还奥登堡大公”，战争就不会发生了。

当时人们这样看待此事是可以理解的。拿破仑认为战争是由英国的阴谋引起的（他在圣赫勒拿岛上这样说过），这也可以理解。英国国会议员认为战争的起因是拿破仑的野心；奥登堡大公认为战争的起因是对他施加的暴行；商人们认为战争的起因是使欧洲破产的大陆体制；老兵

---

① 1806 年拿破仑对英国实行经济封锁，迫使欧洲许多国家采取同样行动，以保持法国在贸易中的优势，但欧洲许多国家，包括俄国在内，常违反这个体制。拿破仑借口俄国不遵守这个体制，在 1812 年进攻俄国。

② 塔列兰（1754—1838），法国外交大臣。

和将军们认为主要原因是要利用他们打仗；当时正统派认为必须恢复良好准则；当时外交官们认为，一切都是由于一八〇九年俄奥联盟没有很好地瞒过拿破仑，第一七八号备忘录措辞不当所造成的。这一切都是可以理解的。当时人们提出无穷无尽的诸如此类的原因，因为他们持有无穷无尽的不同观点，这也是可以理解的。但我们后代人全面观察既成事实，探究它简单而可怕的含义，这些原因就显得不够充分了。我们无法理解，几百万基督徒互相残杀，互相迫害，是因为拿破仑野心勃勃，亚历山大态度强硬，英国政策狡猾，奥登堡大公受了屈辱。我们无法理解，这些情况同互相残杀和暴行究竟有什么联系；为什么由于大公受辱，成千上万的人就得从欧洲那一边前来屠杀和扫荡斯摩棱斯克省和莫斯科省的居民，而他们自己也被人杀害。

我们这些后代人不是历史学家，不迷恋于研究事件的过程，因此能用清醒的头脑按常理来观察事物，我们看到不计其数的原因。越是深入探究，我们发现的原因也就越多。每一个个别原因或一系列原因，就其本身来说，都是同样正确无误的；但由于它们本身的微不足道，同事件的宏大规模相比就显得荒诞不经；而且，如果没有同时发生的其他原因，它们也就不能起作用，从这点上说，它们同样是荒诞不经的。我们认为，一个法国军士愿意服第二期兵役，就像拿破仑不肯把军队撤回维斯瓦河对岸，不肯归还奥登堡公国那样，都是发生战争的原因，因为，如果那个军士不愿服兵役，第二个、第三个和第一千个军士和士兵都不肯服兵役，拿破仑军队的人数就会大大减少，战争也就不会发生。

如果拿破仑不因为要求他撤到维斯瓦河对岸而恼怒，不命令军队进攻，战争也就不会发生。如果所有的军士都不愿服第二期兵役，战争也就不会发生。如果英国不玩弄阴谋，没有奥登堡大公这个人物，如果亚历山大不感到屈辱，如果没有俄国专制政府，没有法国革命以及随后的专政和帝制，没有引起法国革命的种种事件，等等，战争也就不会发生。这些原因只要少了一个，就什么也不会发生。应该说，所有这些原因，亿万个原因，凑合在一起，才造成了这个事件。由此可见，这个事件没有什么特别重大的原因，事件之所以发生，只是因为非发生不可。几百万人丧失人性和理智，由西向东去屠杀同类，就像几世纪前由东向西去屠杀同类一样。

拿破仑和亚历山大的一句话似乎决定事件的发生与否，其实他们的行为就像凭抽签或应征而入伍的士兵那样，都是不由自主的。情况不能不是这样，因为要使拿破仑和亚历山大的意志（事件仿佛就是由这些人决定的）得以实现，必须具备无数凑合在一起的条件，缺少一个，事件就不会发生。这几百万人，这些射击和运送粮草和枪炮的士兵，他们具有实力，但他们必须愿意听从个别软弱无能的人的意志，并受无数错综复杂原因的驱使，事件才会发生。

对历史上非理性的现象（就是我们无法懂得其理性的现象），我们还是不得不用宿命论来解释。我们越是要理性地解释这些历史现象，就越觉得它们缺乏理性，难以理解。

人人都为自己而生活，利用自己的自由来达到个人目的，并且全身心感觉到，他现在可以做某件事或者不可以做某件事；但一旦他做了那件事，那件事就无法挽回，就属于历史事件，它在历史上的意义就不是偶然的，而是预先注定的。

每个人的生活都有两个方面：一是个人生活，个人生活越是无所追求，他的生活就越自由；一是自然的群体生活，他在这方面必须遵守既定的法则。

一个人为自己而活着是自觉的，但被利用来达到某种历史的、全人类的目的却是不自觉的。做过的事无法挽回，这件事同千百万别人的事合在一起，就具有历史意义。一个人的社会地位越高，他联系的人越多，他对别人的权力就越大，他的每一行动就越明显地表现为注定的、必然的。

“帝王的心掌握在上帝手里。”

帝王是历史的奴仆。

历史就是人类不自觉的群体生活，它利用帝王分分秒秒的生活来达到自己的目的。

现在，一八一二年，拿破仑比任何时候更能决定本国人民流不流血（正像亚历山大在给他的最后一封信里所写的那样），他也比任何时候更加服从必然规律，被迫为共同事业、为历史完成应该完成的事，但他却以为他的行动可以随心所欲。

西方人到东方去互相杀戮。根据综合规律凑合起来、导致这场运动、导致这场战争的千百个细小的原因，其中有：对违反大陆体制的指摘；奥登堡大公的受辱；军队向普鲁士推进，照拿破仑的看法，只是为了用武力取得和平；法国皇帝符合民意的好战的本性和习惯；对大规模备战的迷恋；备战的费用；为了抵偿这笔费用而必须取得利益；在德累斯顿接受令人陶醉的荣誉[①]；当代人认为出于和平诚意而其实只是损害双方自尊心的外交谈判，以及符合所发生事件的千百万个其他原因。

苹果熟了就落下来，但它为什么落下来？是因为地心吸力，是因为果柄干枯，还是因为苹果被太阳晒熟，果实变重了，因为风吹动它，还是因为站在树下的孩子想吃它？

这都不是原因。这一切只是由于发生重大的有机的自发事件所需条件的偶合。植物学家发现苹果落下是纤维质腐烂等原因造成的。站在树下的孩子说，苹果落下是因为他想吃并为此作了祷告。他们的说法同样都是又对又不对。有人说，拿破仑到莫斯科是因为他想去那里，他的灭亡是因为亚历山大要他灭亡；另外有人说，一座被挖空的大山塌陷是因为最后一个工人挖了最后一镐土。这两种说法同样都是又对又不对。历史事件中的所谓大人物，其实只是给事件命名的标签罢了。他们同事件本身的关系极小，就像标签一样。

他们的每一行动，他们自以为是由他们的意志决定的，其实从历史的角度来看并不是可以随心所欲的，而是同历史的全部进程相关联，由永恒的力量注定的。

2

拿破仑在德累斯顿逗留了三星期，一直被亲王、公爵、国王，甚至一个皇帝所包围。五月二十九日，他离开德累斯顿。临行前，他对得宠

① 1812年5月初，俄法战争爆发前不久，拿破仑在德累斯顿会见他的新盟友奥国皇帝和普鲁士王，并举行一系列盛大的宴会和庆典，接受各方面的阿谀奉承。

的亲王、国王和皇帝安抚有加，对他所不满的国王和亲王予以训斥，把他的（其实是他从别的国王那里抢来的）珍珠钻石送给奥籍皇后玛丽·路易丝。史学家说，他还亲热地拥抱了玛丽·路易丝，给她留下难以忍受的离别的悲痛。玛丽·路易丝以拿破仑夫人自居，其实拿破仑在巴黎另有妻室。尽管外交家们坚信和平是可以维护的，并为此而孜孜不倦地工作；尽管拿破仑皇帝给亚历山大皇帝的亲笔信中称他为仁兄陛下，并诚恳地说他不希望发生战争，他将永远敬爱他——拿破仑还是深入部队，在每一站发布命令，要部队加速东进。他坐了一辆六驾旅行马车，在侍童、副官和卫兵簇拥下，沿着通波森、托恩、但泽和柯尼斯堡的大道前进。他每到一个城市，人们都情绪热烈而又提心吊胆地迎接他。

部队自西向东推进。拿破仑每到一站，都有替换的六匹马等着他。六月十日，他赶上部队，在维尔科维斯森林一个波兰伯爵的庄园里过了一夜，那地方是特地为他准备的。

第二天，拿破仑追上部队，乘四轮马车来到涅曼河边。他换上波兰军服，来到岸边视察。

拿破仑看见河对岸的哥萨克和辽阔的草原，那里有着圣城莫斯科，好像马其顿王亚历山大人所征服的西徐亚王国的京城。他出人意料，违反战略和外交原则，下令继续前进，第二天他的军队就开始横渡涅曼河。

六月十二日清晨，拿破仑走出当天搭在涅曼河左岸陡坡上的营帐，用望远镜观察他的军队怎样从维尔科维斯森林拥出来，通过涅曼河上的三座浮桥。军队知道皇帝在场，都用眼睛寻找他。他们看到一个身穿外套、头戴礼帽的人离开随从，站在营帐前的山坡上，便纷纷把帽子往上抛，同时高呼：“皇上万岁！”接着他们就川流不息地从隐蔽的大森林里拥出来，通过三座浮桥登上对岸。

“这下子行了！哦！只要他亲自出马，事情就好办了。真的……瞧他……皇上万岁！瞧，那里就是亚细亚草原……但那是个令人讨厌的国家。再见，波舍。我将把莫斯科最好的宫殿留给你。再见，祝你走运。你看见皇上了？万岁！我要是做上印度总督，纪拉德，我就封你做克什米尔大臣……万岁！那不是皇上！看见吗？我见过他两次，就像现在看见你这样近。小个子的军人……我看见他给一个老兵戴十字章……皇上万岁！”响起身份不同、性格各异的老人和青年的声音。人人脸上现出同样的表情：为期待已久的进军欢天喜地，对那个站在山上穿灰外套的人表示无限忠诚。

六月十三日，人们给拿破仑牵来一匹身量不高的纯种阿拉伯马。拿破仑骑上马，向涅曼河上一座桥飞驰。一阵阵热烈的欢呼声使他震耳欲聋，而他之所以忍受着，只因为不能禁止大家向他表示爱戴。不过，这种不绝于耳的欢呼声使他心烦意乱，分散他的注意力，不能好好思考自从他来到军队后一直盘绕在心里的军事问题。他驰过摇晃的浮桥来到对岸，向左急转弯，朝科夫诺的方向飞跑，近卫猎骑兵兴高采烈地跑在前面给他开路。他跑到宽阔的维利亚河边，在岸上波兰枪骑兵团营地旁边停下来。

“万岁！”波兰人也大声欢呼，他们争先恐后地看他，乱了队形。拿破仑望了望这条河，下了马，在岸边一段圆木上坐下。他默默地打了个手势，随从递给他一支望远镜，他把望远镜搁在一名跑到他跟前的快乐的侍童背上，向对岸眺望。然后他聚精会神地察看摊在木头上的地图。他没有抬起头，说了句什么，于是他的两名副官就向波兰枪骑兵驰去。

“什么？他说什么？”当一名副官跑近波兰枪骑兵时，队伍里有人问。

拿破仑下令找一处浅滩过河。一个容貌清秀的波兰枪骑兵老上校，脸涨得通红，激动得语无伦次，问副官可不可以让他不找浅滩，带着他的枪骑兵泅水过河。他像一个要求骑马而唯恐遭到拒绝的孩子，要求允许他当着皇帝的面游过河去。副官说，皇帝对这种过分的热情大概不会有意见。

副官话音一落，留小胡子的老军官就容光焕发，两眼发亮，举起指挥刀，喊了一声“万岁”，命令枪骑兵跟他一起过河。他刺了刺马，向河边驰去。他恶狠狠地刺了一下迟疑不前的马，马就扑通一声跳进水里，向急流深处游去。几百名枪骑兵跟着他跳进河里。河中心和急流处又冷又危险。枪骑兵相互纠缠，掉下马来，有些马淹死了，有些人也淹死了，其余的人有的骑在马上，有的抓住马鬃，努力游过河去。

他们努力向对岸游去，尽管半俄里外就有浅滩，但他们以当着那人的面泅渡和淹死为荣，尽管那人坐在木头上，对他们连看都没有看一眼。副官回来后，找了个适当的机会，请皇帝注意波兰人对他表示的忠心。这时，这位身穿灰外套的小个子站起来，把贝蒂埃叫到身边，同他一起在岸上来回踱步，向他发命令，偶尔不高兴地望望分散他注意力的在河里淹死的枪骑兵。

他相信，不论他来到什么地方，从非洲到莫斯科草原，都能使人们如痴如醉，这种信念在他已不新鲜了。他吩咐把马牵来，然后上马回营。

尽管派了船只去抢救，仍有四十来人在河里淹死了。多数人都挣扎着游回原来的岸上。上校和几个人游过了河，好不容易才爬上对岸。他们一上岸，身上湿透的衣服还淌着水，就高呼“万岁”。他们欢天喜地地望着拿破仑站过的地方，感到非常幸福。

那天晚上，拿破仑下了两道命令：一道要尽快把印制好的俄国伪钞运来，以便拿到俄国使用；另一道是枪毙一个撒克逊人，因为从他身上搜出一封写有法军部署情报的信件。除了这两道命令之外，他又下了一道命令：把那个自愿跳到河里的波兰上校列入拿破仑自任团长的荣誉团。

上帝要谁灭亡，就先让谁丧失理智！[①]

3

俄国皇帝在维尔诺住了一个多月，不是检阅军队，就是观看演习。尽管大家都认为要爆发战争，而皇帝也为此特地从彼得堡驾临，但对战争却毫无准备，没有一个总的作战计划。计划虽提出几种，但决不定采用哪一种。这种举棋不定的局面，在皇帝亲临大本营一个月后就显得更加突出。三路军马各有各的总司令，但没有一位最高统帅指挥全军，皇帝本人也没有接受这个名义。

皇帝在维尔诺待得越久，大家对战争就越厌倦，备战工作也做得越

① 原文是拉丁文。

少。皇帝左右的人一心只想让皇帝过得轻松愉快，把当前的战争置诸脑后。

六月间，在波兰贵族、廷臣和皇帝出面举行多次舞会和宴会之后，一名波兰侍从武官想以侍从武官的名义为俄国皇帝举行一次宴会和舞会。这个建议被大家高兴地采纳了。俄国皇帝表示首肯。侍从武官们认捐了这笔款子。一位最得皇帝欢心的女人被邀请担任舞会女主人。维尔诺省地主别尼生伯爵提供郊区别墅举行这一盛会。最后决定六月十三日在别尼生伯爵扎克莱特别墅举行宴会、舞会、赛船和焰火会。

就在拿破仑下令横渡涅曼河、他的先头部队击退哥萨克越过俄国边境的那一天，亚历山大在别尼生别墅里参加侍从武官们为他举行的舞会。

这是一次快乐的豪华晚会。行家们说，这么多美人聚集在一起真是少见。海伦伯爵夫人也同其他俄国贵妇一起，随同皇帝从彼得堡来到维尔诺。在这次舞会上，她那俄国式的丰满身段使瘦小的波兰贵妇们黯然失色。她很引人注目，连皇帝都同她跳了一次舞。

保里斯把妻子留在莫斯科，以单身汉身份参加了这次舞会。他虽不是侍从武官，但也捐了一大笔钱给舞会。保里斯现在已有钱有势，不再求人庇护，而可以跟同辈中的显贵平起平坐。

直到深夜十二点钟，大家还在跳舞。海伦没有找到合适的舞伴，就自动邀请保里斯跳玛祖卡舞。他们是第三对。保里斯一面瞧着海伦从深色绣金薄纱连衣裙里露出来的光彩夺目的光肩膀，一面同她谈论一些老相识，同时情不自禁地一直悄悄盯住舞厅里的皇帝。皇帝没有跳舞，他不断拦住这一对或那一对舞侣，说几句只有他会说的亲切的话。

玛祖卡舞开始时，保里斯看见皇帝的亲信之一，侍从武官巴拉歇夫违反宫廷礼仪，走到正在跟一位波兰贵妇人说话的皇帝跟前。皇帝跟贵妇人说完话，用询问的目光瞧了他一眼，显然明白巴拉歇夫这样做必有重要原因，就对贵妇人微微点点头，转身招呼巴拉歇夫。巴拉歇夫一开口，皇帝脸上就现出惊讶的神色。他挽住巴拉歇夫的手臂，同他一起穿过大厅，两边的人自然而然地让出一条两三码宽的路来。当皇帝同巴拉歇夫一起走过时，保里斯发现阿拉克切耶夫神色激动。阿拉克切耶夫皱起眉头瞧着皇帝，酒糟鼻子呼哧着，他从人群中出来，似乎在等皇帝同他说话。保里斯知道，阿拉克切耶夫嫉妒巴拉歇夫，对一件重要消息不经过他而直接奏闻皇上，感到很不痛快。

但皇帝跟巴拉歇夫却没有注意阿拉克切耶夫，径自走到灯火辉煌的花园。阿拉克切耶夫摁住长剑，愤愤地向周围打量着，跟在他们后面走了二十来步。

保里斯继续跳玛祖卡舞，心里却一直琢磨着，巴拉歇夫带来了什么消息，怎样才能比别人早知道这个消息。

在跳舞过程中需要挑选两个舞伴，保里斯对海伦低声说，他想挑选已去露台的波托茨卡雅伯爵夫人，说着就在镶木地板上滑过去，然后走到花园里。他发现皇帝同巴拉歇夫在露台上，立刻站住。皇帝同巴拉歇夫向门口走来。保里斯仿佛来不及退避，慌了手脚，只得恭恭敬敬地把身子贴在门框上，低下头。

皇帝仿佛受到了侮辱，激动地说：

"对俄国不宣而战。只要俄国国土上还有一名武装的敌人，我决不讲和。"保里斯觉得皇帝说这话很痛快，对自己表达思想的方式很得意，但因他的话被保里斯听到，有点不高兴。

"要严格保密！"皇帝皱着眉头补充说。保里斯懂得这话是说给他听的，就闭上眼睛，微微低下头。皇帝回到大厅，在舞会上又待了半小时光景。

保里斯第一个知道法军渡过涅曼河，因此他可以向某些要人炫耀他消息灵通，知道许多别人不知道的事。这样也就可以抬高他在这些人心目中的地位。

法军渡过涅曼河的消息，在徒然等待战争爆发一个月之后传来，而且又是在舞会上，这就特别使人感到意外。皇帝最初听到这个消息感到愤怒和屈辱，就说出那句充分表达他情绪、他自己也很喜欢而日后成为名言的话。皇帝回到大本营，深夜两点钟召见秘书希施科夫，叫他给军队写一道命令，又给陆军元帅萨尔蒂科夫下了一道圣旨，坚持要在命令里写上"只要俄国国土上还有一名武装的法军，我决不讲和"这句话。

第二天，皇帝给拿破仑写了下面的信：

仁兄陛下！昨天得悉您的军队不顾我仍真诚信守对陛下的义务而越过俄国国境。我刚才接到彼得堡洛里斯东伯爵[①]送来的照会，告知这次入侵是因为，自从库拉金公爵[②]申请护照时开始，陛下就认为同我处于敌对状态。巴萨诺公爵[③]据以拒发护照的理由，决不能使我相信，我的大使的行为能成为进攻的借口。事实上，正如大使本人所声明的，他并非奉我的命令提出此项申请；我得悉此事，立即对他表示不满，并要他照旧供职。陛下如果不愿因此种误会而导致两国臣民流血，并同意把您的军队撤出俄国领土，我对所发生的一切决不计较，我们两国仍可和睦相处。如其不然，我将被迫反击并非由我方挑起的进攻。陛下，您现在仍有可能使人类避免一场新的战争浩劫。

亚历山大（签名）

4

六月十四日凌晨二时，俄国皇帝召见巴拉歇夫，向他宣读致拿破仑的信，然后命令他将此信亲自递交法国皇帝。俄国皇帝在派遣巴拉歇夫时，又说了一遍只要俄国国土上还有一名武装的敌人他就不讲和的话，并命令他务必把这话转达给拿破仑。俄国皇帝没有把这句话写在信里，因为他深谋远虑，认为在最后一次争取和解的时刻把这句话写在信里是不妥当的，但他命令巴拉歇夫务必把这话面告拿破仑。

六月十四日，巴拉歇夫在一名号手和两名哥萨克护送下，黎明时分到达涅曼河畔的雷康泰村法军前哨。他被法国骑哨拦住。

---

① 洛里斯东伯爵（1768—1828），法国政治家、军事家和外交家，自1811年起任驻彼得堡大使。

② 库拉金公爵（1752—1818），俄国驻巴黎大使，1812年5月要求法国军队撤出普鲁士谈判失败，就申请发还他和全体俄国驻法使馆人员护照归国。

③ 巴萨诺公爵（1763—1839），1811—1812年任拿破仑的外交大臣。

一个身穿红军服、头戴皮帽的法国骠骑兵士官，喝令骑马过来的巴拉歇夫站住。巴拉歇夫没有立刻停下，继续缓步前进。

那个士官皱起眉头，破口大骂，用马的胸部拦住巴拉歇夫，一手握住马刀，粗暴地向俄国将军吆喝，问他是不是聋子，怎么没听见人家在对他说话。巴拉歇夫报了姓名身份，士官就派士兵去报告军官。

士官不再理会巴拉歇夫，径自跟同伴谈团里的事，对俄国将军连看也不看一眼。

巴拉歇夫地位显赫，接近最高当局，一向受人尊敬，三小时前还同皇帝谈过话，此刻在俄国领土上看见人家这样敌视他，对他这样蛮横无理，不禁大为惊讶。

太阳刚从乌云后面升起，空气清新，饱含露水。牲口从村子里被赶到大路上。云雀大声鸣啭，一只只从田野里腾飞起来，好像一个个水泡从水里冒起。

巴拉歇夫环顾四周，等待军官从村里出来。几名俄国哥萨克、号手和法国骠骑兵偶尔默默地对视一下。

一位法国骠骑兵上校大概刚起床不久，骑着一匹灰色骏马，在两名骠骑兵护送下从村里出来。军官、士兵和他们的马都精神饱满，服饰整齐。

这是战争初期，军容还很整洁，就像平时检阅一样，只是外表上看起来更加威武，精神上也带有战争初期常有的昂奋。

法国上校勉强忍住呵欠，彬彬有礼，显然知道巴拉歇夫负有重要使命。他陪巴拉歇夫经过法国兵的散兵线，并对巴拉歇夫说，他要求谒见皇帝的愿望大概很快就能实现，因为据他所知，皇帝的行宫离此不远。

他们骑马穿过雷康泰村，经过法国骠骑兵系马处，从岗哨和士兵旁边走过。士兵们向上校致敬，好奇地打量着俄国军服。法国上校和巴拉歇夫来到村庄的另一头。上校说，师长在两公里之外，他将接待巴拉歇夫，并陪他到他要去的地方。

太阳高高升起，欢乐地照耀着碧绿的田野。

他们刚经过一家酒店上山，就看见一群人骑马从山下迎面跑来。领头的是一个高个子。他头戴花翎帽，乌黑的鬈发垂到肩上，身披红斗篷，两条长腿按照法国人骑马的姿势向前伸出。他骑着一匹乌骓马，马具在阳光下熠熠放光。这人迎着巴拉歇夫跑，他的花翎、宝石和金饰在六月的阳光下飘动，闪闪发亮。

巴拉歇夫离开这位戴有手镯、翎毛、项链和金饰，脸上现出得意扬扬的戏剧性表情的骑士只有两马远，法国上校尤尔纳就彬彬有礼地低声说："那不勒斯王。"果然他就是缪拉[1]，如今被称为那不勒斯王。虽然谁也不明白他怎么成了那不勒斯王，但既然人家这样称呼他，他也就以此自居，并且摆出一副更加威严庄重的神气。他满心相信他真是那不勒斯王，在离开那个城市前夜，他同夫人在城里街上散步，有几个意大利人向他欢呼："国王万岁！"[2]他带着苦笑对夫人说："可怜的人们，他们不知道我明天就要离开他们！"

不过，尽管他坚信他是那不勒斯王，并对他将抛下的臣民的悲伤表示同情，最近，在他奉命复职后，尤其是在但泽见到拿破仑（当时身为至尊的内兄对他说："我立你为王，是要你照我的方式治国而不是照你的方式治国。"）后，他就驾轻就熟，高兴地工作起来。他好像一匹精壮而并不肥胖的马，感到自己套上车，穿上华丽的马衣，得意扬扬地在波兰的大道上奔驰，但连他自己也不知道往哪里去，去干什么。

他看见俄国将军，就摆出国王的架子，神气活现地昂起他那鬈发垂肩的头，用询问的目光望了望法国上校。上校恭恭敬敬地向国王陛下转达了巴拉歇夫的重要使命，但说不清他的名字。

"德—波尔—玛歇夫！"那不勒斯王说，断然帮助上校克服发音上的困难，"幸会，幸会，将军！"他摆出一副恩德无量的神气添加说。国王一开口急促而大声地说话，便顿时失去国王的威风，不知不觉用他固有的和蔼可亲的语气说话。他把一只手放在巴拉歇夫坐骑的颈子上。

"哦，将军，看来是要打仗了。"他说，仿佛无法判断局势而感到遗憾。

"陛下，"巴拉歇夫回答，"我国皇帝不愿打仗，陛下是知道的。"巴

---

① 缪拉（1767—1815），酒店老板的儿子，1808年被任命为那不勒斯王。他的妻子是拿破仑的妹妹卡罗林娜。

② 原文是意大利文。

拉歇夫说。左一个“陛下”，右一个“陛下”，这对没有听惯这一称呼的人来说，就觉得有点做作。

缪拉听德—波尔—玛歇夫说话，脸上现出一种傻乎乎的得意神色。但是，国王有国王的责任：他觉得身为国王和盟友，应该同亚历山大的使者谈谈国家大事。他跳下马，挽着巴拉歇夫离开恭候他的侍从几步来回走着，竭力谈得像煞有介事。他提到，拿破仑皇帝因为俄国要他从普鲁士撤兵很生气，尤其是因为这事张扬开来，有损法国的尊严。巴拉歇夫说，这个要求并不损害谁，因为……这时缪拉打断他的话说：

“这样说来，您认为祸首不是亚历山大皇帝啰？”他突然露出和蔼的傻笑说。

巴拉歇夫解释，为什么他认为战争是拿破仑发动的。

“哦，我亲爱的将军，”缪拉又打断他的话，“我衷心希望两国皇帝能自己解决争端，也希望这场我不愿看到的战争尽早结束。”他说话的语气好像一个仆人，尽管主人之间发生争吵，他还是希望他们做仆人的仍是好朋友。接着他就问到亲王，问到亲王的健康，并回忆和他一起在那不勒斯度过的快乐日子。然后，缪拉仿佛突然想到自己的国王身份，威严地挺直身子，摆出加冕时的姿态，挥动右臂说：“我不再耽搁您了，将军；祝您顺利完成使命。”他摆动绣花红斗篷和花翎，身上的宝石闪闪发亮，向恭候他的侍从走去。

巴拉歇夫继续前进，听了缪拉的话满以为很快就能谒见拿破仑本人。但他并没能很快见到拿破仑，达武[1]军的哨兵在下一站又拦住他，找来一位军长副官，把他带到村里去见达武元帅。

5

拿破仑手下的达武，就像亚历山大手下的阿拉克切耶夫，不过他不像阿拉克切耶夫那样胆小，但像阿拉克切耶夫那样卖力和残忍，而且靠残忍来向皇上表示忠诚。

---

① 达武（1771—1823），法国元帅，曾参加拿破仑的历次战争，指挥一个步兵军。

政府机关中需要这种人，就像自然界需要狼一样。尽管这种人的存在和接近政府首脑不是好事，但他们总是存在，总是能保持他们的地位。唯有这种需要才能解释，为什么残忍得竟会亲手扯下掷弹兵的胡子、神经衰弱得无法经受危险、缺乏教养、出身庶民的阿拉克切耶夫能在骑士般高尚而又性格温和的亚历山大手下保持那么大的权力。

达武元帅坐在农家棚屋的一只小木桶上，巴拉歇夫看见他正在查账。副官站在他旁边。达武元帅本可以找到较好的住处，但他故意找个最阴暗的生活环境，以适应他那阴暗的心情。这种人总是忙个不停。“你看，我在肮脏的棚屋里坐在木桶上工作，哪里谈得到什么享受！”他脸上的表情这么说。这种人的主要乐趣就在于，别人轻松愉快，他们却忙个不停。巴拉歇夫被领进屋去，达武就有机会享受这种乐趣了。这位俄国将军进来时，他干得更来劲。接着他从眼镜上方看了一下巴拉歇夫由于天气晴朗又同缪拉谈过话而容光焕发的脸，没有起立，甚至没有动一下身子，而是把眉头皱得更紧，恶毒地冷冷一笑。

达武发现巴拉歇夫对这样的接待露出不满的神色，就抬起头来，冷冷地问他有什么事。

巴拉歇夫认为达武这样接待他，可能是因为不知道他是亚历山大皇帝的侍从武官，并且是代表皇帝来见拿破仑的，连忙说出他的身份和使命。不料达武听了他的话，变得更加傲慢无礼。

“你的公文呢？”他说，“交给我，我来呈交皇上。”

巴拉歇夫说，他奉命把公文面交皇帝。

“你们皇帝的命令只能在你们的军队里执行。在这里，”达武说，“叫你怎么办，你就得怎么办。”

达武仿佛要让俄国将军更感觉到他是处在暴力之下，就派副官去把值日官找来。

巴拉歇夫取出放皇帝信件的文件袋，把它放在桌子上（所谓桌子是一块搁在两个桶上的门板，门板上还留有扯开的铰链）。达武拿起文件，读封套上的字。

“您尊敬不尊敬我，悉听尊便，”巴拉歇夫说，“但我要提请您注意，我的身份是皇帝陛下的侍从武官……”

达武默默地对他瞧了一眼，巴拉歇夫脸上的激动和窘态显然使他高兴。

“你会得到适当的招待。”达武说，把信放进口袋，走出棚屋。

过了一会儿，元帅的副官德·卡斯特先生走来，把巴拉歇夫领到替他准备好的住处。

当天，巴拉歇夫就在那间棚屋的门板上同元帅一起进餐。

第二天，达武一早就要出门，临行前他把巴拉歇夫请来，威风凛凛地对他说，请他留在这里，如接到命令，就带着行李一起出发，除了德·卡斯特先生之外，不得同任何人说话。

在过了四天孤独、寂寞和屈辱的生活后（由于不久前他还处身于显贵人物中间，这种感觉就特别强烈），巴拉歇夫被带到如今被法军占领的维尔诺，走的正好是他四天前出来的那个城门。

第二天，皇帝侍从蒂雷纳先生来找巴拉歇夫先生，向他转告拿破仑皇帝愿意接见他。

巴拉歇夫被领去的那座房子，四天以前，门口还站着普烈奥勃拉任斯基团的哨兵，而现在这里却站着两个身穿胸前敞开的蓝军服、头戴皮帽的法国掷弹兵，一队警卫骠骑兵和枪骑兵，还有几个服饰漂亮的副官、侍童和将军，他们都在门口围着拿破仑的坐骑和他的警卫骑兵路斯坦，等待拿破仑出来。拿破仑就在几天前亚历山大派遣巴拉歇夫的维尔诺房子里接见他。

6

巴拉歇夫虽见惯宫廷的豪华，但拿破仑皇帝的穷奢极侈还是使他吃惊。

蒂雷纳伯爵把他领到一个巨大的接待室，那里已有许多将军、宫廷侍从和波兰贵族在等候接见，其中有不少人巴拉歇夫在俄国宫廷里见过。迪罗克说，拿破仑皇帝将在骑马散步前接见他。

几分钟后，值班侍从走进大接待室，彬彬有礼地向巴拉歇夫鞠了一躬，请他跟他去。

巴拉歇夫走进小接待室，那里有一道门通书房，几天前俄国皇帝就是在这间书房里派他出使的。巴拉歇夫站着等了一两分钟。门里传来急促的脚步声。两扇房门迅速地打开，开门的侍从彬彬有礼地站住，室内鸦雀无声。接着书房里传来另一个人稳健而有力的脚步声，原来是拿破仑。他刚梳洗完毕，准备骑马出去。他身穿蓝军服，敞开前襟，露出遮住他大肚子的白背心，下身穿一条裹紧短胖大腿的驼鹿皮裤，脚蹬高筒皮靴。他的短头发显然刚梳过，有一绺垂到宽阔的前额当中。他那从军服黑领子里露出来的白胖脖子很显眼，他身上散发出香水味。他那下巴突出的年轻的胖脸上，显出皇帝接待使臣时的庄严而仁慈的神情。

拿破仑走出来，每走一步身子就抖动一下，头稍稍往后一仰。他那矮胖的身材、宽阔的肩膀、突出的肚子和胸部赋予他一种保养得很好的四十岁男子庄重威严的神态。此外还看得出，他这天情绪极好。

巴拉歇夫恭恭敬敬地向拿破仑鞠躬，拿破仑向他点头答谢。他走到巴拉歇夫面前，立刻开口说话，仿佛珍惜每分钟时间，不屑于思考措辞，而自信他说的话总是正确得体的。

“您好，将军！”拿破仑说，“您带来的亚历山大皇帝的信我已收到，见到您很高兴。”他用他那双大眼睛瞧了瞧巴拉歇夫的脸，立刻就向远处望去。

显然，他对巴拉歇夫个人毫无兴趣。他感兴趣的只有**他自己**心里想的事。他身外的一切都无关紧要，因为全世界一切都是受他意志支配的。

“我不要打仗，过去不要，现在也不要，”他说，“我是被迫进行战争的。就是**现在**（他强调现在两个字），我也愿意听听您的解释。”接着他扼要地说明他对俄国政府不满的原因。

从法国皇帝温和而友好的语气判断，巴拉歇夫坚信他希望和平，愿意谈判。

拿破仑说完，用询问的目光看了看俄国使臣。这时巴拉歇夫就说出早已准备好的话：“陛下！我国皇帝——”但法国皇帝直视的目光使他发窘。“您发慌了，不要紧张。”拿破仑仿佛这么说，含笑看着巴拉歇夫的军服和长剑。巴拉歇夫定了定神，又说下去。他说，亚历山大皇帝认为库拉金申请护照一事不能构成开战的充分理由，库拉金这样做是自作主张，没有取得亚历山大皇帝的同意，亚历山大皇帝不希望战争，这事同英国也没有任何关系。

“**还说**没有。”拿破仑插嘴说，仿佛担心控制不住自己的感情，皱起眉头，微微点了点头，示意巴拉歇夫说下去。

巴拉歇夫把奉命要说的话都说了，又说亚历山大皇帝希望和平，同意进行谈判，但要有一个条件……巴拉歇夫迟疑了一下。他想起亚历山大皇帝的那句话，那句话虽没有写进信里，但命令务必把它写进给萨尔蒂科夫的诏书里，并命令巴拉歇夫当面转告拿破仑。巴拉歇夫记得那句话："只要俄国领土上还有一名武装的敌人，我决不讲和。"但有一种复杂的感情阻止他这样做。他想说这句话，但是说不出口。他迟疑了一下，说："条件是法国军队必须撤到涅曼河西岸。"

拿破仑发现巴拉歇夫说最后一句话时的窘态，拿破仑的脸抽搐了一下，左腿肚也有节奏地颤动起来。他站在原地不动，话说得越来越快，声音越来越高。巴拉歇夫听拿破仑说话，几次垂下眼睛，不由得注意到拿破仑左腿的颤动，他说话的声音越高，左腿的颤动也越厉害。

"我希望和平并不亚于亚历山大皇帝，"拿破仑说，"十八个月来我不是一直在努力争取和平吗？十八个月来我一直等待着解释。为了谈判，我还能做什么呢？"他皱着眉头说，他那白胖的小手使劲做着疑问的手势。

"把您的军队撤到涅曼河西岸，陛下。"巴拉歇夫说。

"撤到涅曼河西岸？"拿破仑反问了一句，"那么，现在就要我撤到涅曼河西岸，只要撤到涅曼河西岸就行了？"拿破仑对直瞧了巴拉歇夫一眼，重复说。

巴拉歇夫恭恭敬敬地低下头。

四个月前俄国人还要法军撤离波美拉尼亚，现在却只要求撤到涅曼河西岸就行。拿破仑猛地转过身去，在房间里踱起步来。

"您说，要我撤到涅曼河西岸才能进行谈判，但两个月前，为了这个目的你们却要我撤退到奥德河和维斯瓦河西岸。这么说，你们还是愿意谈判了。"

拿破仑默默地从一个屋角走到另一个屋角，又在巴拉歇夫面前站住。他的脸严厉得像石头一般，他的左腿颤动得更快。拿破仑感觉到左腿的这种颤动。"我的左腿颤动，这是一种伟大的预兆。"他后来这样说。

“退出奥德河和维斯瓦河之类的建议只能向巴登大公提出，可不能向我提出，”拿破仑突然忘乎所以地嚷起来，“你们即使把彼得堡和莫斯科给我，我也不能接受这样的条件。您说这场战争是我挑起的吗？那么，是谁先到军队里去的？是亚历山大皇帝，而不是我。你们向我提出谈判是在什么时候？是在我花掉了几百万，你们同英国结成联盟，你们的处境不妙的时候，你们向我提出谈判！你们为什么要同英国结盟？英国给了你们什么？”他说得很急，显然已不是要说明和谈的好处，讨论和谈的可能性，而只是要证明自己的正确和强大，证明亚历山大的错误和无理。

他的开场白显然要表明形势对他有利，但虽然如此，他还是愿意举行谈判。他一开口就滔滔不绝，越说越不能控制自己。

他说话的整个用意无非是要抬高自己，侮辱亚历山大，不过他开始接见时并不想这样做。

“听说，你们已跟土耳其人讲和了，是吗？”

巴拉歇夫肯定地点了点头。

“讲和了……”巴拉歇夫回答。但拿破仑不让他说下去。显然他要独自一人说话。于是他就像个骄纵惯了的人那样，按捺不住暴躁的脾气，滔滔不绝地讲下去。

“我知道你们没有得到摩尔达维亚和瓦拉几亚，就同土耳其讲和了。我本可以把这些省份送给贵国皇帝，就像我送给他芬兰那样。是的，我原来答应把摩尔达维亚和瓦拉几亚送给亚历山大皇帝，可现在他得不到这两个美丽的省份了。他本可以把这两省并入他的帝国版图，把俄罗斯从波的尼亚湾扩展到多瑙河口。即使是叶卡捷琳娜大帝也只能做到这样，”拿破仑越说越激动，在屋子里不停地来回踱步，向巴拉歇夫说着几乎就是他在蒂尔西特对亚历山大说过的话，“凭我的友谊他本可以得到这一切……哦，一个多么强盛的王朝，一个多么强盛的王朝！”他重复了几遍，站住，从口袋里掏出金鼻烟壶，猛吸起来。

“哦，亚历山大皇帝本可以建立一个多么强盛的王朝！”

拿破仑表示惋惜地望了巴拉歇夫一眼。巴拉歇夫刚要说话，又被他打断。

"他没能凭我的友谊得到什么，他还能指望得到什么呢？……"拿破仑困惑地耸耸肩膀说，"不，他把我的敌人当作亲信，那是些什么人呢？他重用的是斯坦因[①]、阿姆斐尔德[②]、文森海罗德、别尼生之流。斯坦因是被祖国驱逐出来的叛徒；阿姆斐尔德是个淫棍和阴谋家；文森海罗德是法国的流亡分子；别尼生多少像个军人，但也是个窝囊废，他在一八〇七年毫无作为，只能给亚历山大皇帝留下痛苦的回忆……他们要是有用，也可以用他们，"拿破仑继续说，他的话赶不上他不断涌现出来证明他正确和强大（他觉得正确和强大是一回事）的思想，"可是他们一点也不中用：既不会打仗，又不会治国。据说，巴克莱[③]比他们所有的人都能干；不过，从他最初的行动来判断，我不同意这种说法。他们在干些什么？这些朝臣都在干些什么？普法尔[④]订计划，阿姆斐尔德不同意，别尼生审查，而巴克莱奉命执行，却拿不定主意，时间就这样拖掉。只有巴格拉基昂是个军人。他很愚蠢，但有经验，有眼光，有决断……你们年轻的皇帝在这群废物中间能起什么作用呢？他们败坏他的名誉，把一切责任都推到他身上。皇帝除非是个统帅，否则就不该留在军队里。"拿破仑说这话显然是直接向亚历山大挑战。他知道亚历山大是多么想当统帅啊。

"仗才打了一个星期，你们连维尔诺都守不住。你们的军队被切成两半，被驱逐出波兰几个省。你们的军队怨声载道……"

"正好相反，陛下，"巴拉歇夫说，听着那像连珠炮一般的话，实在来不及把它记住，"我军士气高昂……"

"我全知道，"拿破仑打断他的话说，"我全知道，我清清楚楚地

① 斯坦因（1757—1831），1807—1808年曾任普鲁士首相，进行资产阶级改革。1808年因支持军事改革，重建普鲁士军队，拿破仑以"鼓动叛乱"罪迫其去职，并通令缉捕。初避居奥地利，后去俄国，任沙皇顾问（1812—1815）。

② 阿姆斐尔德（1757—1814），瑞典将军和政治家。1810年离开瑞典，取得俄国国籍，任亚历山大一世的顾问。

③ 巴克莱（1761—1818），苏格兰籍俄国将军。多次参加战争，1810—1813年任俄国陆军大臣。

④ 普法尔（1757—1826），普鲁士将军和军事理论家，后在俄军服役，1812年奉亚历山大一世命制订第一个反抗拿破仑的计划。

知道你们有多少军队，就像知道我自己的军队一样。你们的军队不足二十万，我的军队可要多三倍。老实说，”拿破仑说，忘记他这种老实话毫无意义，“老实说，我在维斯瓦河这一边就有五十三万人马。土耳其人帮不了你们的忙，他们肯同你们讲和，就证明他们是一堆废料。瑞典人命里注定要受疯子国王的统治。他们的国王原是个疯子，他们把他废掉了，换上另一个——贝尔纳多特[1]，贝尔纳多特一掌权又疯了，因为只有疯子才会和俄国结盟。”拿破仑恶毒地笑了笑，又把鼻烟壶拿到鼻子前。

巴拉歇夫想反驳拿破仑的每句话，他几次要说话，但都被拿破仑打断。谈到瑞典人的疯狂问题，巴拉歇夫想说，俄国支持瑞典，瑞典就像一个孤岛那样平安无事，但拿破仑怒吼一声，把他的声音压下去。拿破仑怒不可遏，他需要说话，说个不停，目的只是要表明他是对的。巴拉歇夫感到很难受：他作为一名使臣，觉得不反驳就有失身份，但作为一个人，他面对拿破仑的无名火，精神上感到压抑。他知道拿破仑此刻所说的话都毫无意义，等他冷静下来一定会感到羞耻。巴拉歇夫站在那里，垂下眼睛望着拿破仑不断晃动的胖腿，竭力避开他的目光。

“你们那些盟国算得了什么？”拿破仑说，“我也有盟国，那就是波兰人。他们有八万人，打起仗来像狮子一样勇猛。以后他们的人数将达到二十万。”

大概是由于他显然说了谎，而巴拉歇夫仍带着听天由命的神气默默地站在他面前，他就更加恼怒。他猛地转过身，正对着巴拉歇夫的脸，迅速而有力地挥动他那双白胖的手，大叫大嚷起来：

“老实对你说，你们要是挑动普鲁士来反对我，我就把它从欧洲地图上抹掉，”他气得脸色发白，面孔扭曲，一只小手使劲拍打另一只，“哼，我要把你们赶过德维纳河，赶过第聂伯河，恢复遏制你们的屏障[2]，那屏障是欧洲盲目无知听任你们破坏的。哼，这就是你们的命运，这就是你们疏远我的报应！”他说，接着耸动他的胖肩膀，默默地在屋

① 贝尔纳多特（1763—1844），出身平民，1810年被选为瑞典王位继承人。曾任攻击拿破仑的北路军总司令，1812年和俄国缔结同盟。

② 指波兰。

子里来回踱步。他把鼻烟壶放到背心口袋里，又几次掏出来嗅，在巴拉歇夫面前站住。他沉默了一下，嘲弄地直视着巴拉歇夫的眼睛，又低声说："你们的皇帝**本可以建立**一个多么强盛的王朝！"

巴拉歇夫觉得必须进行反驳，就说，从俄国方面看，情况并不那么糟糕。拿破仑不作声，继续嘲弄地瞧着他，显然没在听他说话。巴拉歇夫说，俄国对战争很乐观。拿破仑宽宏大量地点点头，仿佛说："我知道，你有责任这样说，但这话连你自己也不相信，我把你说服了。"

巴拉歇夫的话一说完，拿破仑又掏出鼻烟壶嗅了嗅，在地板上跺了两下脚叫人来。门开了；一个侍从恭恭敬敬地弯腰递给他帽子和手套，另一个递给他手帕。拿破仑看也不看他们，径自对巴拉歇夫说话。

"请替我转告亚历山大皇帝，"他拿起帽子说，"我对他依旧很忠诚：我十分了解他，并且很看重他的高尚品德。我不多耽搁你了，将军，你很快就可以拿到我给贵国皇帝的回信。"拿破仑快步向门口走去。接待室里的人都跑过去，跟着他走下楼梯。

7

拿破仑对他说了那么多话，发了那么大脾气，最后又冷冷地对他说："我不再耽搁你了，将军，你很快就可以拿到我给贵国皇帝的回信。"这以后，巴拉歇夫确信拿破仑不仅不愿再见他，而且竭力回避他这个受辱的使臣，主要是因为他目击了拿破仑的失态和发怒。但使巴拉歇夫大为惊讶的是，他从迪罗克那里接到当天赴法国皇帝宴会的邀请。

同席的有贝西埃[①]、科兰古和贝蒂埃。

拿破仑见到巴拉歇夫，态度和蔼可亲。他不仅没因早晨发怒而羞怯和内疚，反而竭力给巴拉歇夫鼓气。拿破仑显然早已形成一种观念，认为他拿破仑是不会犯错误的，他永远正确，这并非因为他做的事合乎是非标准，而是因为这事是**他**做的。

皇帝骑马巡视维尔诺后情绪很好。那里的市民热烈地欢迎他，给他

① 贝西埃（1768—1813），法国元帅，拿破仑的亲信。

送行。沿街的窗子里都挂出花毯、旗子和拿破仑姓名的花体字母，波兰女人也纷纷向他挥动手帕。

宴会上，拿破仑让巴拉歇夫坐在自己身边，不仅待他很亲切，而且简直把他当作自己的朝臣，还认为他巴拉歇夫应该支持他的计划，并且为他的成功而高兴。谈话中间，拿破仑提到莫斯科，向巴拉歇夫打听俄国京城的情况。他不仅像一个旅游者，对将要访问的新地方很感兴趣，而且满心相信，巴拉歇夫这个俄国人一定会为他想了解俄国的情况而感到荣幸。

“莫斯科有多少居民？有多少住宅？莫斯科是不是真的被称为圣城莫斯科？莫斯科有多少教堂？”他问。

巴拉歇夫回答有两百多座教堂，拿破仑就说：

“要那么多教堂干什么？”

“俄国人笃信上帝。”巴拉歇夫回答。

“不过，修道院多，教堂多，总是一个民族落后的表现。”拿破仑说，回头望望科兰古，希望他赞赏这个见解。

巴拉歇夫彬彬有礼地表示，法国皇帝的意见他不能同意。

“每个国家有每个国家的风俗习惯。”他说。

“不过，欧洲没有这样的情况。”拿破仑说。

“恕我直说，陛下，”巴拉歇夫说，“除了俄罗斯，还有西班牙，那里也有许多教堂和修道院。”

巴拉歇夫的这个回答，暗示法国人不久前在西班牙吃了败仗，后来在亚历山大宫廷里他因此受到赞扬，但此刻在拿破仑的餐桌上没有受到赞赏，也没有引起注意。

从元帅们困惑不解的神色上可以看出，他们根本没有听出巴拉歇夫这话的讽刺意味。“即使是俏皮话，我们也听不懂，也许根本没有什么俏皮的味道。”元帅们的脸色仿佛这样表示。巴拉歇夫的回答没有引起注意，拿破仑根本不予理会，却天真地问巴拉歇夫，由此直到莫斯科一路上要经过哪些城市。巴拉歇夫吃饭时始终保持着警惕，他回答道：“俗话说，条条道路通罗马，我们也可以说，条条道路通莫斯科，通莫斯科的道路很多，其中有一条就是查理十二世所选择的经过**波尔塔瓦**的路[1]。”巴拉歇夫作了这个巧妙的回答，自己得意得脸都红了。但没等他把“波尔塔瓦”这个名词说完，科兰古就谈到从彼得堡到莫斯科的路怎样难走，同时回忆起他在彼得堡的生活。

宴会后大家到拿破仑书房里喝咖啡，四天前这里还是亚历山大皇帝的书房。拿破仑坐下来，摸弄着塞夫勒[2]的著名瓷咖啡杯，又请巴拉歇夫坐在他旁边的椅子上。

一个人吃饱饭，比其他事更能使人心满意足，他会把一切人都看作朋友，拿破仑此刻正怀着这样的心情。他觉得周围都是崇拜他的人。他相信巴拉歇夫吃了他的饭，也成了他的朋友和崇拜者。拿破仑带着愉快而略含嘲讽的笑容同他说话。

“听说，亚历山大皇帝也在这个屋子里住过。这挺有意思，是不是，将军？”拿破仑这样说，显然深信这话会使对方高兴，因为这一点证明他拿破仑比亚历山大高明。

巴拉歇夫无言以对，只默默地低下头。

“是的，四天前，文森海罗德和斯坦因就在这个屋子里开过会，”拿破仑仍带着自负的嘲笑继续说，“我弄不懂，亚历山大皇帝为什么要把我所有的敌人都弄到他身边。这一点我……我不能理解。难道他没想到我也可以这么干吗？”他问巴拉歇夫，显然，提到这事，他早晨的怒火又燃烧起来。

“让他知道我会怎么办，”拿破仑说，站起来，推开他的咖啡杯，“我要把他在维滕贝格、巴登和魏玛[3]的亲戚统统从德国赶走……对，统统赶走。让他为他们在俄国准备避难所吧！”

巴拉歇夫低下头，现出苦恼的神态：他想告辞，但又无法不听下去。拿破仑没发觉他的神态。他对巴拉歇夫说话不像对一个敌国的使臣，而像对一个现在已对他十分忠心并乐于看到故主受辱的人。

“亚历山大皇帝何必统率军队呢？何必呢？打仗是我的职业，他的本行是治国而不是指挥军队。他何必亲自担当这样的责任呢？”

---

① 1709年瑞典国王查理十二世入侵俄国，彼得大帝在波尔塔瓦大败瑞典军队。

② 塞夫勒是巴黎附近的城市，法国的瓷器生产中心。

③ 都是德国的城市。

拿破仑又拿起鼻烟壶，默默地在屋子里来回踱了几次，突然走到巴拉歇夫跟前，脸上露出微笑，十分自信、敏捷而随便地做着一件不仅重要而且会使巴拉歇夫感到愉快的事。他举起手来，嘴唇上挂着笑意，抓住这位四十岁俄国将军的耳朵，轻轻地拉了一下。

"在法国宫廷里，被皇帝拉耳朵是莫大的光荣和恩宠。"

"喂，你怎么不说话，亚历山大皇帝的崇拜者和朝臣？"拿破仑说，仿佛在他面前不做他拿破仑的崇拜者和朝臣，而做别人的崇拜者和朝臣，这是可笑的。

"给将军准备好马没有？"他添加说，微微低下头回答巴拉歇夫的鞠躬。

"把我的马给他，他要**走远路**……"

巴拉歇夫带回拿破仑给亚历山大的最后一封信。他向皇帝报告了谈话的详细经过。于是战争就爆发了。

8

安德烈公爵在莫斯科同皮埃尔会晤后，动身去彼得堡。他对家里人说是去办事，其实是去找阿纳托里公爵。他觉得他必须同他见面。他到了彼得堡，才知道阿纳托里已不在彼得堡。皮埃尔事先曾告诉内兄，安德烈公爵在找他。阿纳托里一接到陆军大臣的委任状，就到摩尔达维亚部队去了。这时安德烈公爵在彼得堡遇见一向待他很好的老上司库图佐夫将军。库图佐夫要安德烈公爵同他一起去摩尔达维亚部队，因为老将军刚被任命为那里的总司令。[①]安德烈公爵接到去总司令部供职的任命后就动身赴土耳其。

安德烈公爵觉得写信给阿纳托里提出决斗不合适，他认为找不到新的理由而提出决斗，会损害娜塔莎伯爵小姐的名誉，因此他想同阿纳托里见面，以便找寻新的决斗借口。但安德烈公爵在土耳其也没有遇见阿纳托里，因为他来到土耳其部队后，阿纳托里又回俄国了。安德烈公爵

① 1811年3月7日库图佐夫被任命为多瑙河军总司令，司令部设在土耳其鲁舒克城堡区。

在新的国家，在新的生活环境里，日子过得比较轻松。未婚妻对他变心，他越想掩饰这件事，内心越感到痛苦。他原来觉得很幸福的生活环境，现在反而使他痛苦；他以前所珍惜的自由和独立，现在使他觉得难以忍受。他在奥斯特里茨战场上仰望天空时产生的那些思想，后来他喜欢同皮埃尔一起探讨，在保古察罗伏，以后在瑞士和罗马时又常常填补他孤寂的心灵，如今他甚至害怕想起这些展示无限光明前景的思想。如今他感兴趣的只是眼前的实际问题，这些问题与往事无关。他越关心眼前的问题，以往的事就离得越远。以前那个高悬在他头上的无限高远的苍穹，突然变成低压在他身上的拱顶，那里的一切都清清楚楚，但毫无永恒神秘之感。

在他所想到的活动中，服军役是最简单最熟悉的事。担任库图佐夫总司令部值班军官一职后，他干得非常卖力，他的热情和认真使库图佐夫惊讶。安德烈公爵在土耳其没有找到阿纳托里，觉得没有必要再回俄罗斯找他，但他也知道，不论过了多少时间，尽管他很瞧不起他，并且有许多理由证明犯不着降低身份去同他冲突，他知道，一旦遇见阿纳托里，他就无法不向他挑战，就像一个饥饿的人不能不扑向食物一样。耻辱未雪，冤仇未报，这种意识潜藏在安德烈公爵心里，使他在土耳其以忙碌工作、追求功名掩饰起来的表面镇静难以保持。

一八一二年，同拿破仑开战的消息传到了布加勒斯特（库图佐夫在那里已待了两个月，日夜同一个瓦拉几亚女人在一起），安德烈公爵要求库图佐夫把他调到西路军。库图佐夫对安德烈的勤勉很反感，仿佛这样就是责备他库图佐夫懒散，因此很乐意放他走，就给他一项任务到巴克莱那儿去。

安德烈公爵前往五月间驻在德里萨军营的部队以前，顺路去离斯摩棱斯克大道三俄里的童山。最近三年来，安德烈公爵的生活发生很大变化，他思考得很多，感受得很多，见过很多世面（他走遍西方和东方）。如今来到童山，却发现这里一切如旧，没有任何变化，大家还是那样生活，不禁感到惊讶。他乘车走进童山的林荫道，穿过石头大门，好像进入一座中了魔法而沉睡的古堡。这座邸宅还是那样庄严，还是那样清洁，还是那样安静，还是那些家具，还是那些墙壁，还是那些声音，还是那种气味，还是那几张怯生生的脸，只是见老些。玛丽雅公爵小姐依旧是个胆怯、丑陋的老姑娘，永远生活在恐惧和苦恼中，毫无意义毫无欢乐地虚度着青春年华。布莉恩还是一个春风得意卖弄风情的姑娘，快乐地享受着生命的每一瞬间，并且满怀最美好的希望。安德烈公爵觉得，她只是变得更加自负。安德烈公爵从瑞士带来的家庭教师德萨尔，身穿俄国式礼服，同仆人们说着生硬的俄语，但还是那样智力有限，教养有素，品德高尚，思想迂腐。老公爵身体上的变化只是嘴角少了一颗牙；精神上还是同原来一样，只是脾气更坏，对外界发生的事更加不信任。只有小尼古拉一人长高了，模样变了。他脸色红润，长出一头深色鬈发，在高兴和发笑的时候翘起好看的小嘴的上唇，酷似已故的小公爵夫人。在这个中了魔法的沉睡的古堡里，只有他一人不服从那一成不变的法则。不过，自从安德烈公爵走后，虽然家里表面上一切如旧，其实人与人之间的关系已经起了变化。家庭成员分成敌对的两派，现在只是当着他的面才聚在一起，为了他才改变平时的生活方式。老公爵、布莉恩小姐和建筑师属于一派；玛丽雅公爵小姐、德萨尔、小尼古拉和保姆、奶妈属于另一派。

安德烈公爵在童山期间，全家人一起吃饭，但大家都有点不自在。安德烈公爵觉得他是客人，大家为他打破惯例，他在场，大家感到拘束。第一天吃饭的时候，安德烈公爵就有这种感觉，他没作声。老公爵看出他有点不自然，也板着脸一言不发，吃完饭就回到自己屋里。晚上，安德烈公爵到老公爵那里去，竭力想使他提起精神，就同他谈小卡敏斯基伯爵的远征，但老公爵突然同他谈起玛丽雅公爵小姐来，责备她迷信，说她不喜欢布莉恩小姐。他说，只有布莉恩小姐一人对他忠心耿耿。

老公爵说，他要是有病，那都得怪玛丽雅公爵小姐；说她故意折磨他，惹他生气；说小尼古拉公爵被她的溺爱和愚蠢的话教坏了。老公爵明明知道自己折磨女儿，使她很痛苦，但他认为，他不能不折磨她，她这是罪有应得。“安德烈公爵看到这一切，他为什么不同我谈谈他的妹妹？”老公爵想，“他会不会把我看作坏蛋或者老糊涂，觉得我疏远女儿而亲近法国女人？他不了解，因此得向他解释解释，让他听一听。”于是他就解释，为什么他不能忍受女儿的乖戾性格。

"您要是问我，"安德烈公爵眼睛不看父亲说（这是他有生以来第一次责备父亲），"我不愿意说；但您要是一定要我说，那我可以把我对这件事的意见坦率告诉您。要是您同玛丽雅之间有点误会和隔阂的话，那我决不会怪她。我知道她非常爱您，尊敬您。您要是问我，"安德烈公爵继续说，情绪激动起来，近来他总是很容易激动，"那我只能说：要是有误会的话，原因就在于那个卑贱的女人，她不配做我妹妹的伴侣。"

老头儿起初目不转睛地瞧着儿子，咧着嘴不自然地微笑着，露出安德烈公爵看不惯的牙齿中的新豁口。

"什么伴侣啊，宝贝？呃？这事你们已经谈过了！是吗？"

"爸爸，我本不愿当裁判，"安德烈公爵语气生硬地挖苦说，"是您逼我说，我只好说出来，我始终认为，玛丽雅公爵小姐没有错，错的是……错的是那个法国女人……"

"哦，你作出判决了！……判我的罪了！……"老头儿低声说，安德烈公爵觉得他的语气有点不自然，但接着老头儿突然跳起来嚷道，"滚，你给我滚！再也别让我看见你！……"

安德烈公爵想立刻离家，但玛丽雅公爵小姐求他再住一天。这一天安德烈公爵没有和父亲见面。老公爵没有走出房门，除了布莉恩小姐和季洪，不让任何人进去，但几次打听儿子有没有走。第二天临行前，安德烈公爵走进儿子的房间。他让身体健康、鬈发像母亲的孩子坐在膝盖上。安德烈公爵给他讲蓝胡子的故事，但没有讲完就沉思起来。他抱着膝盖上漂亮的儿子，脑子里想的却不是他。他自忖有没有因为激怒父亲而悔恨，有没有因为离开父亲而难过（他生平第一次同父亲吵嘴），但发现并没有这样的感情。更糟糕的是，他让儿子坐在膝盖上，爱抚他，很想唤起平时对儿子的柔情，可是唤不起来。

"喂，你讲下去呀！"儿子说。安德烈公爵没有回答，却把儿子从膝盖上放下，走出屋去。

安德烈公爵只要放下日常事务，特别是回到他原来幸福地生活过的环境里，感伤的情绪就会强烈地涌上心头，他连忙抛下这些回忆，找点事做。

"你一定要走吗，安德烈？"妹妹问他说。

“感谢上帝，我可以走了，”安德烈公爵说，“可惜你走不了。”

“你干吗这样说！”玛丽雅公爵小姐说，“现在你要去参加这场可怕的战争，他又这样老了，你干吗要说这种话！布莉恩小姐说，他几次问起你呢……”她说到这里，嘴唇抖动，眼泪夺眶而出。安德烈公爵转过身去，在屋里来回踱步。

“哦，老天爷！老天爷！”他说，“真没想到，鸡毛蒜皮的小事和微不足道的小人都会给人带来不幸！”他怒气冲冲地说，使玛丽雅公爵小姐大吃一惊。

她明白，他说微不足道的小人，不仅是指造成他不快的布莉恩小姐，还指毁了他幸福的那个人。

“安德烈，我有一件事求你，”她摸摸他的臂肘，眼睛里泪光闪闪地瞧着他，说，“我了解你（玛丽雅公爵小姐垂下眼睛）。你别以为痛苦是人造成的。人是上帝的工具。”她越过安德烈公爵的头顶，仰望什么地方，就像她习惯地仰望圣像那样。“痛苦是上帝降下的，不是人造成的。人是上帝的工具，人没有罪。你要是觉得有人得罪了你，别放在心上，要宽恕他。我们没有权利惩罚人。你会懂得宽恕的幸福的。”

“如果我是女人，我一定会这样做，玛丽雅。那是女人的美德。但男人不该也不能忘记和宽恕。”他说，尽管这时他并没想到阿纳托里，但心里突然升起一股难以压抑的怒火。他想：“如果玛丽雅公爵小姐都劝我宽恕，这就是说我早就该惩罚他了。”于是他不再理会玛丽雅公爵小姐，开始想象他向阿纳托里（他现在在部队里）报仇雪恨的痛快时刻。

玛丽雅公爵小姐要求哥哥多留一天，她说，安德烈要是不同父亲和好就离开，父亲会很伤心的。但安德烈公爵回答说，他不久又要从军队回来，他一定会给父亲写信，他现在在家里留得越久，他们的关系只会越坏。

“再见，安德烈！要记住，灾难来自上帝，人是永远无罪的！”这是他告别时妹妹对他说的最后一句话。

“唉，事情也只能这样！”安德烈公爵乘车离开童山老家的林荫道时想，“她这个无辜的可怜人，只好吃糊涂老头子的苦了。老头子明明知道自己不对，还是改不了脾气。我的孩子渐渐长大，他也享受着生的欢乐，将来他也会像任何人一样，不是被骗就是骗人。我现在去参军，可是为了什么？我自己也不知道。我真想碰上那个卑鄙的家伙，他就是杀死我，嘲笑我，我也不在乎！”

安德烈公爵的生活条件没有变，不过以前它们是和谐一致的，如今却支离破碎了。只剩下一些毫无意义的孤立现象，一个个出现在他的头脑里。

9

六月底，安德烈公爵来到军队总司令部。皇帝亲临的第一军驻扎在德里萨河畔设防的野营里；第二军正在撤退，企图与第一军会师，据说第一军和第二军被人数众多的法军切断了。大家对俄军总的军事形势感到不满；但谁也没有想到俄国各省会遭到侵犯，谁也没有估计到战争会越过波兰西部各省。

安德烈公爵在德里萨河畔找到他奉命去供职的巴克莱部队。由于野营附近没有一个大村庄或小镇，人数众多的将军和随军廷臣就被安顿在两岸方圆十俄里内最好的房子里。巴克莱的驻地离皇帝行宫只有四俄里。巴克莱冷淡地接待安德烈公爵，带着德国腔对他说，他将奏明皇上后给他委派职务，请他暂时留在他的司令部里。安德烈公爵要找阿纳托里，但他不在这里，他到彼得堡去了。这消息倒使安德烈公爵高兴。正在发生的大战吸引了安德烈公爵的注意力，他能暂时摆脱由想起阿纳托里而产生的烦恼，感到高兴。开头四天，安德烈公爵还没有接到任务，他骑马巡视整个营地，凭自己的知识，再同了解情况的人谈话，竭力掌握这座设防营地的情况。但这个营地究竟是否有利，安德烈公爵还不能判断。他凭自己的军事经验确信，在战争中深思熟虑的作战计划毫无用处（这是他在奥斯特里茨战役中看到的），关键在于如何应付敌人的突然行动、怎样作战和由谁指挥作战。为了弄清这个问题，安德烈公爵利用自己的地位和关系，深入了解军队的指挥情况、参加指挥的人员和派别，最后对战局得出以下的概念。

皇帝还在维尔诺时，部队就分成三个军：第一军由巴克莱指挥，第二军由巴格拉基昂指挥，第三军由托尔马索夫指挥。皇帝留在第一军，但不用总司令名义。命令里没有说皇帝将指挥军队，只说皇帝将随军亲征。再有，不设御前总参谋部，而只设皇帝行辕本部。皇帝手下有行辕长官伏尔康斯基公爵，许多将军、侍从武官、外交官和一大批外国人，但没有参谋部。此外，随驾而无专职的有：前任陆军大臣阿拉克切耶夫、别尼生大将、皇太子康斯坦丁·巴夫洛维奇亲王、一等文官鲁勉采夫伯爵、前普鲁士大臣斯坦因、瑞典将军阿姆斐尔德、作战计划主要起草人普法尔、萨丁移民侍从武官长保卢奇、伏尔佐根①等许多人。这些人在部队里虽然没有军职，但凭地位很有影响。军长，甚至总司令听到别尼生、亲王、阿拉克切耶夫或者伏尔康斯基公爵的查询或者建议，往往不知道他们用的是什么身份，他们的命令或意见是他们自己的，还是代表皇帝，也不知道该不该执行。但这只不过是表面现象，皇帝带着这些人亲临部队的意义，从廷臣观点来看是十分明白的（在皇帝面前大家都是廷臣）。那意义便是：皇帝名义上不是总司令，但事实上统率各军，他的左右都是他的幕僚。阿拉克切耶夫忠实维持治安，是皇帝的随身侍卫；别尼生是维尔诺省的地主，表面上尽地主之谊接待皇帝，其实是个出色的军事顾问，而且随时可以顶替巴克莱。亲王待在军中，因为他喜欢随军同行。前任普鲁士大臣斯坦因待在这里，因为他是个好顾问，亚历山大皇帝很看重他的才能。阿姆斐尔德是拿破仑的死敌，一个十分自负的将军，对亚历山大一向有影响。保卢奇待在军中，因为他说话大胆而果断。侍从武官们来到这里，因为他们总是跟着皇帝，形影不离。普法尔在这里，因为他拟订了反对拿破仑的计划，并使亚历山大相信这一计划是正确的，现在他统管全部军事。普法尔身边还有伏尔佐根，伏尔佐根比普法尔自己更能明白地表达普法尔的思想，而普法尔是个高傲自大、目空一切的空头理论家。

除了上述俄国人和外国人（特别是外国人，他们身处异国，非常大胆，每天敢于提出惊人的新主意），还有许多次要人物，他们来到军中，因为他们的上司都在这里。

---

① 伏尔佐根（1774—1845），普鲁士将军，1807年起在俄军服务。

这个杰出、高傲、忙碌的庞大集体，思想分歧，意见各异，安德烈公爵从中看出，有以下几种明显的派别。

第一派是普法尔和他的信徒，他们是军事理论家，认为军事是一门科学，具有不变的规律，例如迂回战、包围战，等等。普法尔和他的信徒主张根据空头军事理论把军队撤退到腹地，凡是违反这个理论的都是野蛮无知或别有用心。属于这一派的有德国亲王、伏尔佐根、文森海罗德等人，他们多半是德国人。

第二派同第一派对立。有一种极端，照例必有另一种极端。这一派在维尔诺就主张打破任何作战计划，进攻波兰。这派除了主张大胆行动外，还是民族主义的代表，因此在争论中格外偏激。这派都是俄国人，如巴格拉基昂，初露头角的叶尔莫洛夫①等人。当时流传着有关叶尔莫洛夫的一则笑话，说他要求皇上施恩，封他为德国人。这派人说，他们缅怀苏沃洛夫，反对空想，反对只在地图上插针，主张行动，打击敌人，御敌于俄国国门之外，不要挫伤士气。

第三派是前两派的折中派，最得皇帝的信任。这一派多半不是军人，阿拉克切耶夫也属于这一派。他们也像那些庸夫俗子，没有信念，却装出有信念的样子。他们说，同白拿伯（他们又称拿破仑为白拿伯了）那样的天才作战，需要深思熟虑的计划和渊博的科学知识，这方面普法尔是个天才，但同时不能不承认理论家往往有片面性，因此不能完全相信他们，也要听听普法尔的反对派的意见，听听有实际作战经验的人的意见，他们就选择中间路线。这派人主张按普法尔的计划坚守德里萨营地，但改变其他各军的行动。尽管这种行动不能达到任何目的，这派人还是认为这样最好。

第四派的最重要代表是皇太子，他忘不了他在奥斯特里茨战役的狼狈处境，他当时头戴钢盔，身穿骑兵制服，像检阅一样走在近卫军前面，想漂漂亮亮地打垮法军，却不料一下子就落到第一线，好不容易才在一片混乱中逃生。这派人发表意见过分坦率。他们害怕拿破仑，看到他的强大和自己的软弱，而且直言不讳。他们说："除了悲伤、羞辱和灭亡，不会

---

① 叶尔莫洛夫（1777—1861），俄国将领，1812 年卫国战争中任第一军参谋长，战后曾任高加索军军长和格鲁吉亚驻军总司令等职。

有任何结果！瞧，我们放弃了维尔诺，放弃了维切布斯克，我们还得放弃德里萨。唯一聪明的办法就是趁我们还未被逐出彼得堡，赶快讲和！”

这种意见在军队上层很流行，在彼得堡也有人支持，一等文官鲁勉采夫出于其他政治原因也主张讲和。

第五派是巴克莱的信徒，他们崇拜他，觉得他不是个普通人，而是陆军大臣和总司令。他们说：“不管怎么样（他们开头总是这样说），他毕竟是个诚实能干的人。再没有比他更好的人了。应该让他掌握实权，因为没有统一指挥，战争就不能胜利。让他统一指挥，他就会像在芬兰那样大显神威[1]。我们的军队组织严密，强大有力，撤退到德里萨并没有遭到任何损失，应该完全归功于巴克莱。现在要是用别尼生代替巴克莱，那就会全部完蛋，因为别尼生在一八〇七年就已表明庸碌无能。”

第六派是别尼生派，他们的说法相反，认为没有人比别尼生更能干，更有经验，不论怎么样，到头来还得请教他。这一派人认为，我军撤退到德里萨是奇耻大辱，是一系列错误的结果。他们说：“错误犯得越多越好，至少好让大家更快明白，这样下去不行。我们需要的不是巴克莱，而是像别尼生这样的人。别尼生在一八〇七年就已大显身手，拿破仑本人都对他作了公正的评价。我们只愿意让别尼生这样的人掌权。”

第七派是一批将军和侍从武官，他们总是待在皇帝身边，特别是历朝年轻的皇帝身边，而在亚历山大皇帝身边人数特别多。他们对他赤胆忠心，不仅仅因为他是皇帝，而且因为他是一个人，就像尼古拉·罗斯托夫一八〇五年崇拜他那样。他们从他身上不仅看到各种美德，而且看到人类的优秀品质。这派人对皇帝辞去军权虽表示钦佩，但又认为他过分谦虚，坚决要求他们所崇拜的皇帝不要太自谦，应该公开宣布他是全军统帅，并组织御前总司令部，必要时可向有经验的理论家和实践家咨询，亲自统率军队，这样就能大大鼓舞士气。

第八派人数最多，他们同其他各派人数的比例是九十九比一。他们既不主张和平，也不赞成战争；不赞成进攻，也不赞成在德里萨河畔或其他地方设防。他们不支持巴克莱，不支持皇帝，不支持普法尔，不支

① 1809年巴克莱统率军队在芬兰作战大捷。

持别尼生。他们只有一个愿望，一个重大的愿望：尽量为自己谋利益，争享受。他们利用皇帝行辕里错综复杂的阴谋活动浑水摸鱼，拼命捞取在平时想象不到的好处。有人不愿丧失既得利益，今天同意普法尔，明天赞成他的对手，后天又声称对这事没有任何意见，以逃避责任和讨好皇上。有人为了捞到好处，博得皇上青睐，大声鼓吹皇帝前一天暗示过的事，在会议桌上捶胸顿足，声嘶力竭，提出要同反对的人决斗，以此表示为了公共利益，不惜牺牲自己。再有人利用两次会议休会、反对派不在场的时机，干脆要求获得一次津贴，知道这时人家不会拒绝他。第四种人总是有意向皇帝显示他在埋头苦干。第五种人为了达到与皇帝共同进餐的夙愿，拼命证明某种意见正确或错误，并举出多少有说服力的论据。

这一派人猎取卢布、勋章和官爵，他们但看皇帝的颜色行事，皇帝的风向标指向哪里，他们就一窝蜂拥向哪里，弄得皇帝更难改变方针。在动荡不定的局势中，在令人胆战心惊的危机下，在阴谋、虚荣和各种观点情绪冲突的旋风中，加上民族不同，这第八派是只关心个人利益的人数最多的一派，他们把大局搅得一片混乱。不论发生什么问题，这群雄蜂在前一个问题上还没嗡嗡完，就又转向新的问题，用它们的嗡嗡声来压倒和淹没人们真诚的争议。

安德烈公爵来到军队以后，从八派中形成了第九派，他们开始大声发言。这派人都上了年纪，通情达理，老成干练，富有政治经验。他们不支持对立意见中的任何一方，冷眼旁观司令部里的一举一动，并且考虑怎样从这种犹豫不决、模棱两可、混乱软弱的局面中脱身出来。

这派人认为，这种糟糕的局面主要是由于皇帝带着他的军事人员来到军队里；军队里沾染了优柔寡断的风气，这种风气在朝廷里还可以，在军队里却是有害的；皇帝应该治理国家而不应该指挥军队；摆脱这种局面的唯一办法是皇帝和他的随从撤离军队；为了保护皇帝个人的安全，五万人马就不能参加作战；一个能力最差但不受限制的总司令，也比一个能力最强但受皇帝牵制的总司令强。

就在安德烈公爵在德里萨闲住的时候，这派的一名重要代表国务秘书希施科夫上书皇帝，巴拉歇夫和阿拉克切耶夫也在上面签名表示同意。

希施科夫利用皇帝恩准议论国家大事的特权，在奏章里借口皇帝应在京城鼓舞民众斗志，恭请皇帝离开军队。

由皇帝唤起民众保卫祖国，这个建议被皇帝接纳了。于是皇帝留守莫斯科激励民众斗志，就成了俄国胜利的主要原因。

10

这封信还没有呈交皇上，巴克莱在吃饭时通知安德烈公爵，皇帝要召见他，向他垂询土耳其情况，安德烈公爵须在晚上六时到别尼生司令部报到。

这一天，皇帝行宫风闻拿破仑将有侵犯俄军的新行动，不过后来证明这个消息不确实。这天早晨，米肖上校[1]陪同皇帝骑马巡视德里萨防御工事，他向皇帝证明，这个由普法尔设计建造的工事是战术的杰作，能置拿破仑于死地。其实这个工事毫无用处，只能成为俄军的坟墓。

安德烈公爵来到别尼生将军司令部，司令部设在德里萨河畔一座不大的地主宅邸里。别尼生和皇帝都不在。皇帝的侍从武官契尔内歇夫接见安德烈公爵，告诉他皇帝带着别尼生将军和保卢奇侯爵今天再次视察德里萨工事，他们对这一工事的用处开始发生怀疑。

契尔内歇夫在第一个房间里，坐在窗口看法国小说。这个房间原来大概是个大厅，现在里面还有一架管风琴，琴上堆着一些毯子，屋角放着别尼生的副官的行军床。副官也在这里。他大概被酒宴或事务弄得筋疲力尽，坐在铺盖卷上打盹。这里有两道门：一道直通原来的客厅，另一道通向右边的书房。从第一道门里传来德语夹法语的说话声。在客厅里，遵照皇帝的旨意正在举行非军事会议（皇帝喜欢使用含义不清的名词），只有几个人参加。皇帝很想知道他们对当前困难局势的意见。这不是一次军事会议，而只是特邀几个人为皇帝解释几个问题。应邀参加这个非正式会议的有：瑞典将军阿姆斐尔德、侍从武官长伏尔佐根、文森海罗德（拿破仑称他是流亡的法国臣民）、米肖、托里、完全不是军

---

① 米肖上校（1771—1841），军事工程师，原籍撒丁，1805年参加俄军。

人的斯坦因伯爵，还有普法尔本人。安德烈公爵听人说，普法尔是整个事情的核心。普法尔在安德烈公爵到后不久才来，他走进客厅，停下来同契尔内歇夫谈话，因此安德烈公爵有机会仔细打量他。

普法尔穿一套缝工很差的俄国将军服，乍一看，安德烈公爵觉得很面熟，其实从未谋面。他身上集合着安德烈公爵在一八〇五年见过的威罗特、马克和施密特等许多德国军事理论家的特征，不过他比其他人更典型。像他这样集所有德国人特征于一身的德国理论家，安德烈公爵还没见过。

普法尔身材不高，很瘦，但骨骼粗大，体格强壮，臀部宽阔，肩胛突出。他满脸皱纹，眼窝深陷。他两鬓的头发匆匆梳过，后面有几绺翘起。他走进屋里，左顾右盼，惊惶不安，仿佛对屋里的一切感到害怕。他姿势笨拙地摁住佩剑，用德语问契尔内歇夫皇帝在哪里。他似乎想尽快穿过屋子，结束鞠躬问候的客套，坐到地图前工作，这样他才会觉得轻松自如。他听契尔内歇夫说，皇帝去察看他普法尔根据自己的理论设计的工事，匆匆地点点头，露出嘲弄的微笑。他像一般自信的德国人那样低沉而果断地嘟囔着："愚蠢……事情糟了……坏事了。"[①]安德烈公爵没听清楚他的话，但契尔内歇夫把安德烈公爵介绍给普法尔，并说安德烈刚从土耳其回来，那里的战争顺利结束了。普法尔对安德烈公爵看了一眼，或者说得更恰当些，对他扫了一眼，笑着说："对对，看来那一仗的战术是正确的。"[②]接着带着轻蔑的微笑走进那个有人说话的房间。

普法尔显然容易发怒，现在有人竟敢背着他去视察他的营地并妄加评论，就格外生气。安德烈公爵凭他在奥斯特里茨的回忆和这次短暂的见面，就看清了这位将军的为人。普法尔是个无可救药的顽固自大狂，这样的人只有德国才有。他们之所以极度自信，是因为相信一种抽象观念，也就是科学，他们自以为掌握了绝对真理。法国人之所以自信，是因为他们认为他们的智力和肉体，不论对男人还是对女人，都具有魅力。英国人之所以自信，是因为他们是世界上组织最完善的国家的公民，英国人永远知道他们应该做什么，而且所做的一切绝对正确。意大利人之

①② 原文是德语。

所以自信，是因为他们情绪激动，容易忘乎所以，旁若无人。俄国人之所以自信，是因为他们一无所知，也没有求知欲，因为他们根本不相信人能知道什么。德国人的自信最糟糕，最顽固，最可憎，因为他们自以为懂得真理，懂得科学，其实这种科学是他们臆造的，但他们却认为是绝对真理。普法尔就是其中一个。他有他的理论，那就是从腓特烈大帝军事史中得出来的迂回战术。他认为，他在近代军事史中所见到的一切都是荒谬、野蛮、混乱的冲突。在这种冲突中双方都犯了许多错误，这样的战争不能称为战争，因为它们不符合理论，不能成为学术研究的对象。

一八〇六年，普法尔是那次在耶纳和奥尔施泰特结束的战役的计划制订者之一，但他从战争的结局中看到他的理论完美无缺。相反，他认为失败的唯一原因就是没有照他的军事理论去做。他以他特有的幸灾乐祸的口吻说："我早就说过事情要全部完蛋的。"[①]普法尔也是一个空头理论家，他迷信自己的理论，甚至忘记理论应该用在实践上。他偏爱理论，厌恶一切实践，对实践不屑一顾。他甚至为失败而高兴，因为实践没有理论指导而失败，足以证明他的理论是正确的。

他同安德烈公爵和契尔内歇夫谈了几句当前的战争，脸上的神情表示，他早就知道事情要弄糟，甚至对此并不感到难过。他脑后翘起的头发和匆匆梳过的两鬓都有力地证明了这一点。

他走到另一个房间，那里立刻传来他那低沉而愤慨的声音。

11

安德烈公爵的目光还没把普法尔送走，别尼生伯爵就匆匆走进屋来。他向安德烈公爵点点头，边向副官作指示，边走进书房。皇帝随后到达。别尼生慌忙赶到前面，准备迎接皇帝。契尔内歇夫和安德烈公爵走到门口台阶上。皇帝满面倦容，下了马。保卢奇侯爵对皇帝说着什么。皇帝向左侧着头，听保卢奇情绪激动地说话，现出不很乐意的神情。皇帝向

① 原文是德语。

前挪动一步，显然不愿再听他说下去，但这个脸色通红、神情激动的意大利人却不顾礼节，跟在皇帝后面说个不停。

“至于那个建议构筑德里萨阵地的人，”保卢奇说，这时皇帝走上台阶，发现安德烈公爵，就凝视着这个陌生人，“陛下，对于那个建议构筑德里萨阵地的人，”保卢奇仿佛已按捺不住，不顾一切地继续说，“对于他，照我看只有两个去处：不是进疯人院，就是上绞刑架。”皇帝没有听完，也许根本没在听人说话。他认出了安德烈公爵，就和颜悦色地对他说：“见到你很高兴，你到他们开会的地方去等我吧。”

皇帝走进书房。伏尔康斯基公爵和斯坦因男爵跟着他走进去，随手把门关上。安德烈公爵利用皇帝的许可，同他在土耳其认识的保卢奇一起走进客厅。客厅里正在开会。

伏尔康斯基公爵担任类似皇帝参谋长的职务。他拿着几张地图从书房出来，走进客厅，把地图摊在桌上，提出几个问题，想听听与会者的意见。情况是这样的：夜里得到消息（后来证明不确），说法军正在迂回进攻德里萨阵地。

第一个发言的是阿姆斐尔德将军。他提出，为了摆脱当前的困境，在彼得堡和莫斯科大道旁另筑一个新阵地，这阵地的用处他没有说明（只是为了表示他也有他的想法），他认为军队应该集结在那里等待敌人。阿姆斐尔德显然早就制订了这个方案，他现在说出来，与其说是解答提出的问题（其实他的方案并未解答问题），不如说是乘机把它说出来。这是无数建议之一，提出来的人振振有词，其实他们根本不懂战争的特点。有人反对他的意见，有人赞成他的意见。年轻的托里上校反对得最激烈，他一面争论，一面从军服口袋里掏出写满字的笔记本，要求让他念念里面的内容。托里从大量记录中提出一个同阿姆斐尔德和普法尔完全不同的作战方案。保卢奇反对托里，提出一个进攻计划。他认为只有这样才能摆脱走投无路的陷阱（他把德里萨阵地称为陷阱）。在这些争论中，普法尔和他的翻译伏尔佐根（他是普法尔同朝廷联络的桥梁）一直默不作声。普法尔只是鼻子里轻蔑地哼哼着，背过身去，表示他根本不屑反驳他现在听到的这种谬论。当主持会议的伏尔康斯基公爵请他发表意见时，他只说：“何必问我？阿姆斐尔德将军已提出一个暴露后方的好阵地。或者，这位意大利先生提出的进攻，很好嘛！[①]或者撤退，也很好。[②]何必问我呢？诸位对情况都知道得比我清楚。”

但伏尔康斯基皱着眉头，说他是代表皇帝征求意见的，普法尔就站起来，突然来了劲，开口说：“事情全弄糟了，全搞乱了，大家都比我高明，可现在又来问我该怎么补救。没有什么可补救的。一定要严格遵守我定下的原则，”他用骨瘦如柴的手指敲敲桌子说，“困难在哪里？胡说，幼稚！[③]”他走到地图前，用干瘦的手指戳戳地图，迅速地说，任何意外情况都不会改变德里萨阵地的作用，一切都预见到了，敌人要是真的前来包抄，注定会全军覆没。

保卢奇不懂德语，就用法语向他提问。伏尔佐根走来帮助法语说得不好的首长，为他翻译，好不容易才跟上普法尔讲话的速度。普法尔急急地证明，不但已经发生的一切，就是可能发生的一切，都不出他所料，如果说现在出现了困难，那只是因为没有严格执行他的计划。他一直露出嘲弄的微笑，反复作着证明，最后轻蔑地停止论证，好像数学家不再用各种方法证明一个早已证实的命题。伏尔佐根继续用法语替他说明他的意思，偶尔问普法尔：“对不对，阁下？”普法尔好像一个在战斗中杀红了眼的人，竟打起自己人来，怒气冲冲地对伏尔佐根嚷道：“哼，还解释什么？”[④]保卢奇和米肖一起用法语攻击伏尔佐根。阿姆斐尔德用德语对普法尔说话。托里用俄语向伏尔康斯基公爵解释。安德烈公爵默默地听着，观察着。

在所有这些人中，安德烈公爵最同情的是愤怒、固执、自信得可笑的普法尔。在场的人中间，显然只有他一个人没有什么个人要求，对谁也不抱仇恨。他只有一个希望：执行根据他多年研究的心得所制订的计划。他这人有点可笑，他的讽刺使人不快，但他对理想的无限忠诚却博得大家的尊敬。此外，在所有的发言中，除了普法尔，有一个共同的特点，这在一八〇五年军事会议上是没有的，就是对拿破仑的天才都极为恐惧。这种情绪虽被掩饰着，但还是从每个人的发言中流露出来。大家认为拿破仑无所不能，对他防不胜防，彼此用这个可怕的名字批驳对方

---

①②③④　原文是德语。

的建议。只有普法尔一人认为拿破仑是个野蛮人，就像他认为凡是反对他的理论的人都是野蛮人那样。不过，普法尔除了引起安德烈公爵的敬重外，还引起他的怜悯。从廷臣们对他说话的语气，从保卢奇胆敢在皇帝面前说他坏话这件事，主要是从普法尔本人的绝望神情中可以看出，别人知道，他自己也感觉到，他的垮台已迫在眉睫。尽管他这人十分自信，且有德国式嘲讽唠叨的癖性，他那两鬓梳得光光、后面头发翘起的模样却是可怜的。他表面上显得愤怒和轻蔑，其实内心感到绝望，因为他想通过大规模实验向全世界证明他的理论的正确性，而这样的机会现在已经丧失了。

讨论继续了很久。他们讨论得越久，争吵也越激烈，甚至大声叫嚷和进行人身攻击，这样也就更难得出共同的结论。安德烈公爵听着这席使用多种语言的谈话，听着他们的建议、计划、辩驳和叫嚷，不胜惊讶。他在军事活动中常想，军事科学是没有的，因此也不可能有所谓军事天才。现在他认为这是一种明摆着的事实。“战争的条件和环境不明，作战者的力量也不明，哪里谈得上什么军事理论和军事科学？谁也不知道，也无法知道，明天敌我双方情况将会怎样；谁也无法知道这个部队和那个部队有多大力量。有时，只要没有胆小鬼在前面叫喊‘我们被切断了’，就会胜利。如果有一个勇敢的小伙子在前面高呼‘乌拉’，一支五千人的队伍就抵得上三万人，就像在申格拉本那样。有时五万人遇到八千人也会逃跑，就像在奥斯特里茨那样。许多事情往往由无数条件决定，而这些条件的作用往往发生于谁也不知道的特定时刻，战争也是这样，因此怎么谈得上军事科学呢？阿姆斐尔德说，我军被切断了；保卢奇却说，我们使法军受到夹攻；米肖说，德里萨阵地没有用，因为后面有一条河；普法尔则说，它的威力就在于此。托里提出一个计划，阿姆斐尔德提出另一个计划。这些方案都有利有弊，任何方案只有通过实践才能证明它的好处。大家凭什么谈论军事天才呢？难道一个人能及时下令运送干粮、指挥部队向左向右，他就是天才吗？这只是因为有些军人获得荣誉和权力，就有一批趋炎附势的小人拜倒在权力面前，硬把天才加到权力上面，称他们为天才。相反，我所知道的最好的将军都是些蠢货或懒虫。巴格拉基昂是位最好的将军，连拿破仑都承认这一点。拿破仑本人何尝不是这样！我记得他在奥斯特里茨战场上那种得意忘形的蠢相。一个好统帅不仅不需要天才和特殊品质，而且不需要人类的美德：仁爱、诗意、热情和探索哲理的精神。他只要庸俗浅薄，坚信他的所作所为都很重要（要不他就没有足够的耐心），只有这样，他才能成为一个勇敢的统帅。上帝保佑，做人可不能爱惜谁，同情谁，也不要考虑是非。自古以来对权势人物早就炮制了一套天才论，因为权力就在他们手里。其实战争的成败不取决于他们，而取决于那个在队伍中高喊‘完蛋了’或者‘乌拉’的人。只有在这种队伍里服务，你才能满怀‘自己有用’的信心！”安德烈公爵听着大家的议论，心里这样想。直到所有的人都走散了，保卢奇唤他，他才醒悟过来。

第二天检阅时，皇帝问安德烈公爵希望去哪里服务，安德烈公爵没要求留在皇帝身边，却要求下部队。这样他就丧失了在朝廷供职的机会。

12

尼古拉在开战前收到父母来信。他们在信里简短地告诉他娜塔莎生病、她同安德烈公爵解除婚约的消息（他们说是娜塔莎要求解约），又要他退伍回家。尼古拉接到信后不准备请假或退伍，只回信给双亲说，娜塔莎生病和同未婚夫解约使他很难过，他一定努力满足他们的愿望。他另外写了一封信给宋尼雅。

“我心爱的朋友，”他写道，“除了荣誉，没有任何东西能阻止我还乡。但现在，在开战之前，我要是只顾个人幸福，不顾对祖国的责任，抛弃对祖国的爱，那就不仅在同事们眼里，而且在我自己眼里，也是不光彩的。不过这是我们最后一次的别离了。相信我，战争一结束，只要我还活着，你也还爱我，我将抛弃一切，飞到你身边，永远把你紧紧拥抱在我火热的怀里。”

真的，只是因为战争爆发，尼古拉不能如约回家同宋尼雅结婚。奥特拉德诺的秋天和打猎、冬天和圣诞节以及同宋尼雅的爱情，在他面前展开一幅快乐而宁静的庄园生活的图画。这种生活他以前没有体会过，现在却很使他神往。“可爱的妻子、孩子、一群好狼狗、十来条勇猛的灵猩、农事、邻居、贵族选举！”他想。但现在战争爆发，就得留在团里。既然非如此不可，尼古拉生性又很随和，他就满足于团里的生活，并能在这种生活中找到乐趣。

尼古拉假满回团，受到同事们的热烈欢迎。他奉命去补充军马，从小俄罗斯[①]买来一批好马。他感到高兴，也受到上级的嘉奖。出差期间他被提升为骑兵大尉。他所属的团实行战时编制，扩大名额，他又奉命指挥原来的骑兵连。

战争开始了，他所属的团向波兰推进，团里发了双饷，来了新的军官、新的士兵和新的马匹。尤其重要的是，战争发生后，团里弥漫着一种斗志昂扬的快乐气氛。尼古拉知道自己在团里的有利地位，完全醉心于军队生活的乐趣，虽然明知他早晚得退伍回家。

由于国家、政治和战术上的种种原因，部队撤离维尔诺。每撤退一步，司令部里就互相倾轧，议论纷纭，情绪波动。对保罗格勒团的骠骑兵来说，夏季撤退是最好的时间，而给养充足更使这次撤退变得轻松愉快。沮丧、焦虑和阴谋只发生在司令部里；一般官兵并不问到哪里去，去做什么。撤退时，如果有人感到依依不舍，那只是因为要离开住惯的营房，离开漂亮的波兰姑娘。如果有人觉得情况不妙，那他也会竭力显得像个好军人，强作欢颜，撇开当前的局势，而只顾个人眼前的活动。起初他们驻在维尔诺附近，结识波兰地主，等待和接受皇帝和高级将领的检阅，日子过得挺舒畅。后来奉命撤到斯文强尼，销毁所有不能带走的军粮。斯文强尼留在骠骑兵们的记忆里，只因为那是一个**醉营**（驻扎在这里的军队都这样称呼它），还因为他们受到许多控告，说他们利用征粮的命令抢劫波兰地主的马匹、马车和地毯。尼古拉记得斯文强尼，因为他们进入这个小镇的当天他就撤换了司务长，他也无法控制偷来五桶陈年啤酒的连里的酒鬼。他们从斯文强尼节节后退，直到德里萨，又从德里萨后撤，现在已快撤到俄国边境了。

七月十三日，保罗格勒团被迫第一次打了一场大仗。

战斗前夜，七月十二日夜里下了一场暴风雨，雷电交加，大雨滂沱。

---

① 指乌克兰。

一八一二年夏天，这样的暴风雨是常见的。

保罗格勒团的两个连露宿在已经抽穗但被牛马践踏得不成样子的黑麦田里。天下着倾盆大雨，尼古拉和他所宠爱的青年军官伊林坐在临时搭成的棚子里。他们团里一个留络腮胡子的军官从司令部回来，拐到尼古拉的棚子里躲雨。

“伯爵，我从司令部来。您可听到拉耶夫斯基立了大功吗？”军官把他在司令部里听来的萨尔坦战役的详细经过讲了一遍。

尼古拉缩紧淌着雨水的脖子，吸着烟斗，漫不经心地听着，偶尔望望蜷缩在他身旁的青年军官伊林。这个十六岁的少年军官入团没多久，他现在和尼古拉的关系，就像七年前尼古拉和杰尼索夫的关系。伊林一举一动都模仿尼古拉，并且像女人那样爱他。

留两撇胡子的军官叫兹德尔任斯基，他讲得有声有色，说萨尔坦水坝是俄国的塞尔莫皮莱山口[①]，拉耶夫斯基将军的功绩千古不朽。兹德尔任斯基讲到，拉耶夫斯基冒着可怕的炮火带着两个儿子在坝上冲锋。尼古拉听着这个故事，不仅不欣赏兹德尔任斯基的热情，还露出羞于听取这故事的样子，尽管他无意加以反驳。在奥斯特里茨和一八〇七年战役后，尼古拉凭亲身经验知道，这种军事功绩往往是吹牛，他自己也吹过牛；其次，他凭丰富的经验知道，战场上发生的一切完全不像我们想象和讲述的那样。因此他不喜欢兹德尔任斯基的故事，也不喜欢兹德尔任斯基这个人。兹德尔任斯基满脸胡子，老是把头凑近倾听的人，此刻更把尼古拉挤到低矮的棚子边上。尼古拉默默地瞧着他，心里想：“第一，在那个被攻击的水坝上一定十分混乱，即使拉耶夫斯基带着他的儿子上去，除了旁边的十来个人，对谁也起不了什么作用，其余的人根本看不见拉耶夫斯基跟谁和怎样在坝上走。但就是那些看见这一幕的人也不会十分感动，因为在生命攸关的时刻，谁还顾得上拉耶夫斯基的骨肉之情？再说，他们是不是拿下萨尔坦水坝，并不像塞尔莫皮莱山口战斗那样关系到祖国的存亡。那么，何必做这样的牺牲呢？又何必把儿子带到战场上去呢？别说我的弟弟彼嘉，就是伊林这个善良的外人，我也要努

① 在希腊北部，公元前480年少数斯巴达人在此抵御人数众多的波斯入侵军，最后全体壮烈牺牲。

力把他保护好。”尼古拉听着兹德尔任斯基说话，继续想。但他没有说出自己的想法：因为在这类事上他也有了经验。他知道这类故事可以为我军增光，因此得装出对它毫不怀疑的样子。他就这样做了。

“我可受不了啦，”伊林说，发现尼古拉不喜欢听兹德尔任斯基说话，“袜子、衬衫全湿透了，身上都是水。我去找个地方避雨。雨好像小一点了。”伊林走出去，兹德尔任斯基也跟着走了。

五分钟后，伊林啪嗒啪嗒踩着泥浆跑回棚子。

“乌拉！尼古拉，快走。找到了！这儿两百步外有一家小酒店，我们的人都在那里。我们至少可以把衣服烤干。玛丽雅也在那里。”

玛丽雅是团里军医的妻子，是个年轻漂亮的德国女人，军医是在波兰同她结婚的。军医也许是因为没有财产，也许是因为新婚不愿离开年轻的妻子，就带着她随团东奔西走，军医的醋劲也常常成为骠骑兵军官的笑料。

尼古拉披上雨衣，叫拉夫鲁施卡带上行李跟在后面，自己同伊林一起走出棚子。他们时而在泥泞里溜滑着，时而在小雨中行走。黑暗的天空不时被远方的闪电划破。

“尼古拉，你在哪里？”

“在这里。好亮的闪电！”尼古拉同伊林交谈着。

13

酒店门口停着医生的篷车，店里有五六个军官。玛丽雅是个胖胖的头发淡黄的德国女人，身穿短袄，头戴睡帽，坐在前面角落的一张宽凳上。她的军医丈夫睡在她后面。尼古拉和伊林在一片欢笑声中走进屋子。

“哟！你们这里好快活！”尼古拉笑着说。

“你们怎么错过了好机会？”

“好家伙！瞧这一对落汤鸡！可别把我们的客厅弄湿了。”

“别把玛丽雅的衣服弄脏了。”有人接着说。

为了避开玛丽雅，尼古拉和伊林急忙找地方换湿衣服。他们走到隔板后面去换衣服，但发现那个小间已挤满人，一只空箱子上点着蜡烛，有三个军官坐在那里打牌，他们怎么也不肯把地方让出来。玛丽雅借给他们一条裙子当帘子，尼古拉和伊林就在拉夫鲁施卡的帮助下换上干衣服。

他们在破炉子里生了火，把找到的一块木板搁在两个马鞍上，铺上马衣，又弄来小茶炊、食品箱和半瓶朗姆酒。他们请玛丽雅做主人，大家围着她坐下。有人给她一块干净的手帕，让她擦擦好看的小手；有人把上衣铺在她的小脚下免得她的脚受潮；有人拿雨衣挂在窗上挡风；有人拂走她丈夫脸上的苍蝇，免得苍蝇弄醒他。

“不用管他，”玛丽雅羞涩而快乐地微笑着说，“他一夜没睡，就这样也睡得很好。”

“不行，玛丽雅，”一个军官回答，“得服侍好医生。也许有朝一日我得截去一条腿或者一条胳膊，他会手下留情的。”

杯子只有三只；水又那么脏，看不清茶的浓淡，而茶炊只能烧六杯水，但这样格外有趣；大家可以按级别高低轮流从玛丽雅短短的指甲不太干净的胖手里接过茶杯。那天晚上，军官们似乎个个都爱上了玛丽雅。就连那几个在隔板后打牌的军官，不久也都丢下牌，来到茶炊旁，投身到向玛丽雅献殷勤的欢乐气氛中。玛丽雅看到周围这些相貌漂亮、彬彬有礼的青年，满面春风，虽然竭力掩饰快乐的心情，看见她丈夫在睡梦中身子一动，就现出惊恐的神色。

匙子只有一把，糖却很多，搅不过来，因此决定由玛丽雅轮流给大家搅。尼古拉接过杯了，加了点朗姆酒，请玛丽雅替他搅和。

“您还没有加糖吧？”她说，一直微笑着，仿佛不论她说什么，也不论别人说什么，都很可笑，而且别有用意。

“我不要糖，我只要您用您的小手搅一下就行。”

玛丽雅一口答应，便到处找匙子，因为匙子不知被谁拿去了。

“您就用手指搅吧，玛丽雅，”尼古拉说，“这样更有味。”

“太烫了！”玛丽雅说，兴奋得脸都红了。

伊林拿来一桶水，滴了几滴朗姆酒进去，走到玛丽雅跟前，请她用手指搅一搅。

“这是我的杯子，”他说，“您只要把手指伸进去一下，我就把它喝光。”

等到茶炊里的茶都喝光，尼古拉拿出一副纸牌，要求跟玛丽雅一起打“国王”。大家拈阄决定谁同玛丽雅搭档。尼古拉提出输赢的条件：谁做国王，谁可以吻玛丽雅的手；谁做坏蛋，谁就在医生醒来后给他烧茶炊。

“那么，要是玛丽雅做国王呢？”伊林问。

“她本来就是女王！她的命令就是法律。”

他们刚开始打牌，医生头发蓬乱的头突然从玛丽雅身后抬起来。他早就醒了，留神听着他们的谈话，觉得他们所说的话和所做的事都没有什么快乐、可笑和好玩的地方。他神色忧郁愁闷。他没同军官们打招呼，搔搔头皮，要求挡路的人让他出去。他一出去，军官们就放声大笑，玛丽雅满脸通红，眼睛里涌出泪水，因此军官们觉得她越发迷人。医生从院子里回来，对妻子（玛丽雅已收起快乐的笑容，怯生生地瞧着医生，等候他的判决）说，雨停了，得睡到篷车里去，要不车上的东西会被偷光的。

“好，我派一个勤务兵去……派两个勤务兵去！”尼古拉说，“算了吧，医生。”

“我自己去站岗！”伊林说。

“不，诸位，你们睡够了，可我有两个晚上没合眼。”医生说，闷闷不乐地在妻子旁边坐下，等待牌局结束。

军官们看见医生板着脸，斜睨着妻子，更乐了。好多人忍不住笑出声来，慌忙找些冠冕堂皇的借口来掩饰。等医生领着妻子出去，同她一起在马车上安顿下来，军官们就盖上湿外套，在酒店里睡下。但他们都久久没有入睡，时而彼此交谈几句，回想医生的惊惶和他妻子的快乐，时而跑到台阶上，报告马车里的动静。尼古拉几次蒙上头想睡，但又被谁的话逗乐，大家又谈起话来，又无缘无故发出一片快乐而天真的笑声。

14

夜里两点多钟还没有人入睡。这时司务长带来进驻奥斯特罗夫诺镇的命令。

军官们又都有说有笑地收拾行李，又用茶炊烧着肮脏的水。但尼古拉不等茶烧好，就到骑兵连去。天已破晓，雨也停了，云在消散。天气又潮又冷，特别是穿着潮湿的衣服更觉得不舒服。尼古拉和伊林走出酒店，在朦胧的曙光中两人瞧了瞧医生那辆马车潮湿发亮的皮篷，看见医生的脚从车篷里伸出来，车子中央的坐垫上露出医生太太的睡帽，还听见她的呼噜声。

“是的，她挺可爱！”尼古拉对同他一起出来的伊林说。

“这女人真是迷人！”伊林用十六岁少年特有的严肃神情回答。

半小时后，骑兵连已在大路上排好队。响起一声口令：“上马！”士兵们纷纷画了十字骑上马。尼古拉骑马跑到前面，喊了一声“开步走”，骠骑兵就四人一排，随着步兵和炮兵，沿着两边种着桦树的大路前进。马蹄在泥泞的路上发出溅拍声，马刀铿锵作响，士兵悄声低语。

一片片青紫色的碎云被曙光映得发红，在风中飞驰。天色越来越亮了。村道上的蔓草还沾着昨夜的雨水，湿漉漉的；垂下的桦树枝也沾满雨水，迎风摇曳，不时洒下晶莹的水滴。士兵们的脸越来越清楚了。尼古拉同紧跟着他的伊林一起，在桦树夹道的路旁策马前进。

尼古拉在前线不骑军马，却由着性子骑一匹哥萨克马。他爱好骑马，又是个识马的行家，前不久得到一匹高大的顿河白鬃白尾的枣红骏马。他骑着这匹马，没有人能赶上他。骑着这样一匹好马奔驰，尼古拉觉得是一大乐趣。他想到马，想到早晨，想到医生的妻子，但一次也没想到眼前的危险。

尼古拉以前打仗总感到恐惧，现在却丝毫也不觉得害怕。他不害怕，并非已习惯于战斗（对危险是无法习惯的），而是学会在危险关头控制自己的情绪。他养成习惯，在参加战斗时什么都可以想，就是不去想他最关心的事，也就是面临的危险。初入伍时，不论他怎样责备自己胆怯，怎样鼓励自己，都不能做到这一点；但几年下来，他已能适应战斗生活。此刻他同伊林并排在桦树中间骑马行走，有时顺手从枝条上摘下几片叶子，有时踢踢马肚子，有时头也不回就把吸完的烟斗递给后面的骠骑兵，神态那么悠闲，仿佛是在骑马兜风。伊林滔滔不绝地说个没完，尼古拉望望他那紧张的脸色，很可怜他。他是个过来人，懂得这位少尉面临恐怖和死亡的痛苦，知道只有时间才能治好他的病。

太阳刚从乌云后面升到明净的空中，风就停了，仿佛风也不敢破坏这暴风雨后夏天早晨的美景；空中还在滴水，但已是垂直地落下，周围万籁无声。太阳完全露出地平线，接着又隐没在一长条乌云后面。几分钟后，太阳又冲破乌云，更明亮地出现在乌云上面。万物光辉灿烂，明亮夺目。这时前方炮声隆隆，仿佛在响应这片光明。

尼古拉还来不及推测炮声的远近，奥斯吉尔曼－托尔斯泰伯爵的副官已从维切布斯克驰来，带来疾驰前进的命令。

骑兵连绕过步兵和也在赶路的炮兵驰下山坡，穿过一座荒芜的村庄，又登上一个山坡。马开始出汗，人也热得涨红了脸。

“立定！看齐！”前面传来营长的口令。

“向左转，开步走！”又传来口令声。

骠骑兵沿着步兵行列走到阵地左翼，停在第一线的枪骑兵后面。右边是我方密集的步兵纵队——他们是后备队；在他们上方的山上，在澄澈天空的衬托下，安置在地平线上的我方大炮被早晨的阳光照得清清楚楚。前面谷地的前方是敌人的纵队和大炮。谷地里，我们的散兵线已在交锋，斗志昂扬地同敌人对射着。

尼古拉听到这种好久没听到的射击声，好像听到欢乐的音乐，也兴奋起来。嗒嗒嗒——嗒嗒！射击声时而一起打响，时而一声接着一声，接着又沉默下来，然后又像有人踩着摔炮，噼啪作响。

骠骑兵原地不动地站了个把小时。炮击开始。奥斯吉尔曼－托尔斯泰伯爵带着随从跑到骑兵连后面停下，同团长谈了几句话，又向山上的炮位驰去。

奥斯吉尔曼－托尔斯泰一走，枪骑兵就听到一声口令：

“成纵队，准备冲锋！”

他们前面的步兵分成两排，让骑兵过去。枪骑兵出动了，枪上的飘带不断飘荡，向出现在山下左方的法国骑兵冲去。

枪骑兵一下山，骠骑兵就奉命上山掩护炮兵。骠骑兵刚开到枪骑兵的阵地上，没有打中目标的子弹就远远地从前方呼啸着飞来。

尼古拉好久没听到这种声音，变得比原来更快乐更兴奋。他挺直身子，观察展开在山下的战场，一心注意着枪骑兵的行动。枪骑兵向法国龙骑兵冲去，硝烟中发生一场混战。五分钟后，枪骑兵后退了，不是退回原地，而是退到左边。在穿橘黄军服、骑枣红马的枪骑兵中间和他们的后面出现了一大群穿蓝军服、骑灰色马的法国龙骑兵。

15

尼古拉凭他锐利的猎人眼睛，首先看见穿蓝军服的法国龙骑兵在追击我们的枪骑兵。溃乱的枪骑兵越来越往后退，法国龙骑兵在他们后面追击，他们离我方阵地越来越近。已经可以看见山下这些很小的人在冲突，相互追逐，挥动双臂和马刀。

尼古拉像看猎犬追捕野兽那样，看着眼前发生的事。他凭本能感觉到，要是现在率领骠骑兵下去攻击法国龙骑兵，法国龙骑兵是抵挡不住的；要攻击现在就得攻击，不然就错过时机了。他环顾四周。骑兵大尉站在他旁边，眼睛也一直盯住山下的骑兵。

“安德烈·谢瓦斯基扬内奇，”尼古拉说，“我说，我们准能把他们……”

“这一着倒是不错，”骑兵大尉说，“一定……”

尼古拉没听完他的话就刺了刺马，跑到骑兵连前头。没等他发命令，全连就都感觉到，并且跟着他催动马匹。尼古拉自己也不知道为什么要这样做。他像打猎一样，不假思索就行动起来。他看见龙骑兵离得很近，队形混乱，拼命奔驰；他知道他们是挡不住的，他知道机不可失，不能错过。子弹在他周围嗖嗖呼啸，马一个劲儿往前冲，他简直勒不住它。他催动马匹，发了口令，但就在这一刹那，他听见身后一片马蹄声，展开队形的骑兵连向山下的龙骑兵冲去。他们一下山，马就由溜蹄改成大跑，而且越接近枪骑兵和法国龙骑兵就跑得越快。这时龙骑兵已近在咫尺。前面的龙骑兵一看见骠骑兵就转身往后退，后面的也纷纷停下来。尼古拉怀着打猎时堵狼的心情，放他的顿河马飞跑，去堵截溃乱的法国龙骑兵。一个枪骑兵站住了，一个步兵怕被马踩着，趴在地上，一匹无人骑的马混在骠骑兵中间。法国龙骑兵几乎全都往回跑。尼古拉挑了一个骑灰马的龙骑兵，向他冲去。他在路上碰到一丛灌木，他的骏马驮着他越过灌木丛。尼古拉还没在鞍子上坐好，就看见他立刻能赶上他所选定的那个敌军。这个法国人，从服装上看得出是个军官，伏在灰马上，挥动马刀飞驰。一转眼，尼古拉坐骑的胸部撞着法国军官的马屁股，几乎把它撞倒。就在这一刹那，尼古拉自己也不知道是怎么一回事，举起马刀向法国人砍去。

就在这样砍去的一刹那，尼古拉的勇气顿时消失了。军官从马上跌下来，与其说是由于臂肘上方受了轻伤，不如说是由于马的冲撞和恐惧。尼古拉勒住马，用眼睛找寻敌军，想看清他打败的是个什么人。法国龙骑兵军官一只脚卡在马镫里，另一只在地上跳着。他恐惧地眯着眼睛，仿佛等待随时再挨一刀，皱起眉头，惊惶地自下而上打量着尼古拉。他的脸年轻、苍白，溅满了泥，头发淡黄，下巴上有一个酒窝，眼睛浅蓝。整个模样一点不像战场上的敌人，而像家里的自己人。尼古拉还没决定怎么办，那军官就叫道："我投降！"他慌张地想从马镫里抽出脚，浅蓝的眼睛恐惧地盯住尼古拉。几个骠骑兵赶上来，帮他抽出脚，把他放到马鞍上。周围的骠骑兵都在对付龙骑兵：一个龙骑兵负伤了，满脸是血，但还不肯放弃他的马；另一个抱住骠骑兵，坐在他的马屁股上；第三个正由骠骑兵扶上马。法国步兵在前面边跑边开枪。骠骑兵连忙带着俘虏往后跑。尼古拉跟着别人往回跑，感到一阵揪心的痛苦。他俘虏了这个军官并砍了他一刀，心里有一种说不出的复杂感情。

奥斯吉尔曼－托尔斯泰伯爵迎接回来的骠骑兵，召见尼古拉，向他表示感谢，说他将把他的英勇行为禀奏皇上，并替他申请圣乔治勋章。当奥斯吉尔曼－托尔斯泰伯爵召见尼古拉时，尼古拉想起他没等命令就向法军冲锋，现在长官召他去，一定是为他擅自行动而要处罚他。因此奥斯吉尔曼－托尔斯泰的赞扬和答应予以奖赏本应使尼古拉受宠若惊，但精神上难言的负疚还是使他觉得难受。"究竟什么事使我痛苦啊？"他从将军那儿出来时问自己，"是为伊林吗？不是，他安然无恙。是我做了什么丢脸的事吗？不是。都不是！"使他痛苦的是一种悔恨的感觉。

“对了，对了，就是为了那个下巴上有酒窝的法国军官。我记得很清楚，我举起刀来，又放下了。”

尼古拉看见被押走的俘虏，他骑马赶上去，想看看那个下巴上有个酒窝的法国人。那法国人穿一身古怪的军服，骑在骠骑兵的驮马上，惊慌地向周围打量着。他臂上的刀伤算不了什么。他向尼古拉勉强装出笑容，向他挥手致意。尼古拉还是感到不痛快，似乎有点内疚。

这天一整天和第二天，朋友们和同事们发现尼古拉闷闷不乐，若有所思，神情严肃，但并不是生气。他勉强喝了点酒，一个人躲起来想心事。

尼古拉一直思索着使他意外获得圣乔治勋章和勇士名声的光辉战功，可是有一件事他怎么也无法理解。“看来他们比我们更害怕！”他想，“难道英雄气概就是这么一回事？难道我这样做是为了祖国？那个长有酒窝和蓝眼睛的人究竟犯了什么罪？他是多么害怕啊！他以为我要杀他。我为什么要杀他呢？我的手在发抖。可我却要得圣乔治勋章。我不理解，完全不理解！”

尼古拉反复思考着这些问题，怎么也得不到明确的解答，但就在这时，他在部队里又福星高照。在奥斯特罗夫诺战役之后，他又被提升为骠骑兵营长，而在需要勇敢的军官时，他又获得了新的任务。

16

罗斯托夫伯爵夫人接到娜塔莎生病的消息，尽管自己尚未康复，身子还很虚弱，也带了彼嘉和全家来到莫斯科。罗斯托夫一家就从阿赫罗西莫娃家搬到自己家里，在莫斯科定居下来。

娜塔莎病得很厉害，因而她的病因、她的行为和她同未婚夫解除婚约等事都显得不那么重要了。这对她本人和对她的父母都是件好事。她病得十分厉害，不吃，不睡，不断咳嗽，眼看着在瘦下去。医生暗示她的父母，她的病情已很危险。这样大家也就不去考虑，发生这些事她该负多少责任。大家一心只想着怎样治好她的病。医生们来看病，有时来会诊，用法语、德语、拉丁语说了许多话，相互指摘，凭各人的医术开出各种各样的药方。但他们谁也没有想到一个简单的道理，就是他们无法知道娜塔莎的病，因为一个活人所生的病本来就是无法知道的，因为各人有各人的特点，各人有各人特殊的、新奇的、复杂的、医典上所没有的病，那不是肺病、肝病、皮肤病、心脏病、神经病等，而是这些器官的综合征。这种简单的道理医生想都没有想到（就像巫师不会想到他的巫术不灵一样），因为治病是他们的终身职业，他们以此为生，并把最好的年华花在这上面。但医生不懂这个道理，主要因为他们断定自己是有用的，他们对罗斯托夫一家人的确有用。他们之所以有用，并非因为他们强迫病人吞服许多有害的东西（这种害处不容易察觉，因为用量很小），而是因为他们能满足病人和爱她的那些人精神上的需要。这也是永远会有江湖郎中、巫婆、顺势疗法和对抗疗法的缘故。一个人生病的时候总是希望减轻痛苦，得到同情，别人有所行动。这些江湖郎中、巫婆等就能满足人类这种原始的需求，就像孩子要求人家抚摩一下碰痛的地方一样。孩子摔伤了，立刻投身到母亲或保姆的怀抱，要她们亲亲他，摸摸他痛的地方。她们亲了他，摸了他，他就觉得好过些。孩子不相信最强大聪明的人会没有办法减轻他的痛苦。于是，减轻痛苦的希望，以及母亲在抚摩肿处和亲他时所表示的同情，使孩子得到了安慰。医生对娜塔莎是有用的，因为他们亲她的肿处，摸她的疼痛，并使她相信，只要派车夫到阿尔巴特街药房，用一卢布七十戈比买一盒包装漂亮的药粉和药丸，病人不多不少每隔两小时吞服一次，就会药到病除，恢复健康。

如果不是遵照医生嘱咐，按时给娜塔莎服药、饮食、吃鸡肉饼，并安排其他一系列生活细节（这些也是一家人的工作和安慰），那么，宋尼雅、伯爵和伯爵夫人还有什么事可做呢？他们怎能坐视娜塔莎虚弱下去，消瘦下去，而不采取措施呢？他们认为这些措施越严格，越复杂，心里越感到安慰。伯爵如果不为娜塔莎的病花掉几千卢布，而且为了使她康复不惜再花掉几千卢布；如果女儿的病没有好转，他还得再花几千卢布把她送到国外，请名医会诊，如果他不能详细讲讲，梅蒂维埃和费勒怎样不懂医道，而弗里茨如何高明，摩德罗夫更有本领确诊，眼看爱女害病他又将怎样过呢？伯爵夫人如果有时不同害病的娜塔莎吵吵嘴，责备她没有完全遵照医嘱，她还有什么事可做呢？

“你要是不听医生的话，不按时服药，你就永远别想好起来！”她忘记了忧虑，恼恨地说，“你可能变肺炎，这可不是闹着玩的。”肺炎这个词大家都不懂，因此她能说出这个词，就感到很得意。

宋尼雅愉快地意识到，开头三夜她没有脱过衣服，严格遵照医生的嘱咐办事，直到现在还常常熬夜，为的是按时从金盒子里取出有点毒性的丸药给娜塔莎服用。如果不这样，宋尼雅又能做什么呢？

就是娜塔莎本人，嘴里虽说没有一种药能治好她的病，这一切都是胡闹，但她还是高兴看到，大家为她做出那么多牺牲，她必须按时服药。她不遵从医生嘱咐，不相信医生治疗，不珍惜自己的生命，并因此感到得意。

医生每天来给她把脉，看舌苔，不理会她那沮丧的脸色，跟她说说笑笑。不过，当医生走到另一个屋里，伯爵夫人慌忙跟着他进去时，他就换上严肃的神色，若有所思地摇摇头说，危险是有的，但他希望最后一种药能见效，不过得等等看，还说她的病多半是精神上的……

于是伯爵夫人竭力悄悄地把一枚金币塞到医生手里，并且每次总是宽慰地回到病人那里。

娜塔莎的病症是吃得少，睡得少，有点咳嗽，没有精神。医生们说，病人离不开医药，因此得把她留在空气恶浊的城市里。这样，罗斯托夫一家一八一二年夏天就没有到乡下去。

娜塔莎虽然吞服了许多药丸、药水和药粉（肖斯小姐爱好收集小瓶和小盒），虽然离开了过惯的乡村生活，但青春还是起了作用：娜塔莎的悲伤被日常生活所冲淡，渐渐过去，不再那样折磨她的心灵，她的身体也逐渐康复了。

17

娜塔莎平静了些，但还是不快活。她不仅回避各种娱乐——跳舞、骑马、音乐会和看戏，而且每次笑的时候总是含着眼泪。她不能唱歌。她只要一笑，或者独自唱歌，泪水就会把她哽住。那是忏悔的泪，回忆一去不复返的纯洁时期的泪；恼恨的泪，恼恨她白白糟蹋了本来可以很幸福的青春生活。她觉得欢笑与唱歌是对她悲哀的亵渎。她根本无心卖弄风情，甚至不需要在这方面克制自己。她觉得并且公然说，现在所有的男人都像小丑娜斯塔霞。内心的戒律不许她有任何欢乐。再说，这个对生活满怀希望的少女，她的纯洁的兴致现在也完全丧失了。她回忆得最多也最使她伤心的是逝去的秋天、打猎、“大叔”以及同尼古拉一起在奥特拉德诺度过的圣诞节。只要能再过上一天这样的生活，要她付出什么代价都行！但那样的日子一去不复返了。她当时就预感到，那种自由自在、无忧无虑的生活再也不会来了。这种预感如今已得到证实。可是人总得活下去。

她想到，她并不像她以前所认为的那么好，而是很坏，是世界上最坏的人。这种想法反而使她感到轻松。但光是这样还不够。她知道这一点，同时自问：“以后怎么办？”以后什么也没有。生活没有丝毫欢乐，日子就这样一天天过去。娜塔莎显然尽力不去连累别人，不去妨碍别人，她毫无所求。她避开家里人，只有同弟弟彼嘉在一起时才感到轻松。她不喜欢同别人交往，只喜欢同彼嘉待在一起；同他在一起，她有时会笑出声来。她几乎足不出户，在来客中间她只喜欢皮埃尔一个。没有人比皮埃尔待她更体贴、细心，而又严肃。娜塔莎不知不觉中感觉到这种体贴，因此同他在一起觉得很愉快。但她并不感谢他的体贴，她觉得他这样做并没有花什么力气。皮埃尔待人好是出于本性，他的厚道并不是为了讨好人。娜塔莎有时发现皮埃尔在她面前有点局促不安，特别是当他想做点什么好事使她高兴，或者唯恐说话不当心引起她痛苦回忆的时候。她看出这一点，认为这是因为他善良腼腆，而且对任何人都一视同仁。有一次，在娜塔莎非常激动的时刻，皮埃尔脱口而出，说要是他没有结过婚，他就会跪下来向她求婚。这以后，皮埃尔就再也没向娜塔莎吐露过自己的感情。娜塔莎显然觉得，当时他安慰她，就像大人安慰啼哭的孩子一样。这倒不是因为皮埃尔结过婚，而是因为娜塔莎觉得她同皮埃尔之间有一重不可逾越的道德樊篱，这在她同阿纳托里之间是没有的。她从没想到，她同皮埃尔的关系会引起她对他的爱情，或者他对她的爱情（这更不可能），他们之间甚至不可能发生亲切、自觉、诗意盎然的异性友谊。这种友谊的例子，她是见到过的。

在圣彼得节[1]末，罗斯托夫家在奥特拉德诺的女邻居别洛娃来莫斯科朝拜这里的圣徒。她建议娜塔莎斋戒，娜塔莎高兴地接受了这个意见。娜塔莎不顾医生禁止她清早出门，坚持要斋戒祈祷，而且不像罗斯托夫家通常那样在家里做三次祷告，而是像别洛娃那样斋戒一周，不放过教堂里所有的晨祷、午祷和晚祷。

伯爵夫人看到娜塔莎这样虔诚很高兴；医疗没有见效，她心里就希望能通过祈祷治好女儿的病，虽然她惴惴不安地瞒着医生，但答应了娜塔莎的要求，并把她托付给别洛娃。别洛娃半夜三时就来叫娜塔莎，但往往发现她已醒了。娜塔莎怕睡过晨祷。她匆匆梳洗完毕，随便穿上最坏的衣服，披上旧斗篷，身子冷得发抖，来到曙光熹微中空荡荡的大街。娜塔莎听从别洛娃的劝导，不去本教区教堂而到另一个教堂祈祷。据别洛娃说，那里的一位司祭生活严肃，品德高尚。教堂里的人一向很少，娜塔莎同别洛娃总是站在左边唱诗班后面的圣母像前。娜塔莎在这不寻常的早晨，眼望着被烛光和从窗口透进来的晨光照亮的圣母的黑脸，仔细听着祷词，面对至高无上的造物主，心里充满了一种谦卑感。当她理解祷词的时候，她那带有个人色彩的感情就同祷词融为一体。当她不理解祷词的时候，她更高兴地想，希望理解的愿望是值得骄傲的，要理解一切不可能，只要信仰和皈依上帝就行了，因为此时此刻上帝支配着她的心灵。她画十字，鞠躬，而当她不理解的时候，她只为自己的卑劣感到惶恐，请求上帝宽恕她的一切，并且可怜她。她最醉心的是忏悔祷告。清晨回家的路上，娜塔莎只遇见去上工的泥瓦匠和清道夫，家里个个都在睡觉，娜塔莎觉得她身上产生了一种能够改过自新的新鲜感情，觉得她能过一种纯洁幸福的新生活。

在过这种生活的一个星期里，她的这种感情与日俱增。领圣餐，或者照别洛娃的说法是“和上帝交通”，娜塔莎认为是一种莫大的幸福，而她恐怕活不到那个幸福的礼拜日。

但这幸福的一天终于来到，娜塔莎在这个难忘的礼拜日身穿白纱衣

---

① 俄国旧历6月29日前两周，正是拿破仑越过俄国边界后17天。

服，领过圣餐回来，几个月来第一次感到心情舒畅，不因眼前的生活感到压抑。

医生那天来替娜塔莎治病，吩咐继续服用两星期前给她开的药粉。

“一定要继续服药，早晚各一次，”他说，对自己的成功显然很得意，“只是请准时服药。伯爵夫人，您放心好了，”医生俏皮地说，敏捷地一把接过金币，“她很快又会唱歌，又会欢蹦乱跳了。上次那药对她非常非常有效。她气色好极了。”

伯爵夫人瞧瞧自己的指甲，吐了口唾沫[1]，满面春风地回到客厅。

18

七月初，莫斯科传布着越来越使人不安的战争消息：皇帝发表了告民众书，他已离开军队，回到莫斯科。但是直到七月十一日还没有接到宣言和告民众书，因此到处流传着有关此事和俄国局势的大大夸张的流言。据说，皇帝离开是因为军队处境危急。据说，斯摩棱斯克失守，拿破仑有百万大军，只有奇迹才能拯救俄国。

七月十一日，星期六，宣言发表了，但还没印好。皮埃尔来到罗斯托夫家，答应第二天星期日来吃饭，并从拉斯托普庆伯爵那儿把宣言和告民众书带来。

这个星期日，罗斯托夫一家照例到拉祖莫夫斯基家教堂做礼拜。这是一个炎热的七月天，罗斯托夫一家在教堂前下车已经十点钟了。空气十分闷热，小贩尖声叫卖，人群穿着色彩鲜艳的夏装，行道树的叶子积满灰尘，军乐声悠扬，一营穿白裤子的士兵前去换班，大路上车声辘辘，阳光灼热刺眼。在城里晴热的日子，这一切更使人感到暑热的困倦，对现状的满意和不满。在拉祖莫夫斯基家的教堂里，聚集了莫斯科的名门显贵和罗斯托夫家的老相识（许多豪富人家通常都到乡下过夏，今年却都留在莫斯科，好像今年要发生什么事）。娜塔莎挨着母亲，跟着一个

---

① 俄国人习惯，唾指甲以求吉利。

为她们开路的穿号衣的跟班走过去，听见一个年轻人用说得太响的耳语说到她：

“这是罗斯托夫家的小姐，就是那个……”

“她瘦多了，可还是那么漂亮！”

她听见，好像有人提到阿纳托里和安德烈的名字。事实上她常常有这样的感觉。她总是觉得，凡是看见她的人都在想着她的事。娜塔莎身穿镶黑色花边的雪青绸连衣裙，若无其事地在人群中走着。她表面上越是装得平静和庄重，内心越是痛苦和羞愧。她自知长得美，但现在这已不像过去那样使她高兴了。相反，这使她痛苦，特别是在城里度过炎夏的时候。“又是星期日，又过了一个礼拜，”她想起上个星期日她在这里，自言自语，“还是那种没有意义的生活，还是那个愉快的生活环境。我漂亮，我年轻，我知道我以前不好，但现在好了。这我知道，可是最好的年华就这样虚度了，对谁也没有好处。”她站在母亲身旁，同近处几个熟人打招呼。她像平时一样打量妇女们的衣着，批评旁边一个女人的仪态，批评她画十字不合规矩。接着她又懊丧地想到人家批评她，她现在也批评人家。突然她听到祈祷的声音，不禁为自己的卑鄙吃惊，惶恐地觉得原来的纯洁又丧失了。

一个仪表堂堂的斯文小老头虔诚而庄严地念着祷文，安抚着做礼拜的人的心灵。圣障的中门关上了，帘子缓缓拉拢，从里面传出轻微的神秘低语声。娜塔莎心口涌起她自己也弄不懂的泪水，一种又快乐又烦恼的情绪使她激动。

“教教我，我该怎么办，怎样才能从此改过自新呢……”娜塔莎想。

助祭走上讲经台，叉开大拇指，从法衣下理理长发，在胸前画了十字，声音洪亮而庄严地念着祷词：

“我们大家向主祷告。”

娜塔莎想：“我们大家，不分等级，没有仇恨，凭博爱联合起来的人们，向主祷告。”

“为了天赐的和平与灵魂的得救！”助祭念道。

“为了天使和我们头上的全体神明！”娜塔莎祷告道。

当他们为军人祷告时，娜塔莎想到了哥哥和杰尼索夫。当他们为在海上和陆地漂泊的游子祷告时，她想到了安德烈公爵，她为他祝福，她对他做了错事，现在求上帝饶恕她。当他们为爱我们的人祷告时，她为家人祷告，为父亲、母亲和宋尼雅祷告，第一次感觉到她是多么爱他们，可是她对不起他们。当他们为仇恨我们的人祷告时，她想出几个仇敌，为他们祷告。她把债主和凡是同她父亲打交道的人都当作仇人。一想到仇人，她总是记起害得她好苦的阿纳托里。虽然他并不恨她，她还是把他当作仇人，为他祷告。只有祷告的时候，她才能平静而清楚地想起安德烈公爵和阿纳托里。她对他们的感情，比起她对上帝的敬畏之情来，真是微不足道。当他们为皇室和正教院祷告时，她特别虔诚地鞠躬和画十字。她对自己说，虽然她不懂正教院，也不能对它发生怀疑，但她还是敬爱正教院，并为它祷告。

助祭祷告完毕，在胸前圣带上画了十字，说：

"把我们自己、把我们整个生命交给我主基督。"

"把我们自己交给上帝！"娜塔莎在心里复述着，"上帝啊，我把自己交给你安排。我一无所求，一无所需；你教导我该怎么办，该怎样运用自己的意志吧！你收留我，收留我吧！"娜塔莎虔诚而急切地在心里说，没有画十字，垂下两条细小的手臂，仿佛在等待无形的力量来把她带走，使她摆脱悔恨、欲望、责备、希望和罪恶。

伯爵夫人在祷告时几次回顾女儿虔诚的脸色和闪亮的眼睛，祈求上帝保佑她。

突然在礼拜中途，助祭违反娜塔莎所熟悉的程序，拿出来一条板凳（就是他在圣灵降临节跪在上面祷告的那条板凳），把它放在圣障的中门前。司祭头戴紫绒法冠走出来，理理头发，费力地跪下。人人都跟着他跪下，并且莫名其妙地面面相觑。这是刚从主教院送来的祷文，从敌人侵略下拯救俄国的祷文。

"万能的上帝，我们的救主！"司祭用清楚、平稳与温和的声音开始念祷文，只有斯拉夫教士才能用这样的声音祈祷，使俄国人的心完全被感动，"万能的上帝，我们的救主！现在求你施恩给你的百姓，仁慈地垂听我们的祈祷，可怜我们，饶恕我们。敌人在蹂躏你的土地，妄想把世界变成废墟，与我们为敌；这些不法之徒纠集在一起，毁坏你的财富，破坏你的圣城耶路撒冷，毁灭你所爱的俄罗斯：他们玷污你的圣堂，拆掉祭坛，亵渎你的圣物。主啊，这些歹徒将横行到几时？他们将逞凶到几时？

"主啊！请你垂听我们的祷告：增强我们至尊至圣的亚历山大皇帝的力量；请顾念他的公正和温顺，按其善行给予奖赏，保全你所宠爱的以色列；保佑其智谋、创举和事业；用你万能的手加强其王国，使其克敌制胜，犹如你使摩西战胜亚玛力，基甸战胜米甸，大卫战胜歌利亚[①]。请保佑其军队，把铜弓赐予以你的名义武装起来的人，帮助他们战斗。请你拿起刀枪和盾助战，使那些加害于我们的恶人遭到诅咒和羞辱，让他们面对忠勇的战士就像风中的尘土，让你强大有力的天使羞辱他们，驱逐他们；使他们不知不觉自投罗网，要弄阴谋，自食其果；让他们跪倒在你仆人的脚下，随我们的大军任意践踏。主啊！你能拯救强者和弱者，你是上帝，人是不能违抗你的。

"我们在天上的父！你永远慷慨仁慈，不要抛弃我们，不要厌恶我们的卑贱，你宽宏大量，仁爱为怀，饶恕我们的错误和罪孽吧。你使我们的心灵纯洁，唤起我们公正的精神，增强我们对你的信心，坚定我们的希望，唤起我们真诚的互爱，使我们万众一心保卫你赐给我们世代相传的土地，不准恶徒统治你所降福的人民！

"我们的主耶稣！我们信仰主，我们信托主，不要让我们对你所希望的仁慈破灭吧，请你显现奇迹，让那些仇恨我们和仇恨正教的人蒙受耻辱和灭亡；让天下万邦知道你是我们的主，我们是你的子民。主啊，求你立刻赐予我们仁慈，使我们得救，使你的仁慈温暖仆人们的心，打倒我们的敌人，让他们在你忠实仆人的脚下毁灭。你是信徒们的保护者、救主和胜利，一切荣耀归于你，归于圣父、圣子、圣灵，世世代代，直到永远。阿门！"

娜塔莎现在敞开心灵，这祷告就使她特别感动。她一字不漏地听着祷文中所说的摩西战胜亚玛力、基甸战胜米甸、大卫战胜歌利亚，以及耶路撒冷遭到破坏等事，并且满腔热情地向上帝祷告，但她并不清楚她

---

① 典出《旧约全书》。

在向上帝祈求什么。她全心全意参加祷告，祈求伸张正义，增强信心和希望，用爱来鼓舞人心。但她不能祈求将敌人踩在脚下，因为几分钟前她还希望有更多的敌人让她爱，为他们祷告。但她也不能怀疑此刻诵读的祷文的正确性。她想到人们因罪孽而受罚，尤其是她自己因罪孽而受罚，心里感到惶恐和敬畏，她求上帝饶恕所有的罪人，也饶恕她，并赐给大家平安和幸福。她觉得上帝听到了她的祷告。

19

皮埃尔自从离开罗斯托夫家，回忆着娜塔莎感激的目光，仰望高悬在空中的彗星那天起，他觉得他面前打开了一个新的天地，他不再想到那个一直使他苦恼的问题：浮生若梦，空虚无聊。“为什么？为了什么目的？”以前不论做什么事，他都会想到这个可怕的问题。如今他不再想到这个问题，倒不是他想到别的问题，而是因为他面前总是出现**她**的形象。不论是听到或参与无聊的谈话，还是读到或知道人们卑劣愚蠢的行为，他已不像以前那样感到惊讶；他不再问自己，既然一切都是过眼云烟，人们何必忙忙碌碌。如今他只记得最后一次看到她时她的那副模样，一想到她，他的一切疑虑都消失了。这倒不是因为她解答了他常想到的那些问题，而是因为一想到她，他精神上立刻来到一个光明的世界，那里没有是或非，只有使人眷恋的美和爱。不论他面前出现什么尘世的丑恶，他总是对自己说：

“就让人盗窃国家和皇帝的财富，国家和皇帝反而赐给他荣誉吧。对了，她昨天向我微微一笑，还邀请我到她家去，我爱她。这事谁也不会知道。”他想。

皮埃尔仍旧出入交际场所，仍旧经常酗酒，过着懒散放荡的生活，因为除了在罗斯托夫家消磨几小时外，他还得打发其余的时间。于是在莫斯科养成的习惯和结交的朋友又强烈吸引他去过那种生活。但近来，从战地不断传来愈益使人焦虑的消息，娜塔莎的健康逐渐恢复，她不再引起他的怜悯。在这种时候，他心里就会产生一种莫名其妙的烦躁情绪。他觉得，他现在的处境不会持续很久，灾难即将临头，势必改变他的全部生活，他焦急地在各方面找寻大难临头的预兆。共济会一位会友向皮埃尔介绍圣约翰《启示录》中一段与拿破仑有关的预言。

《启示录》第十三章第十八节说：“在这里有智慧。凡有聪明的，可以算计兽的数目；因为这是人的数目，他的数目是六百六十六。”

同一章第五节说：“又赐给他说夸大亵渎话的口；又有权柄赐给他，可以任意而行四十二个月。”

法文字母表，按照希伯来文的数字表现方式，前九个字母表示个位，其余字母表示十位：

a	b	c	d	e	f	g	h	i	j	k	l	m	n
1	2	3	4	5	6	7	8	9	10	20	30	40	50

o	p	q	r	s	t	u	v	w	x	y	z
60	70	80	90	100	110	120	130	140	150	160	

按照这个字母表，把组成“拿破仑皇帝”几个字的字母折成数目，总和是六百六十六，因此拿破仑就是《启示录》中所预言的那只野兽。再有，法文“四十二”几个字母折成数目，也就是给那只有“说夸大亵渎话的口”的野兽规定的期限，所得的总和也是六百六十六；由此可以得出结论，拿破仑掌权的期限是一八一二年，因为这一年法国皇帝的年纪是四十二岁。这个预言使皮埃尔很震惊，他常常问自己，究竟是什么将结束这野兽（拿破仑）的权力？他竭力用数目代替字母的方法来寻求答案。皮埃尔写了“亚历山大皇帝”和“俄罗斯民族”。然后他折算了这几个字母所代表的数字，但数目的总和不是比六百六十六大得多，就是小得多。有一次在计算时他写了自己的名字“皮埃尔·别祖霍夫伯爵”，但数目的总和同六百六十六也相差很多。他又改变拼法，用Z代替S，加一个de，再加上冠词，但仍得不到他所希望的结果。后来他又想到，如果他所研究的问题的答案在他的名字里，那么他的名字前应当加上国籍。他写了“俄国别祖霍夫”，折算下来的数目是六百七十一。只多了五，五也就是e，也就是“皇帝”一词的冠词中所省略的e。

只要去掉e（虽然不合语法），皮埃尔就获得了他所求的答案，也就是“俄国别祖霍夫”，等于六百六十六。这个发现使他兴奋。他同《启示录》里所预言的重大事件有什么联系，他不知道，但他毫不怀疑存在着这种联系。他对娜塔莎的爱情、基督的敌人、拿破仑入侵、彗星、六百六十六、拿破仑皇帝和俄国别祖霍夫——这一切都应该酝酿成熟，把他从着了魔的莫斯科习气的小魔圈里解放出来，使他建立伟大的功勋，获得巨大的幸福。

在做祷告的那个星期日前夜，皮埃尔答应从老相识拉斯托普庆伯爵那里给罗斯托夫家带去《告民众书》和最新战事消息。那天早晨，皮埃尔去访问拉斯托普庆伯爵，在他那里遇见一位刚从部队来的信使。这位信使是莫斯科舞会的常客，皮埃尔认识他。

“看在上帝分上，您能不能帮帮我忙？”信使说，“我有满满一口袋家信呢。”

在这些信中有一封尼古拉给父亲的信。皮埃尔拿了那封信。此外，拉斯托普庆伯爵还给了皮埃尔刚印好的《告莫斯科民众书》、最新几项军事命令和他自己签发的公告。皮埃尔看了军事命令，在一份伤亡和受奖人员名单中发现尼古拉·罗斯托夫的名字。尼古拉由于在奥斯特罗夫诺战斗中表现英勇而获得四级圣乔治勋章。皮埃尔在同一命令里还看到，安德烈公爵被任命为轻骑兵团团长。皮埃尔不愿向罗斯托夫家人提到安德烈公爵，但他急于要把儿子得奖的喜讯告诉罗斯托夫一家，使他们高兴。于是他就派人把那个命令和信送到罗斯托夫家，却把《告民众书》、公告和其他命令留下来，以便吃饭时亲自带去。

同拉斯托普庆伯爵的谈话，拉斯托普庆焦躁不安的语气，同若无其事地谈到战事失利的信使的见面，莫斯科发现间谍的流言，有关拿破仑预定在秋季之前攻入俄国新旧两个京城的传单，有关皇帝明天将到达莫斯科的谈话——这一切又使皮埃尔激动，并充满期待的心情。自从彗星出现，特别是开战以来，皮埃尔就一直有这样的心情。

皮埃尔早就想进入军队服务，他早就有这样的愿望，但有两件事妨碍他这样做：第一，他加入了共济会，并立誓宣传永久和平，消灭战争；第二，他看到许许多多莫斯科人穿着军装宣传爱国主义，不知怎的，他感到羞于这样做。他没有进入军队的主要原因，就是他有一个朦胧的观念：他俄国别祖霍夫符合六百六十六那个野兽的数目，命定要参加限制这头野兽权力的伟大事业，因此他不能做别的事，只能等待必然的事发生。

20

那天也像每个星期日那样，有几个至亲好友在罗斯托夫家吃饭。

皮埃尔来得早些，想单独同罗斯托夫家人见面。

近一年来，皮埃尔胖了许多，要不是他身材高大，四肢发达，体格强壮，行动敏捷，他就会显得畸形了。

他气喘吁吁，喃喃地说着什么，走上楼去。车夫也没问要不要等候，他知道伯爵到罗斯托夫家不到十一点是不会回去的。罗斯托夫家的仆人高兴地跑上来替他脱外套，从他手里接过手杖和帽子。皮埃尔按照俱乐部习惯总是把手杖和帽子留在前厅。

他在罗斯托夫家看见的第一个人就是娜塔莎。他在前厅脱外套，还没看见她，就听见她的声音。娜塔莎正在大厅里练习视唱。他知道娜塔莎得病后还没有唱过歌，因此她的歌声使他又惊又喜。他悄悄地推开门，看见娜塔莎穿着祷告时穿的雪青色连衣裙，在屋里边走边唱。皮埃尔开门进去，她正背对着他，但她突然转过身，看见他那惊讶的胖脸，她的脸唰地红了，她快步向他走来。

“我想再唱唱。”娜塔莎说，“多少找点事做。”她添加说，仿佛在替自己辩解。

“太好了！”

“您来，我真高兴！我今天真快乐！”她说，又现出皮埃尔好久没在她身上看见的活泼模样，“告诉您，尼古拉获得了圣乔治勋章。我真为他骄傲。”

“可不是，命令就是我派人送来的。好了，我不打搅您了。”他说着要往客厅走。

娜塔莎拦住他。

“伯爵，怎么，我唱得不好吗？”她涨红了脸说，但没有垂下眼睛，用询问的目光瞧着皮埃尔。

“不……为什么这样说？正好相反……但您为什么这样问？”

“我自己也不知道，”娜塔莎紧接着回答，“但我不愿做您不喜欢做的事。我完全信任您。您不知道您对我是多么重要，您为我做了那么多事！……”她急急地说，没注意皮埃尔听到这话脸红了，“我看见命令里有**他**的名字，就是安德烈公爵（她迅速地低声说），他在俄国，又到军队里去了，您看怎么样？”她说得很急，显然想尽快说出，唯恐没有勇气说出来，“他会原谅我吗？他不会恨我吗？您以为怎么样？您以为怎么样？”

“我想……”皮埃尔说，“他没有什么要原谅您的……我要是处在他的地位……”皮埃尔立刻联想到，那天他曾安慰她说，如果他不是现在这样的人，而是世界上最好的人，而且没有结过婚，他就会跪下来向她求婚。于是他心里又充满怜悯、柔情和爱怜，那些话又来到他嘴边，但她不让他说出来。

“是的，您，”她说，十分兴奋地说出**您**字来，“您可是另一回事了。我不知道有谁比您更善良，更厚道，更好，这样的人是不可能有的。当时要是没有您，现在要是没有您，真不知道我会怎么样，因为……”泪水突然从她的眼眶里涌出来；她转过身去，拿乐谱遮住眼睛唱起来，又在大厅里来回踱步。

这时，彼嘉从客厅里跑出来。

彼嘉如今已是个相貌俊美、脸色红润的十五岁少年，嘴唇又厚又红，模样像娜塔莎。他在准备考大学，但最近他跟同学奥勃仑斯基秘密决定去当骠骑兵。

彼嘉冲到他的同名人[①]面前，同他商量这事。

他要皮埃尔打听一下，军队里会不会收他当骠骑兵。

皮埃尔在客厅里踱步，没听彼嘉说话。

彼嘉拉拉他的手臂，要他听自己说话。

① 皮埃尔就是彼得的法文叫法，而彼嘉是彼得的小名，所以他们是同名人。

“我的事怎么样了，皮埃尔？看在上帝分上！您是我唯一的希望。”彼嘉说。

“哦，你的事。要当骠骑兵吗？我去说，我去说。我今天就去说。”

“啊，好朋友，怎么样，宣言弄到了？”老公爵问，“伯爵夫人在拉祖莫夫斯基家做礼拜，听见了新的祷文。她说祷文好极了。”

“弄到了，”皮埃尔回答，“皇上明天就到……要举行一次非常贵族会议，据说壮丁将千名抽十。是的，我恭喜您。”

“是啊，是啊，赞美上帝。那么，军队有什么消息吗？”

“我们又后退了。据说，已退到了斯摩棱斯克。”皮埃尔回答。

“天哪！天哪！”伯爵说，“那么宣言在哪里？”

“告民众书吗？哦，有的。”皮埃尔伸手往口袋里摸文件，但是没有摸到。他一面继续往口袋里掏，一面吻走进来的伯爵夫人的手，同时不安地环顾着，显然在等娜塔莎。这时娜塔莎已不在唱歌，但也没有来到客厅。

“哦，我不知道把它放到哪儿去了。”他说。

“嗨，他总是丢三落四的。”伯爵夫人说。

娜塔莎脸色温和而兴奋，走进来坐下，默默地瞧着皮埃尔。她一进屋，皮埃尔阴沉的脸顿时容光焕发，他继续找寻文件，朝她看了几眼。

“哦，真的，我要回去一下，我把它忘在家里了……”

“噢，那您吃饭要迟到了。”

“唉，车夫也走掉了。”

但宋尼雅走到前厅去找文件，她在皮埃尔的帽子里找到了。原来皮埃尔小心地把文件藏在帽褶里。皮埃尔想念文件。

“不，吃过饭再念。”老伯爵说，显然指望从文件里得到很大的乐趣。

吃饭时，大家喝香槟酒，祝新近获得圣乔治勋章的英雄健康。这时，申兴讲起城里的新闻来：年老的格鲁吉亚公爵夫人害病，梅蒂维埃在莫斯科失踪，有个德国人被押到拉斯托普庆伯爵那里，说他是间谍（这是拉斯托普庆伯爵自己说的），但拉斯托普庆伯爵又下令把他放了，说他不是间谍，只是个普通的德国糟老头子。

“在抓人了，在抓人了，”伯爵说，“我对伯爵夫人说过，少讲法国话。现在不是时候。”

“你们听说了没有？”申兴说，“高里岑公爵请了位俄国教师学俄语，在街上讲法国话可危险了。”

“那么，皮埃尔伯爵，要是征民兵，您是不是也得上马？”老伯爵问皮埃尔。

皮埃尔吃饭时一直默不作声，想着心事。他望望老伯爵，仿佛没听懂他的话。

“是啊，是啊，我要去打仗，”他说，“不！我算得上什么军人，不过，一切都很奇怪，都很奇怪。我自己也弄不懂是怎么一回事。我不知道，我对军事毫无兴趣，但现在这种时势谁也不能替自己担保。”

饭后，伯爵舒舒服服地在安乐椅上坐下来，神态庄严地要宋尼雅宣读文件，因为宋尼雅朗诵得好是出名的。

“我们的古都莫斯科！

“敌人用庞大军队入侵俄国。他们正在蹂躏我们亲爱的祖国。”宋尼雅用她的尖细嗓子认真地读着。伯爵闭上眼睛，听到有些地方不时叹息。

娜塔莎挺直身子坐在那里，试探似的时而望望父亲，时而望望皮埃尔。

皮埃尔感到她射来的目光，竭力不向她回过头去。伯爵夫人听到告民众书中每句庄严的话，总是不以为然地摇摇头。她从这些字句里只听出，威胁她儿子的危险不会很快过去。申兴嘴上挂着嘲弄的微笑，显然准备一有机会就笑出声来：嘲笑宋尼雅的朗诵，嘲笑伯爵说的话，如果没有其他借口，就嘲笑这个文件。

宋尼雅念到威胁俄国的危险，皇上对莫斯科的期望，特别是对莫斯科贵族的期望，她的声音发抖了，这主要是因为大家都听得那么全神贯注。她念完了最后一段话：

“我们立即到京城和我国其他各地民众中间去，以便同民团协商和加以指挥，因为民团现在正阻击敌人进犯，并在他们已到之处予以打击。敌人妄图给我们以毁灭性打击，就让这样的打击落到他们自己头上！从奴役中获得解放的欧洲将颂扬俄罗斯的英名！”

“说得对！”老伯爵叫道，睁开湿润的眼睛，几次停止打鼾，仿佛有人把一瓶香醋放在他的鼻子下，“只要皇上一声令下，我们愿意牺牲一切，毫不吝惜。”

申兴还没来得及说出准备好嘲弄伯爵爱国心的话，娜塔莎突然跳起来，跑到父亲跟前。

“我们的爸爸真好哇！”娜塔莎吻着父亲说。她又不自觉地瞟了皮埃尔一眼。这种妩媚和活泼的神态又在她身上恢复了。

“好一个爱国女英雄！”申兴说。

“根本不是什么爱国女英雄，只是……”娜塔莎生气地回答，“您觉得什么都好笑，可这绝不是什么玩笑……”

“什么玩笑！”伯爵重复说，“只要他说一声，我们就全体出动……我们可不是德国佬……”

“你们有没有注意到，”皮埃尔说，“上面说‘同民团协商’。”

“不管上面说了什么……”

这时，一直不受人注意的彼嘉走到父亲面前，脸红耳赤，用忽高忽低的变嗓说：

“哦，爸爸，现在我要对您明说，对妈妈也要明说，不论怎样，你们要让我去参军，因为我不能……就是这样……”

伯爵夫人吃了一惊，眼睛往上一翻，双手一拍，怒气冲冲地对丈夫说：

“这下子谈出事情来了！”她说。

不过伯爵这时已恢复了平静。

“好！好！”他说，“又来一个军人！别再胡闹了，得好好读书。”

“这不是胡闹，爸爸。奥勃仑斯基年纪比我还小，他也要去，主要是我现在什么书也读不进，现在……”彼嘉停了一下，脸红得冒汗，还是说下去，“现在祖国处在危急之中。”

“够了，够了，尽说傻话……”

“您自己不是说愿意牺牲一切吗？”

“彼嘉，我对你说，闭嘴！”伯爵嚷道，回头望望，只见伯爵夫人脸色发白，直勾勾地盯着小儿子。

“我对您说，现在皮埃尔伯爵也要对您说……”

“我对你说：荒唐，乳臭未干，也想参军！哼，哼，我对你说！”伯爵说着拿起文件，大概想到书房里午睡前再看看，走出屋子。

“皮埃尔伯爵，我们去抽口烟吧……”

皮埃尔犹豫不决，心神不定。娜塔莎那双生气勃勃、异常明亮的眼睛热情地盯住他，使他心慌意乱。

“不，我想回家……”

“怎么回家？您不是要在我们这儿待到晚上吗……您近来难得来了。我那个丫头……”伯爵指指娜塔莎，和蔼地说，“只有您来，她才高兴……”

“是的，我忘记了……我一定得回家……我有事……”皮埃尔匆匆地说。

“那么再见了。”伯爵说着，走出屋子。

“您为什么要走？您为什么不高兴？为什么？……”娜塔莎问皮埃尔，挑战似的望着他的眼睛。

“因为我爱你！”他想说，但他没有说，只垂下眼睛，脸红得几乎流泪。

“因为我还是少来为好……因为……不，我是有事。”

“为什么？不，您说。”娜塔莎坚决地说，又突然停住。

他们两个心慌意乱地对视着。他想笑，但笑不出；他的笑容显得痛苦。他默默地吻了吻她的手，走了。

皮埃尔暗自决定再也不去罗斯托夫家。

21

彼嘉参军遭到父母断然拒绝后，走到自己屋里，锁上门，伤心地哭了一场。他喝茶时闷闷不乐，眼睛红肿，但大家都装作没有看见。

第二天，皇帝驾临莫斯科。罗斯托夫家几个仆人要求去一睹皇帝的御容。这天早晨，彼嘉打扮了很久，像大人一样梳头，拉直领子。他对着镜子皱紧眉头，做做手势，耸耸肩膀，最后对谁也没说一声，戴上帽子，尽量不引人注意，从后门跑出去。彼嘉决定直接到皇帝所在的地方，坦率地对宫廷侍从说，他罗斯托夫伯爵年纪虽小，却愿意为国效劳，年幼不能妨碍他效忠皇上，他准备……彼嘉动身以前准备对宫廷侍从说许多动听的话。

彼嘉认为，正因为他是个孩子（他想大家都会为他的年幼而感到惊讶），他能见到皇上，但同时他整整领子，梳好头发，走起路来从容不迫，竭力把自己装得像个大人。但他越往前走，他的注意力越被拥向克里姆林宫的人群所吸引，就越忘记走路要像成年人那样稳重而缓慢。他走近克里姆林宫，已在担心被人挤倒，就雄赳赳地撑开双肘。但到了三一门，不管他态度多么坚决，人群并不知道他是抱着满腔爱国热情去克里姆林宫的，竟把他挤到墙边，使他不得不停下脚步，让隆隆的车队从拱门下经过。彼嘉旁边站着一个农妇、一名跟班、两个商人和一名退伍兵。彼嘉在门口站了一会儿，没等车辆走完，就想抢先往前走，拼命用臂肘开路，但站在他旁边的农妇首当其冲，就愤怒地大叫大嚷起来：

"挤什么，小少爷，你看，大家都站着不动。你挤什么呀！"

"大家都在挤。"跟班说，也用臂肘开路，把彼嘉挤到发臭的大门角落里。

彼嘉擦擦冒汗的脸，拉起他那像大人一样笔挺的汗湿的硬领。

彼嘉觉得他的外表很不体面，唯恐宫廷侍从看见他的模样不让他见皇帝。但周围太挤，他无法把自己修饰一番，也无法换个地方。路过的将军中有一个是罗斯托夫家的熟人。彼嘉想请他帮忙，但又觉得这样有失男子汉的体面。等所有的车辆都过去，人群就挟着彼嘉拥向挤满人的广场。不仅广场上，就连斜坡上和屋顶上也都是人。彼嘉来到广场上，就听见克里姆林宫的钟声和欢乐的人语声。

广场上一度比较空旷，但突然大家摘下帽子向一个方向冲去。彼嘉被挤得喘不过气，人人都在呼喊："乌拉！乌拉！乌拉！"彼嘉踮起脚尖，他被人推推挤挤，除了周围的人群，什么也看不见。

人人脸上都现出虔敬和狂欢的神色。站在彼嘉旁边的一个女商贩放声大哭，泪水淌个不停。

"父亲，天使，老爷！"她用一只手指擦着眼泪，说。

"乌拉！"人们从四面八方高声呼喊。

人群在一个地方站了一会儿，然后又向前冲去。

彼嘉不顾一切，咬咬牙，像野兽一样转动眼睛，用臂肘开路往前冲，嘴里叫着"乌拉"，仿佛这时要把自己和所有的人统统杀死，而在他旁边是一张张同样的野兽般的脸，嘴里同样高呼着"乌拉"。

"哦，原来皇帝是这样的！"彼嘉想，"不行，我不能直接向他请愿，这太冒失了！"虽然如此，他还是拼命向前挤；从前面人群的背后他望见一块空地，上面铺着一长条红地毯；但这时人群向后退（前面的警察正在推开太靠近卫队行列的人群；皇帝正从皇宫走向圣母升天大教堂），彼嘉的肋骨上给猛撞了一下，又被挤得那么厉害，刹那间他眼睛发黑，失去了知觉。他醒过来的时候，一个教士模样的人，身穿蓝色旧法衣，一绺花白的头发往后梳，大概是个助祭，一手搂住彼嘉的腰，一手挡住拥挤的人群。

"把少爷挤坏了！"助祭说，"这算什么呀！……轻一点……把少爷挤坏了，挤坏了！"

皇帝走进圣母升天大教堂。人群又疏松开来。助祭把脸色苍白、呼吸急促的彼嘉扶到炮王[①]那里。有几个人怜惜彼嘉，突然人群向他拥来。他的周围又是一片拥挤。站在他旁边的几个人照顾他，替他解开军服纽扣，把他放在炮台上，并责备挤他的人。

"这样会把人挤死的。真不像话！简直要人家的命！你瞧，可怜的人，脸色白得像白布！"几个人说。

彼嘉很快就清醒过来，他的脸上又有了血色，疼痛也消失了。他用这暂时不愉快的代价，在炮台上获得了一个位置，他希望看到从这里回去的皇帝。彼嘉已不再想到请愿，只求看到皇帝的御容，这样他就觉得很幸福了！

圣母升天大教堂里在做礼拜，庆祝皇帝驾临和同土耳其人缔结和约，人群散开了；小贩在叫卖克瓦斯、蜜糖饼和彼嘉特别喜欢的罂粟糖饼；人们在随便交谈。一个女商贩给大家看她那条撕破的披巾，说这是她花

---

① 1586年铸的一尊巨炮，重40吨，炮身长5.34米，口径890毫米，保存在莫斯科克里姆林宫。

了大价钱买来的；另一个女商贩说，如今丝绸都涨价了。那个救彼嘉的助祭在跟一个官员谈话，说今天是某某司祭同主教一起主持礼拜。助祭几次说"会同"[①]，彼嘉不懂这个词的意思。两个青年小市民正在同一些吃核桃的农奴姑娘调笑。这些谈话，特别是同农奴姑娘们的调笑，对彼嘉这样年纪的男孩本是很有吸引力的，现在却引不起他的兴致；他高高地坐在炮台上，想到皇帝和他对皇帝的爱戴，一直很激动。他在受挤时感到的疼痛和恐惧，再加上后来的狂喜，使他觉得这个时刻意义特别重大。

突然从河滨传来隆隆的礼炮声（庆祝同土耳其人讲和），人群迅速地拥向河滨去看放炮。彼嘉也想往那里跑，但保护他的助祭不放他去。炮声继续响着，这时从圣母升天大教堂里跑出一些军官、将军和宫廷侍从，接着又走出一些人，人们又摘下帽子，那些跑去看放炮的人又跑回来。最后从圣母升天大教堂里走出四个穿军服、佩绶带的男人。"乌拉！乌拉！"人群又欢呼起来。

"哪一个？哪一个？"彼嘉哭泣着问周围的人，但没有人回答他。彼嘉认定四个人中的一个，但他泪眼模糊，看不清那人是谁，就把全部热情倾注在他身上，其实他并不是皇帝。他高声狂叫"乌拉"，并打定主意，不管得付出多大代价，明天他一定要去参军。

人群跟着皇帝跑，一直把他送到皇宫，这才散去。天色已经晚了，彼嘉还没吃过东西，身上大汗淋漓，但他不回家，同逐渐减少、但为数还相当多的人站在皇宫前，在皇帝进餐时，向皇宫的窗子张望，等待着什么，非常羡慕那些走上台阶去和皇帝共进午餐的达官显贵，也羡慕那些在窗口闪动、伺候皇帝进餐的御前侍从。

在皇帝进餐时，华鲁耶夫望了望窗外说：

"民众还是希望见见陛下。"

进餐毕，皇帝站起身来，一面吃最后一块饼干，一面走到阳台上。彼嘉随着人群向阳台奔去。

"天使，父亲！乌拉，皇爷！……"民众叫喊着，有几个女人和

---

① 在正教中，指由几个司祭共同主持礼拜。

心肠软的男子，包括彼嘉在内，幸福得哭起来。皇帝手里一块相当大的饼干碎了，落到阳台栏杆上，又从栏杆落到地上。那个站得最近、穿紧身短袄的车夫向这块碎饼干奔去，把它抓在手里。有几个人向车夫扑去。皇帝看到这景象，吩咐拿一盘饼干来，接着他就在阳台上撒饼干。彼嘉两眼充血，被挤坏的危险使他格外紧张，但他还是向饼干扑去。他不知道为什么，但觉得一定要得到皇帝亲手赐给的饼干。他奔过去，撞倒一个抢饼干的老婆子。老婆子倒在地上（她抢饼干，没有抢到），但并不认输。彼嘉用膝盖推开她的手，一把抓住饼干，仿佛怕落后似的，慌忙叫起“乌拉”来，但声音已经嘶哑。

皇帝走了，大部分人也逐渐散去。

“我说还要再等一等，果然等着了。”四面八方传来快乐的人声。

彼嘉虽然感到很幸福，但他还是觉得扫兴，因为现在得回家去，并且知道这一天的欢乐已经结束。彼嘉离开克里姆林宫不是回家，而是去找他的朋友奥勃仑斯基。奥勃仑斯基才十五岁，但也想参军。彼嘉回到家里，斩钉截铁地宣布，要是不让他去，他就逃跑。第二天，罗斯托夫伯爵虽然还没完全答应，但自己出去打听，能不能给彼嘉谋一个危险较小的职务。

22

第三天，十五日早晨，斯洛博达宫前停着无数辆马车。

皇宫里几个大厅都挤满了人。第一个厅里是穿制服的贵族。第二个厅里是穿蓝长衣、留大胡子、佩奖章的商人。贵族议会厅里，人声喧闹，活动频繁。在皇帝御像下的大桌子旁，高背椅上坐着最显要的贵族，但大多数贵族都在大厅里来回走动。

这些贵族，皮埃尔天天在俱乐部里或他们家里见到，此刻都穿着制服，有的穿着叶卡捷琳娜朝的制服，有的穿着保罗朝的制服，有的穿着亚历山大朝的新制服，有的穿着普通的贵族制服。这些五花八门的制服使得这些互相熟识的老老少少增添了一种怪诞的色彩。特别引人注目的是老头子，他们一个个都老眼昏花，牙齿脱落，头顶光秃，脸色黄肿，皮肤打皱，憔悴消瘦。他们多半坐在原地不动，沉默寡言，如果走动或说话，也是去找年纪较轻的人。这些人的脸，也像彼嘉在广场上见到的那样，表情十分矛盾：一方面在等待什么庄严重大的事情，另一方面在关心日常的生活——打波士顿牌，厨子彼得鲁施卡烧的菜，齐娜伊达的健康，等等。

皮埃尔穿着窄小不适的贵族制服，一早来到宫里。他心情激动：即将举行一次非常会议，不仅贵族参加，连商人也参加，是一次三级会议，这事勾起他一连串早已搁置一旁但深藏心里的思想：关于《民约论》和法国革命的思想。他在《告民众书》中看到皇帝将到京城来同民众协商，更加强了他这个观点。他认为在这方面他期待已久的重大事件正在逼近，他走来走去，观察动静，倾听谈话，但哪里也听不到他所关心的那种思想。

皇帝《告民众书》宣读过了，引起一片欢腾，然后大家一边谈论，一边散去。皮埃尔听到他们在谈论，皇帝驾临时首席贵族应站在什么地方，什么时候为皇帝举行舞会，他们应当按县分组还是按省分组，等等；但当他们一谈到战争和召开贵族会议的目的时，谈话就变得犹豫不决，闪烁其词。多数人都情愿听而不愿发表意见。

一个相貌英俊、体格魁伟的中年男子，身穿退伍海军服，在一个厅里发表议论。他的四周围了一群人。皮埃尔走到他旁边听他说话。罗斯托夫伯爵身穿叶卡捷琳娜朝长军服，带着愉快的笑容，在人群中走来走去。这里所有的人他都认识。这会儿他走到他们中间，照例和颜悦色地听着，不住地点头表示赞成。退伍海军讲话很大胆，这从听众脸上的表情可以看出，也可从以下的情况看出：皮埃尔认识的那些胆小安分的人不以为然地走开去或者表示反对。皮埃尔挤进人群，留神细听，确信讲话的人是个自由主义者，但他的自由主义同皮埃尔的思想截然不同。海军军官的声音是洪亮的男中音，像唱歌一般好听，喉音很重，就像吩咐跟班那样：“喂，拿茶来，拿烟斗来！”听得出他惯于发号施令，指使人家。

“斯摩棱斯克人建议皇上办民团，那又怎么样？难道我们要服从斯摩棱斯克人吗？莫斯科省的高尚贵族如认为必要，我们可以采取其他方式向皇上效忠。难道我们忘记了一八〇七年办民团的事？只让吃教会饭的人和小偷强盗发财……”

罗斯托夫伯爵甜滋滋地微笑着，赞同地点点头。

“请问，我们的民团对国家有什么用？什么用也没有！只能糟蹋我们的庄稼。还是征兵好……不然回来时兵不像兵，庄稼汉不像庄稼汉，只能成为浪荡鬼。贵族并不爱惜生命，我们人人可以出动招募更多的新兵，只要圣上一声令下，我们就可以为他赴汤蹈火。”演讲的人兴奋地添加说。

罗斯托夫伯爵高兴得直咽口水，他推推皮埃尔，但皮埃尔也想说话。他挺身而出，觉得十分兴奋，但不知道兴奋什么，也不知道要说什么。他刚要开口，站在演讲人旁边的一个参议员抢在皮埃尔前面。这个参议员牙齿已全部脱落，生就一副聪明相，怒容满面。他显然善于辩论，能抓住问题，说话声音很低，但很清楚。

“我认为，阁下，”参议员用没有牙齿的嘴喃喃地说，“我们奉召来到这里，并不是来讨论目前征兵还是组织民团对国家更有利。我们奉召来到这里，是为了响应圣上的号召。至于征兵和组织民团哪一样好，还是让最高当局去裁决……”

皮埃尔突然发觉有机会抒发他的满腔热情。在当前这场贵族争论中，这个参议员竟提出这种迂腐而狭隘的观点，他要狠狠地加以批驳。皮埃尔走上前去，打断他的话。他自己也不知道要说些什么，但说得很起劲，有时用文绉绉的俄语，有时还夹杂着法语。

“对不起，阁下，”皮埃尔开始说（他早已知道这位参议员，但认为此时此地对他要打官腔），“虽然我不同意先生……”皮埃尔迟疑了一下，他想说我尊敬的对手，“*这位我还无缘认识的先生*，但我认为，贵族阶级奉召来到这里，除了表示同感和高兴外，还应该讨论我们的救国大计。我认为，”他兴奋地说，“如果圣上看到我们只是向他贡献农奴的农奴主……我们自己只能充当*炮灰*，而听不到我们的意见，他一定会不高兴的。”

许多人看到参议员的轻蔑笑容和皮埃尔的自由化言论，纷纷离开这个圈子，只有罗斯托夫伯爵对皮埃尔的话很满意。他对海军军官、参议员和听到的任何言论都一样满意。

“我认为，在讨论这些问题之前，”皮埃尔继续说，“我们应该请求圣上，恭恭敬敬地请求圣上告诉我们，我们有多少军队，军队的情况怎样，然后……”

但皮埃尔还没把话说完，就突然受到三方面的攻击，攻击得最凶的是他的老相识、待他很好的波士顿牌友阿普拉克辛。阿普拉克辛身穿制服，不知是由于他身穿制服还是别的原因，皮埃尔觉得他完全变了样。阿普拉克辛脸上突然现出老年人的凶相，对皮埃尔嚷道：

“第一，我要告诉您，我们无权向圣上提问题；第二，即使俄国贵族有这样的权利，圣上也不能回答我们。军队根据敌人的行动而行动，人数有增有减……”

这时另一个人的声音打断了阿普拉克辛的话。此人中等身材，四十岁光景，皮埃尔以前在吉卜赛人那里见过他，知道他是个蹩脚的牌手。他也因为换上制服变了样，他向皮埃尔走近一步，说：

“现在可不是发议论的时候，现在需要行动：战火烧到了俄国。我们的敌人侵犯俄国，要糟蹋我们的祖坟，抢走我们的妻子儿女，”这个贵族捶着胸脯说，“我们都要奋起，人人都要勇往直前，大家为了沙皇爷！”他转动充血的眼睛，大声嚷嚷，人群中有几个人表示赞许，“为了保卫信仰、皇位和祖国，我们俄国人不惜流血牺牲。既然我们是祖国的子孙，就不该光说空话。我们要让欧洲看看，俄国人怎样保卫俄国！”他嚷道。

皮埃尔想反驳，但说不出一句话，他觉得，不论他说什么话，表达什么思想，总不及那个兴奋的贵族的话动听。

罗斯托夫伯爵站在人群后面点头表示赞成，有几个人在每句话结束时都大胆地向发言者转过身来，说：

“对了，对了！就是这样！”

皮埃尔想说，他并非不肯捐献金钱、农奴和牺牲自己，但他要知道情况，以便出力，但他张口结舌，说不出话来。许多人同时说话，同时叫嚷，罗斯托夫伯爵来不及一一点头表示同意。人群聚拢来，散开去，又聚拢来，然后叽叽喳喳地向大厅里一张大桌子走去。皮埃尔不仅没有机会把话说完，而且他一开口，人家就粗暴地把他打断，推开，纷纷避开他，就像对待共同的敌人那样。这样的情况之所以发生，并不是大家对他的发言有意见（大家听了许多发言，他的话早已被忘了），而是为了鼓动人们的情绪，需要一个具体的爱的对象和一个具体的恨的对象。皮埃尔就成了后一种对象。许多人在那个慷慨激昂的贵族之后发言，他们说的都是一个调子。许多人说得很动听，有独到的见解。

《俄国信使报》发行人格林卡[①]（他被认出来，人群里就发出一片“作家，作家”的呼声）说，地狱应该用地狱来反击，他曾看见一个孩子在打雷闪电时还在微笑，但我们不能像那个孩子那样。

“是啊，是啊，现在雷声隆隆！”后排有人附和说。

人群走到大桌子旁边，那里坐着一些身穿制服、胸佩绶带、白发苍苍和头顶光秃的七十来岁的老贵族。这些老头儿在家里同小丑逗乐或在俱乐部里打波士顿牌时，皮埃尔都曾见过。人群走到桌旁，不停地喧闹。发言的人一个接一个说，有时两人同时说。后面拥来的人把他们挤到椅子高背那里。站在后面的人发现发言的人漏了什么，就马上补充。另外有些人，在这种热烈拥挤的情况下拼命搜索枯肠，想说些别人没说过的话。皮埃尔认识的那几个上了年纪的达官贵人坐在那里，左顾右盼，大部分人显然感到很热。皮埃尔也很激动，那种不惜牺牲一切的情绪（多半表现在大家的声音和面部表情上，而不是表现在言辞里）也感染了他。他并没有放弃自己的想法，但觉得自己有点疏漏，很想说明一下。

“我只是说，要是知道国家需要什么，我们就能做出更恰当的奉献。”他说，竭力想压倒别人的声音。

旁边一个小老头回头看了他一下，但立刻被桌子另一端的叫声吸引过去。

“是啊，莫斯科要放弃了！莫斯科将成为赎罪的牺牲品！”有人叫道。

“他是人类公敌！”另一个人嚷道，“让我说……诸位，你们要把我挤坏了！……”

① 格林卡（1776—1864），俄国作家，于1808—1824年间主办《俄国信使报》。

23

这时候，拉斯托普庆伯爵身穿将军服，肩挂绶带，下巴突出，眼睛机灵，冲开麇集的贵族，快步走进来。

“皇帝陛下马上驾到，”拉斯托普庆说，“我刚从那里来。我认为就我们目前的处境不必多发议论。皇上开恩把我们和商人召集拢来。”他指指商人聚集的大厅说，“他们会捐献几百万卢布，而我们的责任就是提供民团，不惜牺牲……这一点我们至少能办到！”

坐在桌旁的达官显贵开始讨论。会开得非常平静。老头儿们异口同声地说着“同意”，“我也是这个意思”，等等。经过刚才的一片喧闹，他们的声音听来简直有点沉闷。

书记奉命记下莫斯科贵族的决议：莫斯科贵族同斯摩棱斯克贵族一样，每千名农奴中抽十名壮丁，并负责全副装备。贵族老爷们协商完毕，如释重负，站起身来，推开椅子，在厅里来回走动，活动活动腿脚，同时随便挽住一个人闲聊。

“皇上！皇上！”各个大厅里传出一片喊声，人群都向门口拥去。

皇帝穿过夹道欢迎的贵族，沿着宽阔的通道走进大厅。人人脸上都现出恭敬、惶恐和好奇的神色。皮埃尔站得较远，听不清皇帝说的话。他只听出，皇帝谈到国家处境危险，他对莫斯科贵族寄予厚望。随后有人向皇帝报告刚通过的贵族决议。

“诸位！”皇帝用颤抖的声音说。人群骚动了一下，又安静下来。于是皮埃尔听清皇帝富有人情味的悦耳声音。皇帝说：“我从不怀疑俄国贵族的忠心。但今天你们的忠心超过我的预料。我以祖国的名义感谢你们。诸位，让我们行动起来，时间最宝贵……”

皇帝的话说完了。人群在他周围拥挤着，四面八方传出狂热的欢呼声。

“是的，最宝贵……皇上金口玉言。”罗斯托夫伯爵边哭边说，他站在后面什么也听不清，就想当然地来理解他的话。

皇帝从贵族大厅走到商人大厅。他在那里待了十分钟光景。皮埃尔和其余的人看见皇帝从商人大厅里走出来，眼睛里含着感动的泪水。后来他们才知道，皇帝一开始向商人讲话，就热泪盈眶，他声音哆嗦地把话讲完。皮埃尔看见皇帝，他正由两个商人护送着走出来。一个是皮埃尔认识的胖胖的酒类专卖商，另一个是消瘦憔悴、胡子狭长的商会会长。两人都在哭泣。瘦子两眼饱含泪水，胖子则哭得像个孩子，嘴里反复说：

“陛下，请接受我们的生命和财产吧！”

皮埃尔当时唯一的愿望是想表示，他什么都不在乎，一切都可以牺牲。他觉得他那番有立宪倾向的演说是错误的，他想找机会加以纠正。皮埃尔得知马蒙诺夫伯爵负责提供一个团，他就立刻向拉斯托普庆伯爵宣布，他愿出一千个人，并负责提供他们的给养。

罗斯托夫老伯爵回家，把经过情况讲给妻子听，忍不住流出眼泪，当场答应彼嘉的参军要求，并亲自替他去报名。

第二天皇帝走了。所有被召集来的贵族都脱下制服，又各自在家里和俱乐部里消磨时光。他们哀声叹声，但还是吩咐管家征集民团上报，并对自己的行为感到惊奇。

第 二 部

1

拿破仑之所以发动对俄战争，是因为他不能不去德累斯顿，不能不被荣耀冲昏头脑，不能不穿上波兰军服，不能不受六月早晨的鼓舞而野心勃勃，不能不先在库拉金面前、后在巴拉歇夫面前大发雷霆。

亚历山大之所以拒绝一切谈判，是因为他觉得受了侮辱。巴克莱·德·托里之所以力求用最高明的方法指挥军队，是因为他要恪尽职守，并博取伟大统帅的名声。尼古拉之所以跃马向法军冲锋，是因为他无法克制在旷野上疾驰的欲望。同样，无数参战的人也都各凭自己的性格、习惯、条件和目的而行动。他们又恐惧，又虚荣，又快乐，又愤怒，他们议论纷纷，自以为了解他们的行为，而且是在为自己行动，其实他们全是一些身不由己的历史工具，做着他们自己并不明白而我们却是了解的事。这就是一切实际活动家的必然命运：他们官做得越大，就越不自由。

现在，一八一二年的活动家早已退出历史舞台，他们的个人作用早已完全消失，所留下的只有历史的结果了。

不过，假定说拿破仑统率下的欧洲人**不得不**深入俄国腹地，并在那里灭亡，那么，参加这一战争的人互相冲突、残杀而毫无结果，这种行动我们倒是能理解的。

这些追求个人目的的人注定要造成重大后果。这样的后果拿破仑没有料到，亚历山大也没有料到，参加战争的其他人更没有料到。

现在大家都明白一八一二年法军溃败的原因。谁也不会争论，拿破仑法军之所以溃败，一方面是由于他们深入俄国腹地时间太晚，又没有做好过冬准备；另一方面是由于法军焚烧俄国城市，引起俄国人民同仇敌忾，因而决定了战争的性质。但是，一支由最优秀的统帅所指挥的世界上最精锐的八十万大军大败于一支由经验不足的统帅所指挥的人数只及一半而又缺乏作战经验的俄军之手，只是由于这个原因，这在当时谁也没有预见到，而现在却是十分清楚了。当时不仅**没有一个人预见到**，**俄国方面**还始终竭力制止唯一能拯救俄国的办法，**法国方面**虽有拿破仑的作战经验和所谓“天才”，却千方百计要在夏末推进到莫斯科，也就是一心一意自取灭亡。

在有关一八一二年战争的历史著作中，法国作者很爱说，拿破仑当时就感觉到拉长战线的危险，他寻求决战，他的元帅们也曾劝他在斯摩棱斯克停止进攻。他们还提出其他论据，证明当时已看到战争的危险。俄国作者则更爱说，战争一开始就有引诱拿破仑深入俄国腹地的苦战计划，有人说这计划的制订者是普法尔，有人说是一名法国人，有人说是托里，有人说是亚历山大皇帝本人，并提到一些暗示这种作战方法的笔记、方案和书信。不过，所有这些暗示，不论是法国方面的还是俄国方面的，现在重提都只因为事实证明它们是正确的。如果没有发生那些事，那么这些暗示也早就被人遗忘，就像当时流行而现在被否定的成千上万彼此矛盾的暗示和推测一样。任何事件的结局总有许多推测，不管事件结局如何，总有人说：“我早就说过会有这样的结果。”但他们完全忘记，在无数推测中还有许多截然相反的意见。

说拿破仑早就意识到拉长战线的危险，说俄国人早就想诱敌深入，这显然都是史学家的牵强附会，他们把这种推测强加到拿破仑和他的元帅们头上，又把那种作战计划强加到俄国将领头上。事实完全驳倒了这种推测。在整个战争期间，俄国方面不仅从无引诱法军深入俄国腹地的企图，而且从法军一侵犯俄国起就竭力阻止他们前进，拿破仑不仅从来没有害怕过拉长战线，而且把自己每推进一步都看作胜利，也不像以往作战那样要求速战速决，而是缓慢地进行战斗。

战争一开始，我们的军队就被切断，而我们追求的唯一目标就是使他们会合起来。如果我们存心后退和诱敌深入，那么，军队会师就没有好处。皇帝御驾亲征是为了鼓舞士气，保卫每一寸俄国土地，可不是为了后退。根据普法尔计划建设规模巨大的德里萨阵地，也不是打算继续后退。军队每后退一步，皇帝都要责怪总司令。皇帝不仅不能设想火烧莫斯科城，甚至不能设想让敌人占领斯摩棱斯克。我军会合了，皇帝气愤的是没有在城外打一次大仗就让斯摩棱斯克沦陷和焚毁掉。

这是皇帝的想法，而俄国将领和俄国民众一想到我军后撤到腹地就更加气愤。

拿破仑切断俄军，深入俄国腹地，放过几次会战的机会。八月间，拿破仑在斯摩棱斯克一心考虑着怎样继续前进，虽然我们现在明白，正是法军的继续前进导致了它的灭亡。

事实很清楚，拿破仑并未预见到向莫斯科进军的危险，亚历山大和俄国将领也没想到要引诱拿破仑深入，他们所考虑的正好是相反的事。使拿破仑深入俄国腹地，不是由于谁制订了这种计划（谁也没想到有这种可能），而是参战人员钩心斗角、争权夺利的结果。他们根本没有想到该怎么办，没有想到拯救俄国的唯一办法是什么。一切都出乎人们的意料。战争一开始军队就被切断。我们竭力把军队集中起来，目的虽然是要作战和阻止敌人前进，但在努力集结军队时，又要避免同强大的敌人作战，我们就不得不成锐角形撤退，而把法军引到斯摩棱斯克。不过，我们成锐角形撤退，不仅由于法国人在我们两支军队之间移动，这个夹角变得越来越尖锐；我们退得更远，还因为巴克莱·德·托里是个不孚众望的德国人，也为巴格拉基昂所忌恨（巴格拉基昂将受他指挥），巴格拉基昂正在指挥第二军，竭力想推迟同巴克莱·德·托里的会师，以避免受他指挥。巴格拉基昂迟迟不去会师（虽然会师是所有将领的主要目标），因为他觉得这样行军将使他的军队遭到危险，对他比较有利的是向左和向南撤退，骚扰敌人的侧翼和后方，并在乌克兰补充他的部队。他有这样的想法，看来是因为他不愿听命于他所憎恨而官阶比他低的德国人巴克莱·德·托里。

皇帝御驾亲征原想鼓舞士气，但他的在场和不懂得如何决策，再加上大量顾问和计划，反而破坏了第一军的战斗力，使军队不得不后退。

俄军原定驻守在德里萨阵地，但一味想当总司令的保卢奇竭力影响亚历山大。于是普法尔的整个计划被取消了，指挥大权落到巴克莱·德·托里手里。但巴克莱·德·托里不孚众望，他的权力受到限制。

军队四分五裂，没有统一指挥，巴克莱·德·托里不得人心；但由于这种混乱、分裂和德国人总司令不得人心，一方面产生了犹豫不决和避免会战的情况（如果军队团结一致，不是由巴克莱·德·托里指挥，一场会战是无法避免的），另一方面人们对德国人越来越愤恨，爱国热情则越来越高涨。

最后，皇帝离开了军队，唯一合适的借口是：他必须去鼓舞新旧两个京城民众的热情，以发动全民战争。这样，皇帝驾临莫斯科就使俄军的力量增强了两倍。

皇帝离开军队是为了不妨碍总司令的统一指挥，以采取更加果断的措施，不料军队的领导更加混乱和削弱。别尼生、亲王和一群侍从武官留在军队里，目的是要监视总司令的行动，鼓舞他的斗志，但巴克莱·德·托里在这些**皇帝耳目**的监视下觉得自己更不自由，在制定重大行动上更加小心翼翼，竭力避免会战。

巴克莱·德·托里主张谨慎行事。皇太子暗示这是一种不忠行为，要求发动大会战。刘波米尔斯基、勃拉尼茨基、伏洛茨基之流大肆鼓噪，于是巴克莱·德·托里就以给皇上递送奏章为借口，把这些波兰侍从武官打发到彼得堡，然后同别尼生和亲王进行一场公开的斗争。

最后，不管巴格拉基昂怎样不乐意，俄军还是在斯摩棱斯克会师了。

巴格拉基昂乘车来到巴克莱·德·托里的行辕。巴克莱·德·托里佩上武装带出来迎接，向官阶比他高的巴格拉基昂报告。巴格拉基昂虽然官阶更高，但为了表示豁达大度就服从巴克莱·德·托里；但服从归服从，他同巴克莱的意见却更加有分歧。巴格拉基昂奉皇帝之命，有事可直接奏闻皇上。他就写信给阿拉克切耶夫："遵奉圣上御旨，但我实在无法跟**大臣**（巴克莱）共事。看在上帝分上，派我到别处去吧，即使去指挥一个团也行，我再也无法在这里待下去。总司令部里德国人充斥，使俄国人无法立足，一筹莫展。我想竭诚为圣上和祖国效劳，但结果表明我是在为巴克莱服务。说实话，我不愿意。"

勃拉尼茨基、文森海罗德之流更搅坏两位总司令之间的关系，结果就更难统一。俄军在斯摩棱斯克城下准备向法军发动进攻。一位将军奉命视察阵地。这位将军仇恨巴克莱，去找一个任军长的朋友，在他那里坐了一天，然后回到巴克莱那里，对他并未目睹的战场横加指摘，多方挑剔。

俄军将领正在就未来战场进行争论和策划军事行动，俄军正在找寻行踪不明的法军。这时，法军已遇上聂维罗夫斯基师，兵临斯摩棱斯克城下。

为了保全交通线，必须在斯摩棱斯克展开一场意外的会战。会战发生了，双方都伤亡数千人。

违反皇帝和全民的意愿，斯摩棱斯克失守了。但居民受总督的欺骗，焚毁了斯摩棱斯克城。这些遭难的居民念念不忘自己的损失，对敌人怀着冲天怒火到莫斯科去，给俄国其他城市居民做出榜样。拿破仑继续前进，我们节节败退，从而造成了战胜拿破仑的条件。

2

保尔康斯基公爵在儿子走后第二天，把玛丽雅公爵小姐唤到跟前。“喂，怎么样，现在你满意了吧？”他对女儿说，“你使我同儿子吵了一架！你满意了吧？你就希望这样！你满意了吧？……这使我痛心，痛心。我老了，身体虚弱了，你就希望这样。好，你高兴吧，高兴吧……”

这以后，玛丽雅公爵小姐有一星期没见到父亲。他病了，没有出书房一步。

使玛丽雅公爵小姐感到惊讶的是，老公爵患病期间也不让布莉恩小姐进去。只有季洪一人侍候他。

一星期后，老公爵走出书房，恢复了原来的生活方式，格外起劲地建造房屋和管理花园，完全断绝了同布莉恩小姐的关系。他的模样和对玛丽雅公爵小姐说话的冷淡语气仿佛表示：“哼，你瞧，你无中生有，向安德烈公爵捏造我同这个法国女人的关系，弄得我同儿子争吵；你瞧，我不需要你，也不需要法国女人。”

玛丽雅公爵小姐每天把半天时间花在小尼古拉身上，督促他复习功课，亲自给他上俄语课和音乐课，并和德萨尔谈天；另外半天坐在屋里看书，或者同老保姆和有时从后门进来的神亲一起度过。

对战争的想法，玛丽雅公爵小姐也同一般女人一样。她为战场上的哥哥提心吊胆，不能理解使人们互相屠杀的残酷行为。她不理解这场战争的意义，觉得它同历次战争没有什么区别。她不理解这场战争的意义，尽管经常同她谈话的德萨尔十分关心战争的进展，竭力把他的想法讲给她听，也不管来看她的神亲都怯生生地告诉她基督敌人入侵的消息，也不管如今成为保里斯公爵夫人的裘丽继续同她通信，从莫斯科给她写来爱国热情洋溢的信。

“我用俄语给您写信，我亲爱的朋友，”裘丽写道，“因为我恨一切法国人，同样也恨法语，我听不得人家说法语……我们在莫斯科怀着满腔热忱爱戴我们的皇帝。

“我可怜的丈夫在犹太佬的客栈里忍饥受苦，但我所得到的消息却使我更加振奋。

“拉耶夫斯基的英雄事迹您一定听到了。他搂着两个儿子说：‘我要跟敌人同归于尽，但决不动摇！’不错，虽然敌人比我们强一倍，但我们决不动摇。我们尽量合理地安排时间，打仗毕竟是打仗。阿林娜公爵小姐和莎菲整天同我在一起，我们这些守活寡的可怜女人坐着拆裹伤纱布，谈得很愉快，就可惜您，我的朋友，不在这里……”

玛丽雅公爵小姐不理解这场战争，主要因为老公爵从来不谈战争，不承认现在有战争，吃饭时德萨尔一谈到战争，老公爵就取笑他。老公爵的语气是那么平静和自信，玛丽雅公爵小姐对他深信不疑。

整个七月老公爵都非常活跃，简直可以说是生气勃勃。他又新辟了一座花园，新盖了一座下房。有一件事使玛丽雅公爵小姐不安，那就是老公爵睡得很少，也不再在书房里睡，每天更换过夜的地方。他有时吩咐仆人把行军床搭在游廊里，有时睡在客厅沙发或高背安乐椅上，穿着衣服打瞌睡，同时叫童仆彼得鲁施卡给他念书，而不叫布莉恩小姐，有时他在餐厅过夜。

八月一日家里收到安德烈公爵的第二封信。在安德烈公爵离家不久寄来的第一封信里，他恭顺地请求父亲宽恕他的顶撞，并请求父亲对他像以前一样慈爱。老公爵写了一封亲切的回信给他，从此就疏远了法国女人。安德烈公爵的第二封信是在法军占领维切布斯克后在城郊写的，信里简单叙述战役的经过，并在纸上画了一张草图，又写了对未来战局的推测。安德烈公爵在这封信里向父亲指出童山离战场不远，是军队必经之地，劝父亲迁居莫斯科。

当天吃饭时，德萨尔谈到他听说法军已占领维切布斯克，这时老公爵就想起了安德烈公爵的来信。

“我今天收到安德烈公爵的信，”他对玛丽雅公爵小姐说，“你没看过吗？”

“没有，爸爸。”公爵小姐惶恐地回答。她不可能看到信，她甚至不知道有信来。

“他信里写到当前的战争。”老公爵习惯成自然地带着嘲弄的微笑说，他谈到这次战争时总是带着这样的微笑。

“一定挺有意思，”德萨尔说，“公爵能知道……”

“哦，这挺有意思！”布莉恩小姐说。

“您去给我拿来，”老公爵对布莉恩小姐说，“您知道吗？在小桌子上，吸墨器底下。”

布莉恩小姐快乐地跳起来。

“不，不要您去，”老公爵皱起眉头嚷道，“你去拿，米哈伊尔·伊凡内奇。”

米哈伊尔·伊凡内奇站起来，往书房走去。但他刚走，老公爵就不安地环顾了一下，扔下餐巾，自己走去。

“他们什么都不会，总是弄错。”

他一走开，玛丽雅公爵小姐、德萨尔、布莉恩小姐，甚至小尼古拉都默默地交换了一下眼色。老公爵在米哈伊尔·伊凡内奇的陪同下，拿着信和建筑蓝图匆匆回来。他把信和蓝图放在手边，不让人在吃饭时读。

饭后，他向客厅走去，把信交给玛丽雅公爵小姐，然后摊开新的建筑蓝图，眼睛盯住那图，吩咐玛丽雅公爵小姐读信。玛丽雅公爵小姐一面读信，一面用询问的目光瞟了一下父亲。

老公爵望着蓝图，显然在聚精会神地思考。

“您看怎么样，公爵？”德萨尔大着胆子问。

“我！我！……”老公爵说，仿佛不愉快地被人唤醒，眼睛没有离开蓝图。

“战场很可能移到我们这里来……”

“哈——哈——哈！战场！”老公爵说，“我一向说，现在还是这样说，战场在波兰，敌人绝不可能越过涅曼河。”

老公爵说到涅曼河，其实敌人已到了第聂伯河，引得德萨尔惊奇地对他望望，不过玛丽雅公爵小姐忘记了涅曼河的地理位置，还以为她父亲没有说错。

“等到一融雪，他们准会淹死在波兰的沼泽里。他们就是不懂得这个道理，”老公爵说，显然想到了一八〇七年的战争，仿佛那是不久以前的事，“别尼生要是早一点进入普鲁士，情况就不同了……”

“不过，公爵，”德萨尔怯生生地说，“信里说到了维切布斯克……”

“哦，信里写到，是的……”公爵不满意地说，“是的……是的……”他的脸色突然变得阴郁了。他停了一会儿。“是的，他写了，法国人被击败了，在什么河上呀？”

德萨尔垂下眼睛。

“安德烈公爵没写到这事。”他低声说。

“难道他没写吗？噢，那也不是我想出来的。”

大家沉默了好一阵。

“是的……是的……喂，米哈伊尔·伊凡内奇，”老公爵忽然抬起头，指指蓝图说，“你说说，你打算怎样修改这张图……”

米哈伊尔·伊凡内奇走到蓝图前。老公爵同他谈了谈新建筑的设计图，怒气冲冲地瞧了瞧玛丽雅公爵小姐和德萨尔，回自己屋里去了。

玛丽雅公爵小姐看见德萨尔凝视她父亲的困惑而惊讶的眼神，发现他一言不发，又因父亲把儿子的信忘记在客厅桌子上而感到吃惊；不过她不仅不敢问德萨尔他困惑和沉默的原因，而且害怕想到这件事。

晚上，米哈伊尔·伊凡内奇奉公爵之命来向玛丽雅公爵小姐索取安德烈公爵的信。玛丽雅公爵小姐把信交给他。她虽然很不高兴，但还是大着胆子问米哈伊尔·伊凡内奇她父亲在做什么。

“他总是忙得很！”米哈伊尔·伊凡内奇带着恭敬和嘲弄的微笑说，这笑容使玛丽雅公爵小姐脸色发白，“他对新造房子很不放心。他读了一会儿书，但现在他……”米哈伊尔·伊凡内奇压低声音说，“大概在写字台上写遗嘱。”近来老公爵爱做一件事，就是写准备死后留下的文稿，他把这文稿称为遗嘱。

“他要派阿尔巴端奇到斯摩棱斯克去吗？”玛丽雅公爵小姐问。

“可不是，他已等了好久了。”

3

米哈伊尔·伊凡内奇拿着信回到书房，老公爵戴着眼镜和遮阳，坐在打开的写字台旁，台上放着一盏有灯罩的灯，他伸出一只手远远地拿着文稿，有点扬扬自得地读着（他把它称为“意见书”，并要在他死后呈交皇上）。

米哈伊尔·伊凡内奇进去时，老公爵眼睛里含着泪水，回忆着他写这篇文稿时的情景。他从米哈伊尔·伊凡内奇手里接过信放进口袋，摆开文稿，召唤等了好久的阿尔巴端奇进去。

老公爵在一张纸上开列了要在斯摩棱斯克办的事，就在门口站着的阿尔巴端奇的身旁来回踱步，交代着一项项该办的事。

“第一，信纸，八刀，听见吗？这样大小的，要有金边……一定要照样子；封蜡，火漆，照米哈伊尔·伊凡内奇的单子买。”

他在屋里来回踱步，看了看他记的条子。

“然后把关于证书的信当面交给省长。”

然后是新房子用的门闩，一定要公爵亲自选定的那一种。然后要一只存放遗嘱用的讲究木匣。

老公爵向阿尔巴端奇交办事务，花了两个多小时还不放他走。他坐下来，考虑着，闭上眼睛，打起瞌睡来。阿尔巴端奇轻轻动了一下。

“好，去吧，去吧。如果还有事，我会叫你的。”

阿尔巴端奇走了。公爵重新走到写字台旁，看了看，摸摸文稿，又把它锁起来，坐到桌前给省长写信。

他封好信站起来，时间已很晚了。他想睡觉，但他知道他睡不着，一到床上头脑里就会涌起种种讨厌的念头。他把季洪唤来，同他走过几个房间，告诉他今晚把床铺在哪里。他一边走，一边打量着每个角落。

他觉得没有一个地方好，而平时书房里睡惯的沙发尤其不好。他觉得这张沙发可怕，大概是因为躺在上面最容易胡思乱想。没有一个地方好，但起居室里钢琴后面那个角落还可以，因为他还从未在那里睡过。

季洪同一个男仆搬来一张床，搭在那里。

"不是这样，不是这样！"公爵叫道，亲自把床推得离角落半尺远，然后又拉近一点。

"好，总算都解决了，现在我要休息了。"公爵想，让季洪给自己脱衣服。

公爵恼恨地皱着眉头，因为脱上衣和裤子很费劲。他脱下衣裤，沉重地坐到床上，轻蔑地望着自己枯黄的两腿，仿佛在沉思。其实他不在沉思，而是因为要把两腿抬到床上很吃力，因此在抬腿前停了一下。"唉，真吃力！唉，但愿快一点，快一点结束这种苦事，**您**就放了我吧！"他想。他咬紧嘴唇，费了九牛二虎之力才躺下，但他刚躺下，身下的床突然均匀地前后波动起来，仿佛沉重地喘着气，晃动着。几乎天天晚上都是这样。他睁开刚闭上的眼睛。

"不得安宁，该死的！"他怒气冲冲地对谁嚷道，"是的，是的，还有一件重要的事，一件非常重要的事，我留到床上考虑吧。是门闩吗？不是，门闩我已说过了。不是，是客厅里用的东西。玛丽雅公爵小姐胡扯。德萨尔这个傻瓜说了什么。口袋里有样什么东西，想不起来了。"

"季洪！吃饭的时候大家谈到什么？"

"谈到安德烈公爵……"

"别说了，别说了！"老公爵一只手拍了拍桌子，"对！我知道，安德烈公爵的信。玛丽雅公爵小姐念了。德萨尔说到了维切布斯克。现在我要念一念。"

他吩咐季洪把口袋里的信拿出来，把放有柠檬水和螺形烛的茶几推到床前，然后戴上眼镜，开始读信。直到现在，在夜晚的寂静中，在绿灯罩的微弱烛光下，他读着信，才第一次看懂信里的意思。

“法军已在维切布斯克，再过四天他们可能抵达斯摩棱斯克，说不定他们已到了那里。”

“季洪！”季洪跳起来。他接着大声说：“去，没事，没事！”

他把信放到烛台下，闭上眼睛。他想起了多瑙河、晴朗的中午、芦苇、俄国军营，想起了他自己，当时他还是一个年轻的将军，脸上没有一丝皱纹，朝气蓬勃，心情愉快，脸色红润，走进波将金[1]华丽的行辕，一种对宠臣的强烈嫉妒心此刻又像当时那样使他激动。他还想起同波将金初次见面时说过的话。他也想起那个脸色发黄的矮胖女人——皇太后，她的笑容，她第一次赐见他时的笑脸和说过的话。他还想起了她躺在灵柩台上的遗容，以及为了吻她的手而同苏保夫发生的冲突。

“唉，但愿快一点，快一点回到那个时代，但愿现在的局面赶快结束，好让我安宁！”

4

保尔康斯基公爵的童山庄园坐落在斯摩棱斯克以东六十俄里，离莫斯科大道三俄里。

老公爵吩咐阿尔巴端奇办事的那个晚上，德萨尔求见玛丽雅公爵小姐，告诉她公爵身体欠安，却没采取任何措施来保障自己的安全，而从安德烈公爵来信中可以看出，留在童山是不安全的。因此，劝她写一封信，由阿尔巴端奇送交斯摩棱斯克省长，请他告诉她当前的局势以及童山处境的危险程度。德萨尔替玛丽雅公爵小姐写了给省长的信，由她签上名，交给阿尔巴端奇，命他送交省长，万一遇到危险，就尽快回来。

阿尔巴端奇接受了各项吩咐，头戴公爵赠送的白绒帽，像公爵一样拿着一根手杖，在家人护送下，坐上一辆由三匹黑鬃黄褐骏马拉的皮篷马车。

---

① 波将金（1739—1791），俄国元帅，拥立叶卡捷琳娜二世称帝，参加过1768—1774年俄土战争，1789—1791年俄土战争时任俄军总司令。

马车上的大铃裹了起来，小铃里面也塞了纸。老公爵不许任何人在童山乘有铃铛的马车，但阿尔巴端奇走远路喜欢车上有铃铛。阿尔巴端奇的侍仆、秘书、账房、厨娘和下手、两个老婆子、侍童、车夫和其他家奴都来给他送行。

女儿把印花布羽绒垫子放在他的背后和座位上。他的老嫂子偷偷塞给他一包东西，车夫把他扶上车。

"唉，唉，这些婆娘真啰唆，婆婆妈妈的！"阿尔巴端奇像公爵一样一面喘气，一面急急地说，坐上马车。他向秘书交代了最近要做的工作，不再模仿公爵，从秃头上摘下帽子，画了三个十字。

"万一有什么事……阿尔巴端奇，您立刻回来，看在基督分上，您可怜可怜我们吧！"妻子请求他道，她指的是战争和敌人的危险。

"这些婆娘真啰唆，婆婆妈妈的！"阿尔巴端奇喃喃地说，吩咐上路。他环顾着四周的田野，望着发黄的黑麦、稠密的绿燕麦和刚开始复耕的黑土地。阿尔巴端奇一路上欣赏着今年春麦的好长势，眺望着一条条黑麦地（有一部分已开镰收割），考虑着播种和收割，同时思索着公爵交办的事情。

在路上喂过两次马，阿尔巴端奇在八月四日傍晚来到城里。

阿尔巴端奇在路上不断遇到和赶上辎重车与军队。快到斯摩棱斯克时，他听到远方的枪声，但这些声音并没使他感到惊慌。最使他惊讶的是，当接近斯摩棱斯克时，他看见士兵们正在一片长势极好的燕麦地刈割，显然是拿去做饲料，地里还扎着营帐。这景象使阿尔巴端奇吃惊，但他很快也就把它忘记，一心只想着自己的事。

三十多年来，阿尔巴端奇活着就是为了服从公爵的意志，从不敢越雷池一步。凡是同公爵命令无关的事，阿尔巴端奇不仅不感兴趣，而且认为与他无关。

阿尔巴端奇于八月四日傍晚来到斯摩棱斯克，投宿第聂伯河畔加青纳郊区费拉邦托夫旅店。三十年来他惯于在那里住宿。十二年前，费拉邦托夫托阿尔巴端奇的福，买下了公爵的一小片树林，开始做买卖，如今在省城里已有了一所房子、一家旅店和一家面粉铺。费拉邦托夫是个身体肥胖、肤色黝黑、脸色红润的农民，四十岁上下，嘴唇很厚，鼻子上长着一个大瘤子，皱起的黑眉毛上也生着瘤子，还挺着一个大肚子。

费拉邦托夫身穿印花布衬衫，上面套着一件背心，站在临街的铺子前。他一看见阿尔巴端奇，就向他走来。

“欢迎，欢迎，阿尔巴端奇先生。人家都出城去，你却进城来了。”店主人说。

“出城去，这是为什么？”阿尔巴端奇问。

“我说嘛，人真傻。老是害怕法国人。”

“娘们的见识，娘们的见识！”阿尔巴端奇说。

“我也这么想，阿尔巴端奇先生。我说，有命令不让敌人进来，看来是有这么回事。可是农民要收三个卢布的车费，哼，没良心，他们不是基督徒，身上不戴十字架！”

阿尔巴端奇漫不经心地听着。他要了茶炊和喂马的草料，喝过茶，躺下睡觉。

旅店外的街上通宵有军队开过。第二天，阿尔巴端奇穿上出客穿的坎肩出去办事。早晨阳光灿烂，八点钟已相当热了。阿尔巴端奇想：这可是一个收割庄稼的好天气。城外一早就传来枪声。

从八时起，枪声之外又加上炮声。街上人很多，都匆匆赶着路，兵也很多，但也像平时一样，街上车水马龙，铺子门前站着商人，教堂里做着礼拜。阿尔巴端奇去了铺子、官厅、邮局，去了省长家。在官厅、铺子和邮局里，大家都谈到军队，谈到敌人已在攻城；大家都相互询问该怎么办，并竭力相互安慰。

在省长家门前，阿尔巴端奇看见许多人、许多哥萨克和省长的旅行马车。阿尔巴端奇在台阶上遇见两个贵族，其中一个他认识。他认识的那个贵族当过警察局局长，正在怒气冲冲地说话。

“哼，这又不是开玩笑！”他说，“一个人好办。一人遭殃一人当，可是一家十三口，还有全部家产……如今弄得我倾家荡产，这种长官是怎么当的？……哼，真该把那些强盗统统吊死……”

“够了，别说了！”另一个说。

“我不在乎，让他听见好了！嘿，我们又不是狗！”前任警察局局长说。他一回头，看见了阿尔巴端奇。

“啊，阿尔巴端奇，你来干什么？”

“奉老爷之命来看省长先生，”阿尔巴端奇回答，傲然昂起头，一只手插进怀里——他提到公爵时总是这样……“他派我来打听局势。”他说。

“哼，你去打听吧！”一个地主嚷道，“弄得连车子都没有一辆，什么也没有！……喏，听见了吗？”他说，指指传来枪炮声的方向。

“弄得大家都完蛋……强盗！”那地主又说，走下台阶。

阿尔巴端奇摇摇头，走上楼去，接待室里坐着商人、妇女和官吏，他们都默默地对视着。办公室门开了，大家站起来，向前移动。门里跑出来一名官员，他同商人说了几句话，叫一个脖子上挂十字架的胖官员进去，又回到门里，显然是躲避向他投来的目光和问题，阿尔巴端奇身子向前挪了挪，等那官员第二次出来时，就一手插进扣着的外衣胸口，招呼官员，同时交给他两封信。

“陆军元帅保尔康斯基公爵致阿舒男爵大人信。”他郑重其事地说，那官员连忙向他转过身去，接了他的信。几分钟后省长接见阿尔巴端奇，匆匆地对他说：

“你回禀公爵和公爵小姐，我什么也不知道，我照上级命令办事，你瞧……”

他给了阿尔巴端奇　个文件。

“不过，既然公爵身体欠安，我奉劝他们去莫斯科。我现在也要走了。你回禀……”但省长还没有把话说完，一个满身灰尘、满脸出汗的军官跑进门来，用法语对他说话。省长脸上现出恐惧的神色。

“你走吧！”他对阿尔巴端奇点点头说，然后向那个军官询问着什么。当阿尔巴端奇从省长办公室出来的时候，一道道贪婪、惊惶和怯弱的目光向他投来。阿尔巴端奇情不自禁地听着越来越近、越来越响的枪炮声，连忙赶回旅店。省长交给阿尔巴端奇的文件这样写着：

我向您保证，斯摩棱斯克市绝无危险，以后也不会受到任何威胁。我从这方面，巴格拉基昂公爵从另一方面正向斯摩棱斯克城下会合，会师将在二十二日实行，两军将协力保卫贵省乡亲，直到击退祖国的敌人，或者直到最后一名勇士壮烈牺牲。由此可知，您有充分权利安慰斯摩棱斯克居民，因为受这两支英勇军队保护的居民可以相信他们必胜。（巴克莱·德·托里致斯摩棱斯克省长阿舒男爵训令。一八一二年。）

市民惊慌地在街上来回奔走。

满载着家用杂物、椅子和柜子的大车不断从居民家里出来，在街上穿行。费拉邦托夫邻居家门前停着几辆马车，女人们告别时边哭边说话。一条看门狗叫着，在套上车的马匹周围转来转去。

阿尔巴端奇比平时更快地走进院子，一直走到停马和车的板棚下。车夫正在睡觉，阿尔巴端奇把他唤醒，吩咐他套车，然后走进门厅。从店主的正房里传来孩子的啼哭声、女人伤心的哭声和费拉邦托夫嘶哑的叫嚷声。阿尔巴端奇一进去，厨娘就像一只受惊的母鸡那样在门厅里慌乱起来。

“他把女东家打得死去活来！……又是打，又是拖！……”

“为了什么事？”阿尔巴端奇问。

“她要求逃难。妇道人家嘛！她说，你带我走，别让我和孩子遭殃；她说，人家都走了，我们怎么办？他就动手打她，又是打，又是拖！”

阿尔巴端奇听了这话，点点头，不愿再听下去，就走到对面店主正房的门口。他买的东西都放在那屋里。

“你这恶棍，凶手！”这时一个脸色苍白的瘦女人手抱婴儿，头巾扯落，从房里冲出来，跑下通院子的台阶。费拉邦托夫追了出来。他一看见阿尔巴端奇就拉拉背心，捋捋头发，打了个呵欠，跟着阿尔巴端奇走进正房。

“你要走了？”费拉邦托夫问。

阿尔巴端奇没有回答，也没有回顾主人，径自整理行李，又问该付主人多少钱。

“那好算！怎么，你见到省长了？”费拉邦托夫问，“有什么决定吗？”

阿尔巴端奇说，省长没有明确说什么。

“干我们这一行，怎么能搬走呢？”费拉邦托夫说，“到多罗戈布日一车得付七卢布。我说，他们不是基督徒，身上没有十字架！”

“谢里凡诺夫星期四走了运，面粉卖给军队九卢布一袋。那么，您喝茶吗？”他添加说。当车夫们套车的时候，阿尔巴端奇同费拉邦托夫喝足了茶，谈着粮价，谈着收成和收获的好天气。

“这会儿静下来了，”费拉邦托夫喝了三杯茶，站起来说，“看来我军得手了。命令说不让敌人过来。这是说我们有力量……前天他们说，普拉托夫把敌人赶到马利纳河里，一天里就淹死一万八千人。”

阿尔巴端奇收拾好买来的东西，交给走进来的车夫，同店主结了账。于是，一辆马车驶出大门，传来车轮、马蹄和铃铛声。

这时已近傍晚。街道一半是阴影，一半被阳光照得很亮，阿尔巴端奇向窗外看了看，往门口走去。突然听到远处有呼啸声和爆炸声，紧接着传来隆隆的炮声，震得玻璃窗琅琅作响。

阿尔巴端奇走到街上，有两个人向桥那边跑去。四面八方响起了炮弹的呼啸声、落地声和榴弹的爆炸声。但这些声音被城外的炮击声压得几乎听不见，居民们对此都不大注意。拿破仑在四点多钟下令炮击城市，动用了一百三十尊大炮。居民起初不明白这种炮击是怎么一回事。

榴弹和炮弹的落地声起初只引起人们的好奇。费拉邦托夫的妻子一直在棚子里啼哭，这时住了口，抱着孩子走到大门口，默默地打量着行人，听着炮声。

厨娘和一个店员也走到大门口。大家都充满好奇，兴致勃勃地竭力想看清头上飞过的炮弹。街角上有几个人走过来，兴奋地谈着话。

“真厉害！”一个说，“把屋顶和天花板都炸得粉碎。”

“就像猪拱地一样，”另一个说，“嘿，真了不起，真带劲！”他笑着说，“你亏得跳开了，要不它会把你报销的。”

人群转向这几个人。他们停住脚步，讲到有一颗炮弹就落在他们旁边的屋子里。这时，炮弹不断从他们头上飞过，实心弹发出重浊的响声，榴弹则发出尖锐的啸声；但没有一颗落在附近，都飞过去了。阿尔巴端奇坐上马车。旅店主人站在大门口。

“有什么可看的！”他对厨娘嚷道。厨娘穿着红裙子，卷起衣袖，摆动两条光胳膊，走到角落里听他们说话。

“嚯，真是怪事！”她说，但一听见主人的声音，就放下掖在腰上的裙子，回去了。

又是一声呼啸，但这次很近，好像一只飞鸟落下来，街心火光一闪，砰地响了一声，街上随即冒起浓烟。

“混蛋，你们这是干什么呀？”主人叫着，向厨娘跑去。

就在这一瞬间，从四面八方传来妇女的号哭声，一个孩子也吓得哭起来，人群脸色苍白，默默地站在厨娘周围。人群中哭得最响的就是厨娘：

“哦——哟——哟！好人哪！我的好人哪！别让我死哟！我的好人哪！……”

五分钟后，街上一个人也没有了。厨娘大腿上被榴弹片炸伤，被抬到厨房里。阿尔巴端奇、他的车夫、费拉邦托夫的妻子、孩子和看门人都坐在地窖里，留心听着。大炮的隆隆声、炮弹的呼啸声和厨娘压倒一切的号叫声一刻也没有停止。女主人一会儿抖抖孩子，哄哄他，一会儿伤心地低声问走到地窖里来的人有没有看到她那留在街上的丈夫。一个店员走到地窖里告诉她，店主和别人一起到大教堂去了，那里正在升斯摩棱斯克创造奇迹的圣像。

黄昏时分，炮声静止了。阿尔巴端奇走出地窖，站在门口。明亮的晚空硝烟弥漫。在这片硝烟中，一钩新月高悬空中，发出奇异的光芒。在惊心动魄的炮声停止后，城里一片沉寂，只有脚步声、呻吟声、远方的叫声和大火的爆裂声打破了寂静。厨娘停止了呻吟。大火从两边吐出团团黑烟，扩散开来。士兵穿着不同的军服，在街上不是排成队列，而像蚁穴被毁的蚂蚁那样东西乱跑。阿尔巴端奇看见有几个兵闯进费拉邦托夫的院子。阿尔巴端奇走到大门口。有一团兵互相拥挤着，慌慌张张地向后跑，把街道也堵住了。

“本城要放弃了，快走，快走！”一个军官看见他，这样说。接着他就对士兵们嚷道：

“我让你们进人家屋里去！”

阿尔巴端奇回到屋里，叫来车夫，吩咐他动身。紧跟着阿尔巴端奇和车夫，费拉邦托夫一家老少也出来了。一直默不作声的婆娘们一看见硝烟和在暮色中出现的大火，顿时号哭起来。街上其他角落也传出哭声，仿佛在彼此呼应。阿尔巴端奇和车夫在棚子里双手哆嗦地理着缠结的缰绳和挽具。

阿尔巴端奇乘车走出大门，看见费拉邦托夫的店门大开，有十来个士兵大声说着话，把面粉和葵花子装进袋子和背囊里。这当儿，费拉邦托夫正好从街上回来，走进他的铺子。他一看见士兵，正要叫嚷，突然住了嘴，双手抓住头发，又哭又笑起来。

“全都拿去吧，弟兄们！不要留给魔鬼！”他叫着，亲自搬了几个口袋，扔到街上。有几个兵害怕，跑了出来；有几个继续装口袋。费拉邦托夫看见阿尔巴端奇，招呼他。

“完了！俄国完了！”他嚷道，“阿尔巴端奇！完了！让我自己来放火。完了……”费拉邦托夫跑到院子里。

街上士兵川流不息，把整条街都堵住，阿尔巴端奇的马车无法过去，只得等待。费拉邦托夫的妻子带着孩子也坐在车上，等街上恢复交通。

入夜，空中群星灿烂，一钩新月放射着光明，偶尔被硝烟遮住。第聂伯河边的斜坡上，阿尔巴端奇和店主妻子的车子夹在士兵和其他车辆中间缓缓行进，这时被迫停下来。在离停着许多大车的十字路口不远的巷子里，一座住房和几家铺子在燃烧。大火快灭了。火焰一会儿熄灭，消失在浓烟中，一会儿迸发出来，清楚地照亮聚集在巷子里的人们的脸。大火前晃动着人影，火焰的噼啪声中夹杂着说话声和叫嚷声。阿尔巴端奇跳下马车，看到他的车还不能马上通过，就拐到巷子里看大火。士兵们不停地在火场前后奔走。阿尔巴端奇看见两个兵和一个穿粗呢军大衣的人把一根着火的梁木拖到对街的院子里，另一些士兵抱着一捆捆干草。

阿尔巴端奇向一群站在熊熊燃烧的高大仓库前面的人走去。仓库墙壁全部着火，后墙倒了，屋顶塌了，柱子在燃烧。人群显然在等整座房子倒下来。阿尔巴端奇也在等它倒下来。

“阿尔巴端奇！”突然有个熟识的声音在喊他。

“大少爷，大人！”阿尔巴端奇回答，立刻听出是小公爵的声音。

安德烈公爵身披斗篷，骑着一匹黑马，站在人群后面，望着阿尔巴端奇。

“你怎么在这里？”安德烈公爵问。

“大……大人，”阿尔巴端奇说着哭起来……“大……大人……我们是不是完了？大少爷……”

“你怎么在这里？”安德烈公爵又问了一遍。

这时，火焰蹿起来，让阿尔巴端奇看清了少爷苍白憔悴的脸。阿尔巴端奇告诉安德烈公爵他怎么被派到这地方，现在要离开又多么困难。

“那么，大少爷，我们是不是完了？”他又问。

安德烈公爵没回答他，掏出笔记本，抬起膝盖，用铅笔在撕下的一页纸上写起来。他写信给妹妹：

“斯摩棱斯克即将放弃，童山一周后将沦入敌手。你们立即去莫斯科。何时动身，派专人送信至乌斯维亚日。速复。”

他写好条子交给阿尔巴端奇，同时当面向他交代怎样帮助老公爵、公爵小姐、儿子和教师动身，怎样立即同他联系，回信送到哪里。他还没交代完毕，就有一个参谋官带着随从向他跑来。

“您是上校吗？”参谋官大声问，带着安德烈公爵熟识的德国腔，“有人当着您的面烧房子，可您还站着不动！这算什么呀？您要负责！”别尔格嚷道，他现在是第一军步兵左路副参谋长。他自以为这个职位很重要，很体面。

安德烈公爵对他望望，没理他，继续对阿尔巴端奇说：

“你就这样对他们说，我将等到十号，如果十号还得不到全家离开的消息，那我只好抛下一切，亲自到童山跑一趟。”

“公爵，我之所以这样说，”别尔格认出是安德烈公爵，说，“因为我得执行命令，我总是严格执行……请您不要见怪。”别尔格辩解说。

大火发出一阵噼啪声。火暂时熄了，一团团黑烟从屋顶下冒出来。火中又发出一阵惊心动魄的断裂声，接着有个庞然大物塌下来。

“哎——哟——哟！”人群随着仓库塌顶的声音叫道，仓库里烧着的粮食发出面饼的香气。火焰升起来，照亮了周围人群惊喜交集的脸色。

穿粗呢军大衣的人举起一只手，嚷道：

“好哇！烧起来了！弟兄们，好哇！……”

“这是主人自己烧的！”几个人异口同声地说。

“好吧，好吧，”安德烈公爵对阿尔巴端奇说，“把我说的话全告诉他们。”他对默默地站在旁边的别尔格没说一个字，策马向巷子里跑去。

5

军队继续从斯摩棱斯克后撤。敌人紧追不舍。八月十日，安德烈公爵所指挥的团沿大道行军，经过通童山的支路。天气炎热干燥已有三个多星期。每天都是白云飘飘，偶尔遮住太阳；但傍晚又万里无云，太阳沉入红褐色的雾中。只有夜间的重露使地面变得凉快些。尚未收割的庄稼枯焦，落粒。沼泽也晒干了。牲口在晒焦的草地上找不到饲料，饿得直叫。只有在夜间和露水未干的树林里才有点凉意。但在大道上，在军队行进的大道上，即使在夜间和树林里也不凉快。路面上沙土厚达几寸，几乎没有露水的痕迹。天蒙蒙亮就开始行军。辎重车和炮车的轮毂在沙土里无声地滚动，步兵则在过了一夜也没冷却的深及脚踝的沙土里行走。一部分滚热的沙土被脚和车轮蹂压着；另一部分升腾起来，像云雾一般高悬在军队上空，钻进行人和牲畜的眼睛、头发、耳朵、鼻孔，尤其是肺里。太阳升得越高，尘雾也升得越高；透过这火热的尘雾，肉眼也能直视那没有被云朵遮住的像红色大球的太阳。没有风，人们在这一丝不动的热空气中喘息。他们用手帕包着鼻子和嘴。一到村庄，大家就往水井奔去。他们争先恐后地喝水，直到把水井喝得见底。

安德烈公爵指挥着一个团。管理一团人，关心他们的福利，接受命令和发布命令，把他的全部精力都用在这上面。斯摩棱斯克的大火和放弃城市对安德烈公爵来说是划时代的大事。对敌人的新仇旧恨使他忘了个人的悲哀。他全心全意领导他的团，关心士兵和军官，待他们体贴入微。在团里，大家叫他**我们的公爵**，爱戴他，并以他自豪。不过他待人温和善良，只限于对团里的人，限于对基莫兴等人，限于对那些不了解他往事的不同阶层的陌生人；只要一接触到旧参谋部里的人员，他又立刻浑身是刺，变得凶狠和尖刻了。凡是使他回忆起往事的一切，他都尽量回避，因此在同原来圈子的关系上，他只求大公无私，忠实**尽责**。

的确，在安德烈公爵看来，一切都是令人沮丧的，尤其是在八月六日放弃斯摩棱斯克以后（他认为那地方可以防守，也应当防守），也就是他那有病的父亲被迫逃往莫斯科，放弃了他苦心经营的祖传的心爱庄园童山，听任敌人去蹂躏。不过虽然如此，亏得有了这个团，安德烈公爵才得以摆脱其他问题，而把思想集中在他的团里。八月十日，他的团所在的纵队到达童山附近。两天前安德烈公爵接到消息，说他的父亲、儿子和妹妹都到莫斯科去了。安德烈公爵在童山虽然没有什么事要办，但是他生性喜欢怀旧，就决定回童山一次。

安德烈公爵吩咐备马，然后离开行军的部队，骑马到父亲的庄园去，那是他出生和度过童年的地方。经过池塘时，他发现那里原来总有几十个村妇在谈话、捣衣、洗涤，现在则连一个人影也没有，一块断裂的跳板一半浸在水里，斜浮在池塘里。安德烈公爵骑马来到看门人的小屋前。入口处一个人也没有，里面的门敞开着。花园甬道上杂草丛生，牛马在英国公园里游荡。安德烈公爵来到花园暖房前，看到玻璃破碎，盆花有些倾倒了，有些干枯了。他喊花匠塔拉斯。没有人答应。他绕过暖房来到花圃，但见雕花的围栏全被破坏，李树连枝被折断了。安德烈公爵小时候常在门口见到的一个老农，坐在一把绿色长椅上打树皮鞋。

他是个聋子，没听见安德烈公爵骑马跑来。他坐在老公爵爱坐的长椅上，旁边一株断裂的玉兰枯枝上挂着一条条树皮。

安德烈公爵骑马来到屋前。老花园里的几株菩提树被砍倒了，一匹花马带着驹子在屋前玫瑰花丛里踱来踱去。房子的板窗都关着。楼下有一个窗子敞开。一个仆人的孩子一看见安德烈公爵就跑进屋里去。

阿尔巴端奇把家眷送走，独自留在童山。此刻他正坐在屋里读《圣徒传》。他一知道安德烈公爵来了，没摘下眼镜，边扣衣服边走出屋子，慌忙奔到公爵面前，一句话没说就哭起来，吻着安德烈公爵的膝盖。

接着他对自己的软弱感到恼恨，镇定下来，向公爵禀报家里的情况。家里贵重物品都已运往保古察罗伏，近一百石粮食也被运走；干草和春麦（据阿尔巴端奇说，今年长势非常好）还没成熟就被军队割下运走了。农民们破产了，有些也去了保古察罗伏，只有少数留着没走。

安德烈公爵没听完他的话，就问父亲和妹妹是什么时候走的。他当然是指去莫斯科。阿尔巴端奇还以为是问他们什么时候去保古察罗伏，就回答说七号走的，接着又絮絮叨叨地说着庄园里的事，并请求指示。

“能不能让军队打收条拿走燕麦，我们还有六百石呢？”阿尔巴端奇问。

“叫我怎么回答他呢？”安德烈公爵想，他望着老头儿在阳光下发亮的秃顶，并从他脸上的表情看出，他自己也知道问这种事是不合时宜的，但他之所以这样问，只是为了排遣自己的忧伤。

“好，让他们拿去吧。”安德烈公爵说。

“大人您也许看到花园里乱七八糟的光景，”阿尔巴端奇说，“那是无法避免的：有三个团在这里过夜，多半是龙骑兵。我记下了他们指挥官的官阶和名字，以后好控告他们。”

“那么，你自己准备怎么办？要是敌人占领这地方，你还留在这里吗？”安德烈公爵问他。

阿尔巴端奇向安德烈公爵转过脸来。对他望了望，接着突然庄严地举起一只手。

“上帝会庇护我的，一切听从上帝的旨意！”他说。

一群农民和家奴穿过草地，摘下帽子，向安德烈公爵走来。

“那么，再见了！”安德烈公爵说，向阿尔巴端奇俯下身去，“你自己走吧，凡是能带的东西都带走。叫农奴们到梁赞庄园或者莫斯科郊区庄园去。”阿尔巴端奇抱着小东家的一条腿哭起来。安德烈公爵小心地把他推开，刺了刺马，沿林荫道飞驰而去。

在花圃里，那老头儿依旧茫然坐着，就像苍蝇叮住喜爱的尸体那样，敲着打树皮鞋的楦头。两个女孩子用裙子兜着从暖房里采下来的李子，从那里跑来，正好遇上安德烈公爵。年纪大些的女孩子一看见小东家，脸上现出惊惶的神色，拉住妹妹的手，同她一起藏到桦树后面，也来不及捡起落下的李子。

安德烈公爵慌忙避开她们，唯恐让她们发觉他看到她们。他很可怜这个受惊的好看的女孩子。他不敢看她，但又忍不住想看看她。他望着这两个女孩子，想到世界上还有一些和他截然不同的人，他们也有他们的生活乐趣，他的心里不禁涌起一股从未有过的快乐暖流。这两个女孩子显然一心想带走和吃掉这些青李子而不被人抓住。安德烈公爵和她们一样，也希望她们的冒险成功。他忍不住又看了她们一眼。这两个女孩子认为她们已没有危险，就从躲藏的地方跳出来，用她们的尖嗓子叽里喳啦地说着话，快乐地提着裙子，跃动她们晒黑的小小的光脚，飞快地在草地上奔跑。

安德烈公爵走出军队所走的尘土飞扬的大道，觉得头脑爽快些。但离童山不远他又回到大道，赶上他那团在池塘边歇息的人马。这是中午一点多钟。太阳好像尘土中的一个红球，透过黑制服热辣辣地烤着他们的脊背。尘土依旧纹丝不动地高悬在停下休息的人声嘈杂的军队上空。空中没有风。安德烈公爵骑马从坝上走过，闻到池塘里淤泥的气息，感到一阵凉意。他真想跳进水里，不管这水有多脏。他回顾了一下池塘，从池塘上传来阵阵叫声和笑声。这个浑浊的绿色小池塘，水面涨高了一尺，淹没了水坝，因为塘里挤满了身体白净，手臂、脸庞和脖子呈红棕色的士兵，他们划动手脚戏水，这些赤裸裸的白净的人体又笑又叫，在这肮脏的水塘里扑腾着，好像网兜里的鲫鱼。他们的扑腾反映出一种欢乐的情绪，但也因此显得格外悲惨。

安德烈公爵认识的三连一个浅色头发的年轻士兵，小腿上系着一条皮带，画了个十字，后退几步准备跳水，接着扑通一声跳进水里。另外一个是黑发蓬乱的士官，站在齐腰深的水里，扭动肌肉发达的身体，快乐地哼哼着，用一双晒得黧黑的手捧水淋头。他们互相泼水，呼喊，尖叫。

在岸上，在坝上，在池塘里，到处都是白净的强壮的肌肉。红鼻子军官基莫兴在坝上擦着身体，一看见公爵有点害臊，但还是大着胆子对他说话。

"真舒服，大人，您下来试试吗？"他说。

"太脏了！"安德烈公爵皱起眉头回答。

"我们马上来给您出清。"基莫兴还没穿衣服，就跑去赶池塘里的人。"公爵要洗澡了。"

"哪一个公爵？我们的公爵吗？"有几个人问，大家都慌忙往岸上爬，安德烈公爵好容易才把他们叫住。他想他还是到棚子里去冲凉的好。

"肉，一堆肉，充当炮灰的肉！"他瞧着自己赤裸的身子，想。他浑身哆嗦，这与其说是由于冷，不如说是看到这么多肉体在脏水里扑腾而产生的莫名其妙的憎恶和恐惧。

八月七日，巴格拉基昂公爵在斯摩棱斯克大道上的米海洛夫卡驻地写了下面的信：

阿拉克切耶夫伯爵大人：

（他写信给阿拉克切耶夫，但知道皇上会看到他的信，因此尽力字斟句酌。）

我想，斯摩棱斯克市弃守一事大臣定已向您作了报告。此事令人痛心、悲伤，全军也为轻易放弃如此要地而深感失望。我曾亲自恳求他，最后还写过信，但被他坚决拒绝。我以我的名誉向您起誓，拿破仑本已陷入空前困境，他很可能损失一半人马但还是攻不下斯摩棱斯克。我们的部队打得空前出色，现在仍打得很英勇。我曾用一万五千人坚守达三十五个小时以上，但他连十四小时也不愿坚持。这是我军的耻辱、污点；至于他本人，我认为没有权利活在世上。如果他报告说损失惨重，这是不真实的；也许有四千人，但不会更多，可能还不到四千。就算损失一万吧，那也没有办法，战争嘛！但敌人的伤亡难以计数……

他再坚持两天又费得了什么？至少他们会自动退却，因为人马无水可饮。他曾向我保证不后退，但忽然送来指令，说他夜间撤退。因此无法作战，不久我们将把敌人引到莫斯科……

传说您在考虑讲和。讲和，上帝保佑！在做出种种牺牲，疯狂地撤退后讲和，这样您就会使全体俄国人起来反对您，我们穿军服者亦将无地自容。即使如此，只要俄国还有人活着，还能打，就要打下去……

只能由一人指挥，而不能由两个人指挥。您那位大臣也许是位好大臣，但当将军不行，简直是无能，而现在整个国家的命运却交在他手里……我实在气疯了，请恕我无礼。显而易见，那个主张缔结和约并把军队交给大臣指挥的人，他不爱戴皇上，他要使我们全体灭亡。因此我向阁下直言：只好动用民团。因为大臣正用最巧妙的方式把客人领到首都。全军对侍从武官伏尔佐根先生深表怀疑。大家认为，与其说他是我们的人，不如说他是拿破仑的人，而他总是事事为那位大臣出点子。我待他不仅客客气气，而且像军士那样服从他，虽然我的地位比他高。这是令人痛心的，但我爱戴恩主和皇上，只好服从他。我惋惜的只是皇上把这样出色的军队交给这种人。试想，我军因退却劳累和负伤住院的超过一万五千人，但要是进攻，就不会发生这样的事。看在上帝分上，告诉我，我们的俄罗斯母亲看到我们这样惊慌失措，看到我们把勤劳善良的祖国交给匪徒，使每个臣民含恨受辱，她又会怎么说？我们为什么胆怯？我们害怕什么人？大臣优柔寡断，胆怯糊涂，行动迟缓，具有各种缺点，我可不能负责。全军都在失声痛哭，痛哭他……

6

生活现象可以分成无数类，有些以内容取胜，有些以形式取胜。彼得堡的生活，特别是贵族的沙龙生活，就是以形式取胜，它同乡村的、市镇的、外省的，甚至莫斯科的生活截然相反。这里的生活是不变的。

从一八〇五年起，我们同拿破仑时而讲和，时而争吵，我们制定宪法，又废除宪法，可是安娜·舍勒的沙龙和海伦的沙龙依然如故，前者七年如一日，后者五年如一日。在安娜·舍勒的沙龙里，大家困惑地谈到拿破仑的胜利，并且从他的胜利和欧洲各国君主对他的姑息中，看出一个恶毒的阴谋，阴谋的唯一目的就是使以安娜·舍勒为代表的宫廷社会不快和烦恼。鲁勉采夫常常光临海伦的沙龙，并把她看作绝顶聪明的女人。在海伦的沙龙里，一八一二年同一八〇八年一样，大家狂热地谈到“那个伟大的民族”和“那个伟大的人物”，对俄国和法国分裂感到惋惜，并且认为应该通过讲和来结束这样的局面。

最后，自从皇帝从军队回来后，这两个敌对的沙龙之间发生了一些风波，彼此相互攻击，但各自的倾向不变。在安娜·舍勒的圈子里，来的法国人只有顽固不化的保皇派，这些人表达了一种爱国思想，主张不上法国剧院看戏，认为供养一个法国剧团的费用相当于维持一个军。他们密切关注战局，散布最有利于我军的传闻。在海伦的圈子里，也就是鲁勉采夫的亲法派圈子里，他们批驳那些说敌人和战争残酷的言论，大谈拿破仑的各种媾和意图。他们还反对某些人急于把皇家学校和女子学校搬到喀山去的建议，尽管这些学校是受太后庇护的。总之，在海伦的沙龙里，整个战争只是一种虚有其名的示威，不久双方就会言归于好。现在待在彼得堡并成为海伦家常客（凡是聪明人都应该成为海伦家的座上客）的比利平说，决定问题的不是火药，而是发明火药的人。他这个意见流传得很广。在这个圈子里，人们谨慎而尖刻地嘲笑莫斯科人的狂热，而有关这种狂热的消息是同皇帝回到彼得堡同时传出的。

在安娜·舍勒的圈子里情况正好相反，他们受这种狂热的感染，并且像普卢塔克[①]谈论古代圣贤那样谈论着。华西里公爵依旧担负着重要使命，成为这两个圈子的联系人。他常去“*我敬爱的朋友*”安娜·舍勒家里，也常去*我女儿的外交沙龙*，不停地奔走于两个阵营之间。有时他糊涂了，把应该在海伦家说的话拿到安娜·舍勒家去说，或者正好相反。

皇帝回来后不久，华西里公爵在安娜·舍勒沙龙里谈论战事时，严厉谴责巴克莱·德·托里，但又说不出让谁当总司令好。一位客人，一位被称作*品德高尚的人*，讲到他今天看见新任彼得堡民团司令库图佐夫在税务局主持新兵登记时，谨慎地推测，说库图佐夫倒是个合适的人选。

安娜·舍勒苦涩地微微一笑说，库图佐夫除了惹皇上生气外，没有一点用处。

“我在贵族会议上再三说，”华西里公爵打断她的话说，“可是大家不听我的话。我说，选他当民团司令，皇上是不会喜欢的。他们不听我的话。”

“完全是一种逆反心理，”他继续说，“反对谁呢？我们就是喜欢盲目模仿莫斯科人的愚蠢狂热。”华西里公爵说，他一时糊涂，忘记了在

① 普卢塔克（约46—约120），古希腊传记作家，著有《希腊罗马名人传》《道德论集》等。

海伦家要嘲笑莫斯科人的狂热，而在安娜·舍勒家应加以赞扬。不过他立刻纠正了自己的错误。“叫俄国年纪最大的将军库图佐夫伯爵主持征兵工作，这合适吗？他会白辛苦一场的！怎么能叫一个不能骑马、开会打盹、脾气坏透的人当总司令呢！他在布加勒斯特表现得太出色了！且不说他作为将军的才能，我们怎能在这样的时刻任用一个老朽的瞎子？一个真正的瞎子！任用一个瞎眼将军真是太滑稽了！他什么也看不见。好像在捉迷藏……他什么也看不见！”

没有人反驳他。

这番话在七月二十四日是完全正确的。但到七月二十九日库图佐夫获得了公爵封号。封他为公爵可能意味着要摆脱他，因此华西里公爵的意见仍旧是正确的，虽然他现在并不急于说出来。而八月八日，萨尔蒂科夫、阿拉克切耶夫、维亚兹米金诺夫、罗普兴和柯楚别依等大元帅组成的委员会开会讨论战局，认为军事失利是由于指挥不统一，尽管几位委员都知道皇帝不喜欢库图佐夫，经简短磋商，还是建议任命库图佐夫为总司令。当天库图佐夫就被任命为总司令，全权统率全军，管辖各军区。

八月九日，华西里公爵又在安娜·舍勒家遇见那位品德高尚的人。这位品德高尚的人竭力巴结安娜·舍勒，希望谋得皇家女子学校督学一职。华西里公爵现出胜利者的姿态，得意扬扬地走进屋里。

“嗨，你们知道一条重大新闻吗？库图佐夫当上总司令了。一切分歧都消除了。我真高兴！真高兴！”华西里公爵说，“哦，我们总算找到合适的人选了！”他说，意味深长而又郑重其事地扫了在场的人一眼。品德高尚的人虽然很想弄到督学一职，但还是忍不住向华西里公爵说出他原先的意见。（这样做对安娜·舍勒客厅里的华西里公爵是失礼的，对高兴听到这一消息的安娜·舍勒也是失礼的，但他还是忍不住。）

“但不是有人说他是个瞎子吗，公爵？”他说，引用华西里公爵说过的话。

“哼，胡说，他看得很清楚，真的！”华西里公爵干咳几声，声音低沉地迅速说。他总是用这种方式来摆脱困境。“哼，胡说，他看得很清楚！”他重复说，“我感到很高兴，因为皇帝赐给他统率全军、管辖各军区的大权，从来没有一个总司令有过这样大的权力。他是第二个君主。”他得意扬扬地含笑结束说。

“但愿如此！但愿如此！”安娜·舍勒说。品德高尚的人在宫廷圈子里还是个新手，很想巴结安娜·舍勒，就替她原来的意见辩护说：

“据说，皇帝把这个权力交给库图佐夫有点勉强。据说，当人家对他说‘皇上和祖国赏给您这个荣誉’时，他的脸红得就像一个听人读《约康德》[①]的姑娘那样。”

“也许这话不是完全出于本意吧。”安娜·舍勒说。

“哦，不，不！”华西里公爵热烈地辩护说。如今他再不能把库图佐夫放在任何人之下了。照华西里公爵看来，库图佐夫不仅本身是个好人，而且大家都崇拜他。“不，这不可能，因为皇上早就很赏识他了。”他说。

“但愿库图佐夫能掌握实权，”安娜·舍勒说，“不许**任何人**跟他捣乱。”

华西里公爵立刻明白，这**任何人**指的是谁。他低声说：

“我确切知道，库图佐夫提出一个绝对条件，就是不要皇太子留在军队里。你们知道他是怎样对皇上说的吗？”于是华西里公爵就把据说是库图佐夫对皇上说的话重复了一遍：“‘要是他做得不好，我不能惩罚他；要是他做得好，我又不能奖赏他。’哦，库图佐夫公爵真是个绝顶聪明的人，多么有胆识。哦，我早就认识他了。”

“据说，”缺乏宫廷经验的品德高尚的人说，“公爵还提出一个绝对条件，叫皇上不要到军队里去。”

他这话刚出口，华西里公爵和安娜·舍勒就立刻背过身去，不高兴地交换了个眼色，为他的天真无知叹了一口气。

7

彼得堡发生这些情况时，法军已越过斯摩棱斯克，步步进逼莫斯科。拿破仑的史学家梯也尔，也像拿破仑的其他史学家一样，竭力为他的英

① 法国诗人拉封丹的一篇寓言诗，被认为内容不正派。

雄辩解，说拿破仑是不得已被吸引到莫斯科城下的。他是正确的，就像一切凭个人的意志来解释历史事件的史学家那样；他是正确的，就像俄国史学家一样，他们认为拿破仑是被俄国统帅用计谋引到莫斯科的。这里，除了前事为后事做准备的追溯律之外，还有错综复杂的交互律在起作用。一个好棋手输了棋，就满以为他输棋是由于走错了一着，他就在开局中寻找错误，但没注意到一局棋从头到尾都错，没有一着走对。他发现错误，只是由于他注意到对方利用了这错误。战争在一定时间发生，而且不是由一个人的意志去支配无数没有生命的机器，而是由各方面专横的决断所引起的无数冲突造成的。由此可见，战争比下棋不知要复杂多少倍！

在占领斯摩棱斯克后，拿破仑先要在维亚兹马，然后在察廖夫－扎伊米歇，寻找夺取多罗戈布日的战机；但由于情况错综复杂，俄军在到达距莫斯科一百二十俄里的鲍罗金诺之前无法应战。拿破仑便下令从维亚兹马直接向莫斯科进军。

莫斯科是这个大帝国的亚洲部分的首都，是亚历山大臣民的圣城，莫斯科有无数中国宝塔式教堂！这个莫斯科使拿破仑浮想联翩。从维亚兹马到察廖夫－扎伊米歇的行军中，拿破仑骑着他那匹淡黄色截尾溜蹄马，由近卫军、卫兵、侍童和副官护送着。参谋长蒂埃落在后面，审问一个被骑兵捉到的俄国俘虏。他带着译员雷劳恩·蒂特维尔飞驰到拿破仑跟前，笑嘻嘻地勒住马。

“嗯，什么事？”拿破仑问。

“普拉托夫部下一名哥萨克说，普拉托夫军正在与大部队会合，库图佐夫已被任命为总司令。这人很聪明，但好饶舌！”

拿破仑微微一笑，吩咐给这名哥萨克兵一匹马，把他带来。拿破仑要亲自和他谈谈。几个副官应命骑马跑去。一小时后，原来伺候杰尼索夫、后来让给尼古拉的农奴拉夫鲁施卡，身穿勤务兵制服，骑着一匹法国骑兵的马，脸上露出狡猾、高兴和喝醉的神色，跑到拿破仑跟前。拿破仑命令他在旁边并排走，开始向他问话：

“你是哥萨克吗？”

“是，大人，是哥萨克。”

史学家梯也尔在描写这段插曲时说：

“这名哥萨克不知道同他谈话的是什么人，因为拿破仑十分朴素，这个东方头脑怎么也不会想到皇帝就在他身边，便异常亲昵地谈着当前的战局。”

拉夫鲁施卡前一天确实喝醉了，弄得主人没有饭吃，他挨了一顿鞭子，奉命到乡下弄鸡，他又趁火打劫，结果被法军俘虏。拉夫鲁施卡是个粗野无礼的跟班，见过世面，认为干狡猾卑劣的勾当是他们的分内事，为了主人什么都干得出来，并且善于摸透主人的缺点，特点是虚荣和猥琐。

拉夫鲁施卡一落到拿破仑手里，顿时就认出他来。他一点也不慌张，只想千方百计讨好新主子。

他很明白这就是拿破仑本人，并且觉得在拿破仑面前并不比在尼古拉面前或手拿树条的司务长面前更可怕，因为司务长也好，拿破仑也好，都不能使他再失去什么。

他信口说出勤务兵之间流传的消息，其中有许多是真实的。但当拿破仑问他，俄国人是不是认为他们能战胜拿破仑时，拉夫鲁施卡眯缝起眼睛，沉思起来。

他看出这是一个微妙的诡计，就像他这类人看到处处都是诡计那样，皱起眉头，沉默了一下。

“我看哪，如果开火，”他若有所思地说，“如果很快开火，那就对头。嗯，如果三天以后，过了期限，那么，我看，战事就会拖下去。”

雷劳恩·蒂特维尔含笑翻译给拿破仑听：“如果三天之内发生会战，那么，法国人就会胜利；如果过了三天，那么，结果怎样，就只有天知道了。”拿破仑听了没笑，虽然他心情极好，他命令译员把这句话再说一遍。

拉夫鲁施卡看出这一点，为了使拿破仑高兴，就假装不知道他是什么人。

“我知道你们有个拿破仑，他打败了天下，可是要对付我们，那就是另一回事了……”他说，自己也不知道怎么会冒出最后那句充满爱国热情的大话来。译员翻译这段话，把最后这一句吃掉了。拿破仑微微一笑。“年轻的哥萨克逗得伟大的交谈者忍俊不禁。”梯也尔这样写道。

拿破仑默默地走了几步，对贝蒂埃说，他想试试这个顿河孩子，看他一知道同他交谈的人就是皇帝，就是在金字塔上写下常胜不败英名的皇帝，他会有什么反应。

译员照办了。

拉夫鲁施卡懂得这样做是要使他发窘，拿破仑以为他一定会大吃一惊。为了讨好新主子，拉夫鲁施卡立刻装成吓得目瞪口呆，并且现出他在挨打时惯有的表情。梯也尔这样描写这一幕：

> 拿破仑的译员话音一落，那哥萨克就呆若木鸡，再也说不出一句话，他继续前进，眼睛盯住这位威名越过草原的征服者。他顿时闭上爱饶舌的嘴，现出一副天真无邪的狂喜。拿破仑赐给这个哥萨克自由，让他像鸟儿一样飞回田野。

拿破仑继续骑马前进，幻想着他梦寐以求的莫斯科，而那只放回田野的鸟儿则向前哨飞驰，预先编造一些荒诞不经的故事，以便回去向自己人吹嘘。至于真实的经历他却不想说，因为他认为不值得说。他骑马向哥萨克跑去，打听他那属于普拉托夫部队的团在哪里。傍晚他找到了主人尼古拉·罗斯托夫。尼古拉·罗斯托夫驻在杨科伏，刚上马要同伊林一起到郊外兜风。他让拉夫鲁施卡换一匹马，带他一起去。

8

玛丽雅公爵小姐并没有像安德烈公爵所设想的那样到莫斯科去以避开危险。

阿尔巴端奇从斯摩棱斯克回来后，老公爵仿佛如梦初醒。他下令召集民团，把他们武装起来，并给总司令写信，表明他决定死守童山。至于总司令是否准备保卫童山，是否听任俄国一位老将被俘或被杀，请总司令裁夺。同时老公爵向家人宣布，他要留在童山。

不过，老公爵一面自己留在童山，一面却吩咐把公爵小姐、德萨尔和小公爵送到保古察罗伏，再从那里去莫斯科。玛丽雅公爵小姐看到父亲不再像原来那样冷漠颓丧，而变得兴奋狂热，通宵失眠，她感到害怕，觉得不能把他单独留下，生平第一次违抗了他的意愿。她不肯离开童山，老公爵勃然大怒，把她痛骂了一顿。他又重复过去诬蔑她的话。他竭力怪罪于她，说她折磨他，挑拨他同儿子的关系，无耻地猜疑他，她活着就是要毁掉他的生活。他把她赶出书房，还对她说，她不走，他也不在乎。他说他不愿知道有她这个人存在，并警告说不要让他看到她。尽管玛丽雅公爵小姐很担忧，他并没有强迫她走，而只是命令她不要让他看到。这一点使玛丽雅公爵小姐觉得宽慰。这证明，她留在家里不走，他心里还是高兴的。

小尼古拉走后第二天，老公爵一早就穿戴全套军装去见总司令。马车已停在门前。玛丽雅公爵小姐看见他身穿军装，挂上所有的勋章，从房子里出来，到花园里检阅武装农奴和家奴。玛丽雅公爵小姐坐在窗口，倾听着从花园里传来的他的声音。突然有几个人神色慌张地从花园林荫道跑来。

玛丽雅公爵小姐跑到台阶上，穿过花径，跑上林荫道。迎面走来一大群民团和家奴，其中几个人拖着一个穿军服、佩勋章的小老头。玛丽雅公爵小姐跑到他跟前，在菩提树枝叶中漏下的星星点点的阳光下，她看不清他脸上有什么变化。她只看出一点，原先严厉果断的神色不见了，只剩下怯弱温顺的表情，老公爵一看见女儿，翕动软弱的嘴唇，嘴里发出沙哑的声音。听不懂他要什么。他被抬起来，抬到书房，放在他近来很怕睡的沙发上。

当夜请来了医生，替他放了血，医生宣布公爵中了风，右半身瘫痪。

留在童山越来越危险了，公爵中风后第二天就被送到保古察罗伏。医生跟他们同行。

他们来到保古察罗伏，德萨尔已带了小公爵去莫斯科。

老公爵中风后在安德烈公爵新盖的保古察罗伏住宅里躺了三星期，情况没有什么变化，既不见好，也不见坏。他神志不清，像一具变形的尸体那样躺着。他抽动眉毛和嘴唇，不停地嘟囔着，无法知道他神志是否清楚。但有一点可以肯定：他很痛苦，有话要说。但究竟要说什么，谁也无法了解；是一个神经错乱的病人发脾气，还是对国家大事或家庭琐事有话要说？

医生说，这种烦躁没有什么特殊原因，完全是一种病态；但玛丽雅公爵小姐认为他有话要对她说。她在场总是使他更加烦躁，这就肯定了她的推测。显然，他在肉体上和精神上都很痛苦。

康复的希望已没有了，又不能把他带走。万一死在路上怎么办？“还不如完了的好，一了百了！”玛丽雅公爵小姐有时这样想。她日日夜夜守护着他，几乎不睡觉，说来可怕，她常常注意他，不是希望看到好转的征象，而是**愿意**看到他接近末日的征候。

这种心情不论公爵小姐觉得多么别扭，在她身上却是存在的。玛丽雅公爵小姐觉得尤其可怕的是，自从父亲得病以来（甚至还要早些，每逢同他待在一起就期待出什么事），长期潜伏在心中和被忘却的个人心愿和希望在她身上觉醒了。多少年没有进入她头脑的念头——再也不怕父亲而自由自在地生活，甚至享受爱情自由和家庭幸福——像魔鬼的诱惑一样在她脑子里作祟。不论她怎样想排除这些念头，她还是不断想到，**那事**以后她该怎样安排生活。这是魔鬼的诱惑，玛丽雅公爵小姐是知道的。她知道，唯一的武器是祈祷。于是她就祈祷。她作出祈祷的姿势，眼睛望着圣像，嘴里念着祷文，可是她祈祷不下去。她觉得她现在处于另一个世界，那里既有操劳，又有自由，完全不同于她以前被禁锢的只有祈祷是唯一安慰的精神世界。她无法祈祷，欲哭无泪，完全掉进尘世生活的烦恼中。

留在保古察罗伏有危险。四面八方传来法军逼近的消息，在离保古察罗伏十五俄里的村庄里，法国兵抢劫了一座地主庄园。

医生坚持非把公爵搬得远一些不可；首席贵族派一名官员来看望玛丽雅公爵小姐，劝她赶快离开保古察罗伏。县警察局局长来到保古察罗伏，提出同样的主张。他说法军离那里只有四十俄里，他们到处散发传单，公爵小姐要是到十五日还不带父亲离开这里，后果他就不能负责。

公爵小姐决定十五日动身。她准备行装，向仆人发指示，忙了一整天。十四日晚上，她照例在公爵卧室隔壁屋里和衣而卧。她醒了好几次，听见他的呻吟和呓语，床的咯吱声，以及帮他翻身的季洪和医生的脚步声。她几次走到门口倾听，觉得他今晚的呻吟比平时响，翻身的次数也比平时多。她睡不着，几次三番走到门边，想进去又不敢进去。虽然他没有说，但玛丽雅公爵小姐看出，任何为他担忧的表示都使他不快。她发现，每次她情不自禁地盯住他，他就会厌恶地避开她的目光。她知道，她在深夜进去，一定会惹他生气。

但她从没这样可怜过他，从没这样怕失去他。她回忆同他相处的日子，从他的一言一行中都发现他对她的慈爱。在这样的回忆中，魔鬼偶尔仍会闯入她的心里，使她想到他死后的情景，她将怎样安排她自由自在的新生活。但她厌恶地驱除这种念头。天快亮的时候，他安静了，她也睡着了。

她很晚才醒来。她刚苏醒时心地纯净，意识到父亲病中她最关心的是什么。她醒来后倾听门里的动静，一听见他的呻吟，她就叹息着自语说，还是那个样子。

“究竟会怎么样？我到底要什么？我要他死！”她痛恨自己，叫道。

她穿好衣服，梳洗完毕，念了祷文，走到台阶上。台阶旁停着几辆还没套马的车，仆人们正在往车上装东西。

早晨温暖而阴暗。玛丽雅公爵小姐站在台阶上，为自己心灵的卑劣感到震惊，在走进父亲屋里之前竭力理顺自己的思路。

医生下了楼，走到她面前。

“他今天好些了，”医生说，“我找过您了。他说的话多少可以听懂一点，神志清楚些了。您去吧。他在叫您……”

玛丽雅公爵小姐一听到这话，心怦怦直跳。她脸色发白，身子靠在门上免得倒下。她心里充满可怕的罪恶念头，去见他，同他说话，看到他的眼神，她觉得这是又惊又喜又难受的事。

“走吧！”医生说。

玛丽雅公爵小姐走进父亲房里，来到他的床前。老公爵高高地仰卧在床上，他那瘦骨嶙峋、青筋毕露、满是疙瘩的双手放在被子上，左眼直瞪，右眼斜视，眉毛和嘴唇一动不动。他整个身体瘦小得可怕，使人觉得很可怜。他的脸干瘪，脱水，脸盘缩小了。玛丽雅公爵小姐走过去，吻了吻他的手。他用左手握住她的手，显然等她好久了。他拉拉女儿的手，眉毛和嘴唇生气地抽动起来。

玛丽雅公爵小姐恐惧地瞧着他，竭力猜测他要她做什么。她换了个姿势，凑近一点，使他的左眼能看见她的脸，他安静了下来，一连几秒钟直盯着她。接着他的嘴唇和舌头动起来，发出声音。他现出恳求的神色，胆怯地瞧着她，说起话来，显然怕她听不懂他的话。

玛丽雅公爵小姐聚精会神地望着他。他费力地转动舌头，那样子很可笑，玛丽雅公爵小姐垂下眼睛，好容易才压住涌上喉咙的呜咽。他说了句什么，重复了好几次。玛丽雅公爵小姐听不懂，但她竭力猜想他在说什么，并重复这些话，问他是不是这个意思。

“亲……过……过……”他一再重复着。

大家怎么也无法听懂这些话。医生以为他猜着了，就学着他的声音问：“**公爵小姐害怕**，是吗？”他摇摇头，又发出同样的声音……

“**心里，心里难过？**”玛丽雅公爵小姐猜着了，这样问。他发出一种含糊的声音表示同意，拉住她的手，把它按在自己胸口上不同的地方，仿佛在找寻一个最适当的位置。

“我一直在想！一直在……想你！”他说得比原来清楚多了，他也相信人家懂得他的意思。玛丽雅公爵小姐把头贴在他手上，竭力掩饰自己的呜咽和眼泪。

他一只手摸摸她的头发。

“我通宵一直在叫你……”他说。

“我要是知道……”她含着眼泪说，“我不敢进来。”

他握住她的手。

“你没有睡吗？”

“没有，我没有睡。”玛丽雅公爵小姐摇摇头，说。她情不自禁地模仿父亲，竭力用手势来表达意思，仿佛她的舌头已不听使唤。

“心肝……”或者“亲爱的……”玛丽雅公爵小姐听不清楚，但从他的眼神中可以看出，他说了一句从没说过的亲切温柔的话，“你为什么不来？”

“可我还希望……希望他死呢！”玛丽雅公爵小姐想。他沉默了一会儿。

“谢谢你……女儿……亲爱的……谢谢你的一切……原谅我……

谢谢……原谅我！……谢谢！”说着泪水夺眶而出，“叫安德烈来。”他突然说，说时脸上现出一种天真、胆怯和疑虑的神态。他似乎自己也知道，他的要求是没有道理的。至少玛丽雅公爵小姐有这样的感觉。

“我接到他的信了。”玛丽雅公爵小姐回答。

他又惊奇又胆怯地对她望望。

“他在哪里呀？”

“他在部队里，爸爸，在斯摩棱斯克。”

他闭上眼睛，沉默了好一阵；然后，点点头，仿佛解答自己的疑虑，也表示现在他懂得了一切，也记起了一切，接着睁开眼睛。

“是啊，”他清楚地低声说，“俄国完了！他们把它给毁了！”他又呜咽起来，泪水又夺眶而出。玛丽雅公爵小姐瞧着他的脸，再也忍不住，也哭了起来。

他又闭上眼睛。他的呜咽停止了。他指指眼睛，季洪懂得他的意思，替他擦去眼泪。

然后他睁开眼睛，又说了些什么，可是好一阵谁也不懂，最后季洪一人明白了，把他的意思转达出来。玛丽雅公爵小姐按照他刚才说话时的心情来猜测。她时而以为他说的是俄国，时而以为是安德烈公爵，时而以为是她，是孙儿，是他自己的死，因此她怎么也猜不透他的意思。

“穿上你那件白色连衣裙，我喜欢那件衣服。”他说。

玛丽雅公爵小姐听懂这话，哭得更响了。医生挽住她的手臂，把她拉到露台上，要她镇静，准备动身的事。玛丽雅公爵小姐出去后，老公爵又谈到儿子，谈到战争，谈到皇帝，愤慨地扬起眉毛，提高嘶哑的嗓子，接着他又一次中风，也是最后一次中风。

玛丽雅公爵小姐待在露台上。天气放晴了，阳光灿烂，气温升高。她什么也不懂，什么也不想，什么感觉也没有，只有对父亲的热爱，她觉得她从没这样爱过父亲。她跑到花园里，一面哭，一面沿着安德烈公爵手植的菩提树林荫路，往池塘跑去。

“是的……**我**……**我**……**我**……我希望他死。是的，我希望他快点死……**我**要安宁……可我会怎么样呢？他没有了，我还要安宁做什么！”玛丽雅公爵小姐自言自语，在花园里急急地跑着，双手按住胸口大哭。她在花园里兜了一圈，又回到房子前，看见布莉恩小姐（她留在保古察罗伏，不愿走）和一个陌生男人向她迎面走来。这是县首席贵族，亲自来找公爵小姐，向她说明必须尽快离开这地方。玛丽雅公爵小姐听着，没有立刻听懂他的意思；她把他领到屋里，请他用早点，陪他坐下。然后，她向首席贵族道歉，走到老公爵门前。医生神色慌张地走出来，说不能进去。

“您走吧，公爵小姐，走吧，走吧！”

玛丽雅公爵小姐又走到花园里，坐在山下池塘边谁也看不见的草坡上。她不知道她在那里待了多久。一个女人在小径上跑过的脚步声把她惊醒。她站起来，看见她的使女杜尼雅莎跑来找她。杜尼雅莎一看见公爵小姐，仿佛吓了一跳，收住脚步。

“快来，公爵小姐……公爵……”杜尼雅莎断断续续地说。

“就来，就来！”公爵小姐急急地说，不让杜尼雅莎把话说完，竭力不去看她，向屋里跑去。

“公爵小姐，上帝的意旨实现了，您要做好一切准备。”首席贵族在门口遇见她，说。

“让我进去。这不是真的！”玛丽雅公爵小姐恶狠狠地嚷道。医生想拦住她，她推开医生，向门口跑去。“这些人神色惊慌，他们为什么要拦住我？我谁也不需要！他们在这里干什么呀？”她一面想，一面推开门。一道强烈的阳光射进这个阴暗的屋子，她见了大吃一惊。屋子里有几个女人和保姆。她们都从床边给她让开一条路。他仍旧那样躺在床上，但他那沉静脸上的严厉表情吓得玛丽雅公爵小姐在门口站住。

“不，他没有死，这不可能！”玛丽雅公爵小姐自言自语，走到他面前，克服内心的恐惧，把嘴唇压在他的脸颊上。但她立刻又离开他。她对他的柔情顿时消失了，只剩下她对当前景象的恐惧。“没有了，他没有了！他没有了，但在他待过的地方有一种陌生的敌对的东西，有一个令人毛骨悚然、难以理解的谜……”玛丽雅公爵小姐双手掩住脸，倒在扶住她的医生的怀里。

妇女们当着季洪和医生的面，洗了公爵的遗体，用手巾扎住他的头，以免他张开的嘴变硬，另外用一条手巾绑住他叉开的腿。然后，他们给他穿上挂满勋章的军服，把干缩的遗体放在桌上。天知道有谁做过这种事，但一切都做得有条有理。入夜棺材四角点起了蜡烛，棺材里铺上一块布，地上撒了刺柏枝，死人干缩的脑袋下放了一张印刷的祷文。助祭坐在角落里诵读诗篇。

在客厅里，外人和家人围着棺材，有首席贵族、村长和农妇，他们全都惊惶地瞪着眼睛，画着十字，鞠着躬，吻着公爵冰凉僵硬的手。这情景好像一群马围着一匹死马，它们惊跳着，拥挤着，喷着鼻子。

9

在安德烈公爵没来以前，保古察罗伏是个外出地主的庄园。保古察罗伏农民和童山农民在气质上完全不同。两者的语言、服装和风俗也不一样。保古察罗伏农民被称为草原农民。他们常来童山帮助收获、挖塘、开沟，老公爵欣赏他们干活勤劳，但不喜欢他们生性粗野。

安德烈公爵移居保古察罗伏以后，实行一些新措施：盖医院，办学校，减轻役租，但这并没使他们的性情变得温和些，反而加强了被老公爵称为粗野的习性。他们经常传布莫名其妙的流言：时而说要把他们都编入哥萨克，时而说要他们改信新教，时而说皇上发出新诏书，时而说保罗皇帝在一七九七年就宣誓让农奴自由，但被地主老爷扣下了，时而说彼得三世将在七年内复位[①]，到那时大家都可以自由自在，不会受任何束缚。关于战争和拿破仑、拿破仑入侵等传闻，在他们头脑里同基督的仇敌、世界末日和绝对自由等观念统统混在一起。

保古察罗伏四周都是官府直辖的村庄和实行代役租的地主村庄。居住在这一带的地主很少，家奴和识字的农奴也很少。俄国农民生活具有一种神秘的潜流。这种潜流在这一带的农民身上比其他地方更明显，更强烈。这种潜流的原因和意义，现代人是难以理解的。其现象之一是二十年前当地农民向温暖的江河流域大迁移。几百个农民，包括保古察

① 彼得三世（1728—1762）在位期间，1762年俄国发生宫廷政变，由他妻子叶卡捷琳娜二世即位，当时传说彼得三世因试图解放农奴而被贵族推翻。

罗伏的农民，突然卖掉牲口，扶老携幼向东南方移动。就像鸟儿飞向海洋那样，他们带着老婆孩子走向谁也没去过的东南方。他们成群结队到那里去，有的单独赎了身，有的逃跑，他们骑马或者步行，走向温暖的江河流域。许多人因此受到惩罚，被流放西伯利亚，许多人在路上冻死饿死，许多人回到原地，于是运动自行消亡，就像它无缘无故地掀起一样。但是这种潜流在他们中间不停地流动，并且不断积聚新的力量，以便有朝一日同样奇怪、强烈而又自然地再度出现。现在，在一八一二年，凡是接近农民的人都会发觉，这种潜流来势汹汹，一触即发。

阿尔巴端奇在老公爵去世前不久来到保古察罗伏，发现农民情绪动荡不安。这里跟童山一带（半径六十俄里）不同，童山农民撤离家乡，听任哥萨克糟蹋他们的村庄，而在这草原地区，保古察罗伏农民据说同法国人有勾结，他们接受法国人散发的传单，留在本地不走。他从心腹家奴那里听到，在村社里很有势力的农民卡尔普日前赶公家运输车，他带回的消息说，哥萨克洗劫居民逃亡的村庄，但法国人却秋毫无犯。阿尔巴端奇知道，昨天另一个农民从维斯洛乌霍沃（法军已进驻）带来一张法国将军的公告，宣布他们不会侵犯居民，只要他们留下不走，从他们那里拿走的东西都将作价赔偿。这个农民拿出一百卢布钞票（他不知道那是伪钞），说是预付给他的干草款，来证明这件事。

最后，也是最重要的一点，阿尔巴端奇知道，就在他吩咐村长派车把公爵小姐送离保古察罗伏的那天，早晨举行过一次村民大会，大家决定不走，留在村里等待。可是时间紧迫。首席贵族在八月十五日公爵去世那天，坚决要求玛丽雅公爵小姐当天离开，因为情况紧急。他说，十六日以后，不论什么事他概不负责。他在公爵去世那天傍晚走了，答应第二天来参加葬礼。但第二天他没能去，因为他得知法军向前突进，他只顾得上从家里带走家眷和金银财宝。

三十年来，保古察罗伏由村长德龙治理。老公爵生前叫他德龙努施卡。

德龙是一个体格强壮、个性刚毅的农民，成年后蓄起大胡子，直到六七十岁都是这样，没有一根白头发，不掉一颗牙，六十岁还腰骨笔挺，精力充沛，就像三十岁一样。

德龙也曾参加向温暖的江河流域大迁移，以后就当上保古察罗伏的村长和庄园管理员，二十三年来他担任此职可以说是无懈可击。农民们怕他胜过怕主人。老爷们，包括老公爵、年轻公爵和总管，都很尊敬他，戏称他为家务大臣。在任职期间，德龙没喝醉过一次，没生过一回病；夜里不睡觉也罢，干重活也罢，他都不觉得疲劳；他不识字，却从没忘记过一笔账，没忘记过出售许多车面粉的重量，也没忘记过保古察罗伏任何一块田里的一捆庄稼。

阿尔巴端奇离开被蹂躏的童山，在公爵落葬那天唤来的德龙就是这样一个人。阿尔巴端奇吩咐德龙给公爵小姐的车准备十二匹马，另外准备十八辆大车从保古察罗伏运送财物。虽然这里的农民都是缴代役租的，照阿尔巴端奇看不会有什么困难，因为保古察罗伏有两百三十个农户，他们都很殷实。但德龙村长听了他的命令却垂下眼睛，一声不吭。阿尔巴端奇提出几个他认识的农民，叫他去向他们要车。

德龙回答说，这些农民的马都拉车去了。阿尔巴端奇提出另外几个农民，但德龙说他们也没有马，有些替公家拉车去了，有些马不中用，有些马因缺乏饲料饿死了。照德龙说，不仅运送行李没有马，连拉轿车的马都没有。

阿尔巴端奇凝神瞧着德龙，皱起眉头。德龙是个模范村长，同样，阿尔巴端奇管理公爵庄园二十年，也不是无功之臣，是个模范总管。凭感觉他能看透他属下农民的要求和本能，因此是个出色的总管。他看了一眼德龙，立刻明白德龙的回答不是出于他个人的意思，而是表达了他所管理的保古察罗伏全体农民的情绪。但同时他知道，德龙发了财，农民恨他，他一定摇摆于地主和农民之间。阿尔巴端奇从德龙的目光中看出这种摇摆，因此皱起眉头向德龙走了一步。

"你啊，德龙努施卡，听好！"他说，"你少给我说这些废话。安德烈公爵大人亲自吩咐我，要全村的人都离开，不能留给敌人，再说皇上也有圣旨。留下不走就是背叛皇上。听见了吗？"

"听见了。"德龙回答，没抬起眼睛。

阿尔巴端奇对这个回答不满意。

"唉，德龙，这样不行！"阿尔巴端奇摇摇头说。

"您有权，您做主！"德龙伤心地说。

"喂，德龙，住口！"阿尔巴端奇又说，从怀里抽出手，庄重地指指德龙脚下的地板，"我把你看透了，把你这人里里外外都看透了。"他说，注视着德龙脚下的地板。

德龙窘了，偷偷瞧了一眼阿尔巴端奇，又垂下眼睛。

"别说废话了，你叫老百姓准备去莫斯科，明天早晨给公爵小姐备好车，你自己不用去参加聚会。听见了吗？"

德龙突然跪下来。

"阿尔巴端奇老爷，您撤了我的职吧！把我这里的钥匙拿去，看在基督分上，把我撤职吧！"

"住口！"阿尔巴端奇严厉地说，"我把你这人里里外外都看透了。"他重复说，知道他自己善于养蜂，懂得什么时候播种燕麦，二十年来善于讨取老公爵的欢心，早就享有巫师的称号，因为只有巫师才能里里外外看透人。

德龙站起来想说什么，但阿尔巴端奇不让他说：

"你们这是安的什么心？呃？……你们在想什么呀？呃？"

"我能拿老百姓怎么办？"德龙说，"他们全疯了。我对他们也说过……"

"对对，我说的就是这件事。"阿尔巴端奇说，"他们在灌老酒吗？"他简短地问。

"他们全疯了，阿尔巴端奇老爷，他们又弄来一桶酒。"

"你听我说。我去找警察局局长，你去说服老百姓，叫他们别这样，把车子准备好。"

"是，老爷。"德龙回答。

阿尔巴端奇不再坚持。他长期管理农民，知道要使他们服从，主要是不能让他们有丝毫可以不服从的想法。阿尔巴端奇听到德龙说："是，老爷。"他就满足了，虽然他怀疑，甚至确信，没有军队帮助是弄不到车辆的。

果然，到傍晚还没有车辆。村民又在酒店旁集会，会上决定把马匹赶到树林里，不出大车。阿尔巴端奇没把这事告诉公爵小姐，吩咐仆人把他的行李从童山来的车上卸下，把这几匹马套到公爵小姐的车上，自己去找长官。

10

父亲落葬后，玛丽雅公爵小姐闭门谢客。使女走到门口说，阿尔巴端奇来请示动身的事。（这是在阿尔巴端奇跟德龙谈话前的事。）玛丽雅公爵小姐从躺着的沙发上欠起身，隔着门说她哪儿也不去，谁也别来打扰她。

玛丽雅公爵小姐卧室的窗户朝西。她面壁躺在沙发上，摸弄着皮靠枕上的扣子，眼睛只看见这个靠枕，思想模模糊糊地集中在一点上；死是无法挽回的，在她父亲患病期间她第一次表现出心灵的卑劣。她想祷告，但又不敢祷告，不敢怀着这样的心情祷告上帝。她这样躺了好半天。

太阳已移到房子另一边，斜阳从敞开的窗子照进来，照到玛丽雅公爵小姐望着的皮靠枕上。她的思路突然中断。她茫然起身，抚平头发，站起来走到窗前，不由得深深地吸着黄昏的清新空气。

"是啊，现在你可以尽情欣赏黄昏的美景了！他已经不在了，谁也不会来妨碍你了！"她自言自语，颓然坐在椅子上，头伏在窗槛上。

有人从花园里柔声唤她的名字，接着在她头上吻了吻。她抬头一看，原来是布莉恩小姐。她穿着黑衣服，戴着丧章。她悄悄走到玛丽雅公爵小姐跟前，叹了口气，吻了吻她，立刻哭起来。玛丽雅公爵小姐回头望了她一眼。玛丽雅公爵小姐想起同她的几次冲突，想起对她的猜疑；又想起**他**最后怎样改变了对布莉恩小姐的态度，甚至不屑见她，因此玛丽雅公爵小姐觉得她心里对她的责怪是很不应该的。"唉，我盼望他死，我……我有什么资格责怪人呢！"她想。

玛丽雅公爵小姐生动地想象着布莉恩小姐的处境。近来她同他们一家人疏远了，但她还得寄人篱下，依靠他们生活。玛丽雅公爵小姐开始可怜她，并带着温和询问的目光瞧着她，向她伸出手去。布莉恩小姐立刻哭起来，吻着玛丽雅公爵小姐的手，说她很悲伤，并愿意同她分担悲哀。她说，她唯一的安慰是公爵小姐准许她同她分忧。她说，面对这深重的哀伤，过去的一切误会都应该消除，她对谁都问心无愧，**他**在那个世界也会看到她的爱心和感激。公爵小姐听着，不懂她的意思，只偶尔对她望望，听着她说话的声音。

“您的处境格外困难，亲爱的公爵小姐，”布莉恩小姐停了停，说，“我了解，您这人一向不为自己考虑，但我爱您，我们非如此不可……阿尔巴端奇来过您这儿吗？他和您谈过动身的事吗？”她问。

玛丽雅公爵小姐没有回答。她不明白谁要动身，要去哪儿。“难道现在还能计划什么，考虑什么吗？还不是都一样？”她心里想，没有回答。

“您要知道，亲爱的玛丽，”布莉恩小姐说，“您要知道，我们处境危险，我们被法军包围了；现在出去很危险。我们要是出去，准会当俘虏，天知道……”

玛丽雅公爵小姐对朋友望望，不明白她在说些什么。

“唉，但愿有谁知道，我现在什么都不在乎，”玛丽雅公爵小姐说，“当然，我说什么也不愿离开**他**……阿尔巴端奇对我说到动身……您跟他说说，我毫无办法，我什么也不想……”

“我同他说过了，他希望我们明天就走，但我想现在还是留在这里的好，”布莉恩小姐说，“因为您一定也同意，亲爱的玛丽，路上落在士兵或暴动农民手里是很可怕的。”布莉恩小姐从手提包里取出一张不是印在普通俄国纸上的拉摩将军的文告，叫居民不要离家出走，法国当局会给他们应有的保护。她把文告递给公爵小姐。

“我想，最好去找找那位将军，”布莉恩小姐说，“我相信您会得到应有的尊敬的。”

玛丽雅公爵小姐读了文告，她的脸因为无泪的哭泣而抽动着。

“您这是从谁那里弄到的？”她问。

“大概有人看到我的名字，知道我是个法国人。”布莉恩小姐红着脸说。

玛丽雅公爵小姐手拿文告从窗口站起来，脸色苍白地走出屋子，走进安德烈公爵的书房。

“杜尼雅莎，你把阿尔巴端奇、德龙努施卡或者别的人叫来。”玛丽雅公爵小姐说，“告诉布莉恩小姐，叫她不要到我这里来。”她听见布莉恩小姐的声音，加了一句。“快去！快去！”玛丽雅公爵小姐说，想到自己可能落在法国人手里，感到不寒而栗。

“如果安德烈公爵知道我落到法国人手里，那还了得！如果保尔康斯基公爵的女儿竟要求拉摩将军的庇护，乞求他的恩惠，那像什么话！”这个想法使她浑身哆嗦，脸红耳赤，心里升起空前的仇恨和自尊。她生动地想象着，她的处境将会多么困难，特别是多么屈辱。“他们法国人要住到这房子里来，拉摩将军将使用安德烈公爵的书房，他将翻阅他的书信和文件作为消遣。布莉恩小姐将在保古察罗伏隆重接待她。他们会给我一个小房间算作恩典；士兵们会破坏父亲的新坟，拆下坟上的十字架和星章；他们将向我讲述他们怎样战胜俄军，还将装作同情我的不幸……”玛丽雅公爵小姐想。她没有按照自己的思路想问题，觉得应该按照父亲和哥哥的思想来考虑。就她个人来说，一切都无所谓，留在哪里都可以，不论发生什么事都不在乎；但她觉得她还要代表亡父和安德烈公爵。她不由得用他们的思想来考虑问题，用他们的感情来感受一切。她觉得，他们想说什么，她就应该说什么；他们想做什么，她就应该做什么。她走进安德烈公爵的书房，竭力领会他的思想，考虑自己的处境。

她原以为随着父亲的去世，生活的要求也消失了。如今这种要求竟突然空前强烈地出现在她面前，并且控制了她的心灵。

她情绪激动，满脸通红，在屋子里来回踱步，一会儿要召来阿尔巴端奇，一会儿要召来米哈伊尔·伊凡内奇，一会儿要召来季洪，一会儿要召来德龙。杜尼雅莎、保姆和几个使女都说不出布莉恩小姐的话有几分是对的。阿尔巴端奇不在家里，他到警察局去了。建筑师米哈伊尔·伊凡内奇被玛丽雅公爵小姐召来，他睡眼惺忪，什么话也说不出。他十五年来对待老公爵总是笑眯眯地表示同意，自己从不发表意见。现在他也用这种方式来回答玛丽雅公爵小姐的问题，使人完全不得要领。奉召而来的老侍仆季洪脸容消瘦憔悴，现出难以消除的悲伤神色。玛丽雅公爵小姐不论问他什么，他总是回答：“是，公爵小姐。”他看着她，忍不住要哭。

最后村长德龙走进来，对玛丽雅公爵小姐深深地鞠躬，站在门口。

玛丽雅公爵小姐在屋里踱步，走到他面前站住。

“德龙努施卡，”玛丽雅公爵小姐说，她把德龙看作可靠的朋友，而德龙每年到维亚兹马去赶集，总是笑眯眯地给她带来特制的姜饼，“德龙努施卡，自从家门遭到不幸以来。”她开始说，但说不下去。

“一切都是上帝的安排！”德龙叹息说。他们沉默了一下。

“德龙努施卡，阿尔巴端奇出去了，我没有人可以商量。他们说我不能走，你看怎么样？”

“为什么不可以走，公爵小姐，你可以走。”德龙说。

“他们对我说，路上有敌人，很危险。好朋友，我什么也不能做，什么也不明白，我身边没有一个人。我不是今晚就是明早一定要走。”德龙不作声。他低着头抬眼看了看玛丽雅公爵小姐。

“没有马，”他说，“我对阿尔巴端奇先生也说过了。”

“马怎么会没有？”公爵小姐问。

“这都是上帝的惩罚，”德龙说，“有些马被军队拉走，有些马倒毙，瞧这年头，别说马，就连人都快饿死了！老百姓三天没吃东西。什么也没有，彻底破产了。”

玛丽雅公爵小姐留神听着他的话。

“农民都破产了，他们没有粮食吃？”她问。

“大家都要饿死了，”德龙说，“谁还顾得上车子……”

“那你为什么不早说，德龙努施卡？难道不能帮帮他们吗？我一定尽力去办……”玛丽雅公爵小姐觉得奇怪，在这样悲伤的时刻，哪里还分什么穷人和富人，富人怎能不帮助穷人？她仿佛听说过，地主家都有储备粮，专门救济农民。她知道，哥哥和父亲都不会拒绝救济农民；她向农民发放粮食，别的不怕，只怕说错话。她忙于此事，自然就能忘记自己的悲伤，她感到高兴。她向德龙详细了解农民的困境，以及保古察罗伏存粮的情况。

“我们不是还有粮食吗，我哥哥名下的？”她问。

“老爷的粮食原封未动，”德龙自豪地说，“我们公爵没吩咐卖掉。”

“把粮食发放给农民，他们要多少就给多少。我代表哥哥答应你发放。”玛丽雅公爵小姐说。

德龙什么也没回答，只深深地叹了一口气。

“你把这粮食发放给他们，只要够发就行。全部发光，我代表哥哥命令你，你对他们说：我们的东西就是他们的东西。我们什么都舍得给他们。你就这样对他们说。”

公爵小姐说话的时候，德龙一直盯着她。

“你把我撤职吧，公爵小姐，看在上帝分上，你把我的钥匙都拿去，”他说，“我伺候老爷都伺候了二十三年，没有做过一件错事。你把我撤职吧，看在上帝分上。”

玛丽雅公爵小姐不明白他要求她什么，为什么要求撤他的职。她回答他说，他的一片忠心她从不怀疑，为了他和为了农民们，她什么事情都愿意做。

11

一小时后，杜尼雅莎向公爵小姐通报德龙来到，全体农民奉公爵小姐之命聚集在谷仓前，希望同女东家对话。

“我可从没叫过他们呀，”玛丽雅公爵小姐说，“我只叫德龙努施卡发粮食给他们。”

“看在上帝分上，公爵小姐，您叫人把他们赶走，您自己别去。全是骗局！”杜尼雅莎说，“等阿尔巴端奇一来，我们就走……您不要……”

“什么骗局？”公爵小姐惊奇地问。

“我确实知道，看在上帝分上，您就听我的话吧。不信您可以问问保姆。听说他们不肯遵照您的命令离开村子。”

“你这话不对头。我可从没命令他们走……”玛丽雅公爵小姐说，“你叫德龙努施卡来。”

德龙奉命走来，证实了杜尼雅莎的话：农民是奉公爵小姐之命来的。

“我可从没叫过他们呀，”公爵小姐说，“你一定把我的话传错了。我只要你发粮食给他们。”

德龙没有回答，只叹了一口气。

“只要您下命令，他们就会走的。”他说。

“不，不，我去见见他们。”玛丽雅公爵小姐说。

她不顾杜尼雅莎和保姆的劝阻，走到台阶上。德龙、杜尼雅莎、保姆和米哈伊尔·伊凡内奇跟着她出去。

“他们大概以为我给他们粮食是要他们留下来不走，我自己走掉，撇下他们让法国人摆布，”玛丽雅公爵小姐想，“我要向他们保证在莫斯科乡下按月发给他们口粮，供给住房。我相信，要是安德烈处在我的地位，他一定会做得更多。”她一面想，一面在暮色中向聚集在谷仓旁牧场上的人群走去。

人们挪动身子，挤在一起，匆匆摘下帽子。玛丽雅公爵小姐垂下眼睛，双腿被裙摆绊着，走到他们面前。那么多双老人和青年的眼睛盯着她，那么多张不同的脸出现在她眼前，使玛丽雅公爵小姐连一张脸也看不清。她觉得需要立刻同他们说话，但不知从何说起。不过，她一想到她现在是代表父亲和哥哥办事，就增添了力量。她大着胆子说起来。

“你们来了，我很高兴，”玛丽雅公爵小姐说，没有抬起眼睛，只觉得心怦怦直跳，“德龙努施卡告诉我，战争弄得你们都破产了。这是我们共同的灾难，我要不惜一切帮助你们。我要走了，因为这里很危险，敌人接近了……因为……我愿意把一切都送给你们，我的朋友们，我请你们把我们所有的粮食都拿走，这样你们就不会挨饿了。要是有人对你们说，我给你们粮食是要你们留下不走，其实没有那回事。相反，我请你们带上全部家产到我们莫斯科庄园去，我会负责你们的生活，你们不会有困难。我会给你们房子住，给你们粮食的。”公爵小姐停了停。人群里只听到一片叹息声。

“我这样做，不只是我个人的意思，”公爵小姐继续说，“我这样做，是代表先父、代表哥哥和他的儿子，先父原是你们的好东家。”

她又停下来。没有人打破沉默。

“我们的灾难是共同的，让我们来共同分担吧。我的一切都是你们的。”她望着面前的人群说。

一双双眼睛带着同样的表情望着她，但她无法理解，这是好奇、忠诚、感激，还是恐惧和怀疑。但每个人脸上的表情都是一样的。

“您的恩典我们非常感激，但我们不能拿老爷的粮。”后面有人说。

“这是为什么呀？”公爵小姐问。

没有人回答。玛丽雅公爵小姐向人群扫了一眼，发现她所接触到的眼睛一双双都垂下来。

“你们到底为什么不要？”她又问。没有一个人回答。

沉默使玛丽雅公爵小姐难堪，她竭力想捉住随便哪个人的目光。

“你们为什么不说话？”公爵小姐问面前一个拄着手杖的老人，“如果你觉得还需要什么，你就说。我都可以办到。”她捉住他的目光说。但他仿佛生气了，垂下了头，喃喃地说：

“有什么同意不同意的，我们不需要粮食。”

“什么，要我们抛下一切？不，我们不同意……我们说什么也不同意。我们舍不得你，但我们不同意。你自己去吧，一个人去吧……”人群从四面八方发出叫嚷。人人脸上现出同样的表情，但这表情已不是好奇和感激，而是愤怒和决心。

“你们准是没理解我的意思，”玛丽雅公爵小姐苦笑着说，“你们为什么不想走？我答应给你们住，给你们吃。你们留在这里不走，会被敌人糟蹋的……”

但她的声音被人群的声音压倒了。

“我们不同意，让他们来破坏好了！我们不要你的粮食，我们不同意！”

玛丽雅公爵小姐又竭力捕捉随便哪个人的日光，但没有一个人的目光对着她。显然大家都避开她的目光。她感到奇怪和困惑。

“瞧她说得多好听，要我们去给她当奴隶！毁了家，去当奴隶。可不是！她说：‘我给你们粮食！’”人群里发出一片嘈杂声。

玛丽雅公爵小姐垂下头，走出人群回家。她再一次吩咐德龙明天备好马动身，接着走到自己屋里，独自沉思起来。

12

那天晚上，玛丽雅公爵小姐久久地坐在卧室打开的窗前，听着从村里传来的农民的说话声，但心里并不在想他们。她觉得，她怎么也无法理解他们。她只想到她的悲痛。由于操心当前的事，她把悲痛暂时忘记了。现在她又可以回忆、哭泣、祷告了。太阳落山后，风停了。夜晚宁静而凉爽。子夜将临，人声沉寂，公鸡啼叫，一轮满月从菩提树后冉冉上升，凉爽的重雾从地上腾起，村庄和邸宅里一片宁静。

不久前消逝的景象——父亲的病和弥留时刻，又一幕幕浮现在她眼前。此刻她带着苦涩的快感回忆着当时的情景，只恐惧地回避他临死的一幕。她觉得，即使在这宁静而神秘的子夜，她也无法想到这一幕。这些景象那么清楚那么细致地呈现在她眼前，使她时而觉得那是现实，时而觉得那是往事，时而又觉得那是未来。

她又清楚地回忆他中风时的情景：他被人从童山花园里架回来，他翻动僵硬的舌头，皱起白眉毛，焦虑而怯生生地望着她。

“他当时就想对我说临终那天说的话，”她想，“他一直就想说这些话。”她历历在目地回想他发病前夜在童山的情景，那天晚上她预感到要出事，就违反他的意愿留下来陪他。她通宵没有合眼，夜里踮着脚尖下楼，来到他睡觉的花房门口，倾听他的声音。父亲在同季洪说话，声音疲乏而痛苦。他显然很想说话。“他为什么不叫我？为什么不让我代替季洪待在他那里？”玛丽雅公爵小姐当时这样想，现在还是这样想，“如今他再不能对谁说他的心里话了。他原可以向我而不是向季洪说出他的心里话，我也能理解他，可是这样的时刻一去不复返了。当时我为什么不走进屋里去呢？”她想。“也许他那天就会对我说出临终的话。当时他同季洪谈话，两次问起我。他想见我，可我却站在门外。他同季洪谈话感到又伤心又吃力，因为季洪不理解他。我记得，他同季洪谈到丽莎，仿佛她还活着，他忘记她已经死了。季洪提醒他，她已经去世，他就大骂季洪‘傻瓜’！他当时确实很难受。我从门外听见他躺在床上呻吟，高声呼喊‘我的上帝’，我当时为什么不进去？我进去，他会对我怎么样？我会损失什么？他要是当时说出这话，也许心里会好过些。”于是玛丽雅公爵小姐出声念着他临终的亲切呼叫。“心——肝！”玛丽雅公爵小姐像他那样叫道，流着抚慰她心灵的泪水。现在她看见了他的脸。她看见的不是自从她有记忆以来一向远远地看见的那张脸，一张虚弱的、怯生生的脸，而是他临终那天她俯下身去想听清他的话，第一次在近处看见的那张皱纹密布的脸。

“心肝！”她又重复他的呼叫。

“他这样叫时在想些什么？现在他又在想些什么？”她忽然产生这样的问题，在回答这问题时，她看见他躺在棺材里脸上扎着白巾的神色。当时她吻他的手，觉得这不是他，而是一个神秘可憎的东西，她感到毛骨悚然。此刻她又充满了这种恐惧。她想想别的事，她想祷告，可是都办不到。她睁大眼睛望着月光和阴影，随时都准备看到他那张死人的脸，并且觉得那笼罩屋内外的一片寂静使她魂不附体。

“杜尼雅莎！”她低声唤道，“杜尼雅莎！”她粗野地狂叫，冲破寂静，向下房跑去，正好遇见迎面跑来的保姆和使女们。

13

八月十七日，尼古拉和伊林带着刚被法国人释放回来的拉夫鲁施卡和一名传令骠骑兵，离开杨科伏（离保古察罗伏十五俄里）出来遛遛，试试伊林新买的马，并打听一下村里有没有干草。

最后三天，保古察罗伏处于两支军队的中间地带，俄军后卫和法军前卫都很容易来到这地方。尼古拉是个精明的骑兵连长，想抢在法军来到之前取得保古察罗伏的存粮。

尼古拉和伊林心情欢畅。保古察罗伏有个公爵的庄园，他们希望在那里找到大批家奴和漂亮姑娘。一路上，他们时而要拉夫鲁施卡讲拿破仑的事取乐，时而互相追逐，试着伊林的马。

尼古拉不知道，也没有想到，这个村庄就是他妹妹的未婚夫安德烈·保尔康斯基的庄园。

尼古拉同伊林在抵达保古察罗伏之前最后一次纵马赛跑，尼古拉超过伊林，首先来到保古察罗伏街上。

“你领先了。”伊林涨红了脸说。

“是的，一直领先，草地上领先，这里也领先。”尼古拉回答，一手抚摩着大汗淋漓的顿河马。

“可我骑的是法国马，大人，”拉夫鲁施卡在后面说，把他那匹拉车的驽马唤作法国马，“我本来可以赶上你们，但我不愿冒犯你们。”

他们慢步骑向谷仓，谷仓前站着一大群农民。

有些农民摘下帽子，有些没有脱帽，望着来人。两个上了年纪的高个子农民，满脸皱纹，胡子稀疏，含笑从酒店里出来，身子摇摇晃晃，嘴里唱着不入调的曲子，走到军官面前。

"好汉们！"尼古拉笑着说，"这里有干草吗？"

"瞧他们都是一个模样……"伊林说。

"好个快……乐……的……"农民们高高兴兴地笑着唱道。

一个农民从人群里出来，走到尼古拉跟前。

"你们是什么人？"他问。

"法国人。"伊林笑着回答，"瞧，他就是拿破仑。"他指着拉夫鲁施卡说。

"这么说，你们是俄国人喽？"农民又问。

"你们的人很多吗？"另一个小个子农民走到他们面前，问。

"很多，很多！"尼古拉回答，"那么，你们聚在这里干什么？过节吗？"

"老头儿们在开会，商量村社的事。"那个农民一面回答，一面走开去。

这时，在通向主人住宅的大路上出现了两个女人和一个戴白帽的男人，他们向军官们走来。

"穿红衣裳的那个是我的，谁也不许碰！"伊林看见快步向他走来的杜尼雅莎，说。

"是我们大家的！"拉夫鲁施卡向伊林挤挤眼，说。

"哦，我的美人，你要什么呀？"伊林笑嘻嘻地说。

"公爵小姐吩咐我问一下，你们是哪个团的，姓什么？"

"这位是尼古拉·罗斯托夫伯爵，骑兵连长，我是您忠实的仆人。"

"好个……宝贝……啊！"那个喝醉酒的农民唱着，笑逐颜开地望着同姑娘说话的伊林。阿尔巴端奇老远就摘下帽子，在杜尼雅莎之后走到尼古拉面前。

"斗胆打扰大人，"他一手插在怀里，对年轻军官露出又恭敬又轻蔑的神气说，"我的女主人，本月十五日去世的上将保尔康斯基公爵的女儿，因为这些人蛮横无理，遇到麻烦，"他指指那些农民说，"劳驾您……能不能请您……"阿尔巴端奇苦笑着说，"再向前走几步，因为当着他们的面不便……”阿尔巴端奇指指两个像马蝇叮住马那样紧跟着他的农民。

“啊！……阿尔巴端奇……什么？阿尔巴端奇老爷！……太好了！看在基督分上饶了我们吧。太好了！什么？……”农民们快乐地向他笑着说。尼古拉望望喝醉酒的老人们，微微一笑。

“也许这使老爷您感到高兴吧？”阿尔巴端奇神态庄重地说，用那只没有插在怀里的手指着老人们。

“不，这里没有什么可高兴的。”尼古拉说着走开去。“是怎么回事？”他问。

“斗胆报告大人，这里的老粗不让女主人离开庄园，还威胁要把马解下来，这样，虽然行李一早就装好了，可是公爵小姐走不了。”

“竟会有这样的事！”尼古拉大声说。

“我向大人您报告的都是事实。”阿尔巴端奇又说。

尼古拉跳下马，把马交给传令兵，同阿尔巴端奇一起向住宅走去，一路上向他打听详细情况。真的，公爵小姐昨天提出要给农民发放粮食，她同德龙和集会的农民谈话，结果把事情弄糟，德龙最后交出钥匙，同农民站在一起，不再服从阿尔巴端奇的命令。而当公爵小姐一早吩咐套车准备动身时，大批农民走到谷仓前，又派人来说，他们不放公爵小姐离开村庄，还说什么有命令不准撤退，并动手把马解下。阿尔巴端奇走到他们面前，再三劝说，可是农民们回答他说（说得最多的是卡尔普，德龙根本没有露面），不能让公爵小姐走，有过命令的；还说让公爵小姐留下，他们依旧会侍候她，事事服从她。

当尼古拉和伊林在大路上奔驰的时候，玛丽雅公爵小姐不听阿尔巴端奇、保姆和使女们的劝阻，吩咐套车，准备动身；但车夫们一看见这几个奔驰而来的骑士，还以为他们是法国人，纷纷逃命，房子里则响起一片女人的哭声。

“老天爷！亲爹啊！一定是上帝派你来的！”当尼古拉穿过前厅时，大家情绪激动地说。

玛丽雅公爵小姐茫然若失，一筹莫展，坐在客厅里，这时尼古拉被带到她面前。她不知道他是什么人，来干什么，她将遇到什么事。她一看见他那张俄国脸，并从他进来的最初印象和开头几句话，她就认出他是他们那个阶级的人。她用她那深沉而明亮的眼睛瞧了他一眼，便激动得结结巴巴、哆哆嗦嗦地说起话来。尼古拉立刻觉得这是一次富有浪漫色彩的奇遇。“一个孤苦伶仃、悲恸欲绝的姑娘单独遭到造反的大老粗们的作弄！而奇怪的命运又把我送到这里！”尼古拉听着她的话，瞧着她的脸，想。“她的相貌、神态多么温柔，多么高尚！”他听着她那怯生生的讲述，想。

她谈到这一切都发生在她父亲落葬后的第二天，她的声音发抖了。她转过脸去，又仿佛怕尼古拉以为她这样说是要取得他的同情，用询问的目光瞅了他一眼。尼古拉眼睛里含着泪水。玛丽雅公爵小姐注意到这一点，她那明亮的眼睛感激地望了他一眼。她的目光充满魅力，使人忘记她难看的相貌。

“公爵小姐，我偶然路过此地，能为您效劳，真是太荣幸了！”尼古拉说着站起来，“您动身吧，我向您保证，要是您允许我护送您，那么谁也不敢来找您麻烦！”他恭恭敬敬地向她鞠了一躬，就像人们向皇家妇女鞠躬那样，然后向门口走去。

尼古拉说话的谦恭语气仿佛表示，虽然他觉得认识她很高兴，但他不愿利用她的不幸来接近她。

玛丽雅公爵小姐懂得这一点，也很欣赏他的风度。

“我非常非常感激您，”公爵小姐用法语对他说，“但我希望这一切纯属误会，这里谁也没有错。”公爵小姐突然哭起来。“请您别见怪！”她说。

尼古拉皱起眉头，又低低地鞠了一躬，走出客厅。

14

“喂，怎么样，可爱吗？啊，老兄，穿红衣裳的那个真美，她叫杜尼雅莎……”但伊林瞧了尼古拉一眼，没再说下去。他看出他这位英雄长官想的完全是另一回事。

尼古拉愤愤地看了看伊林，没有理他，快步向村子走去。

“那些强盗，我要教训教训他们，好好收拾他们！”他自言自语。

阿尔巴端奇撒腿赶去，但没有跑步，好不容易才赶上尼古拉。

“大人，您决定怎么办？”阿尔巴端奇追上尼古拉，问。

尼古拉站住，握紧双拳，突然威严地走到阿尔巴端奇面前。

“决定？什么决定？老家伙！”尼古拉对他吆喝道，“你怎么站在一边瞧？呃？农民起来造反，你就管不了？你自己就是个叛徒。我认识你们，我要剥掉你们的皮……”他仿佛不愿徒然发泄怒气，就抛下阿尔巴端奇急急向前走去。阿尔巴端奇忍住一肚子委屈，快步跟上尼古拉，继续向他说出自己的意见。他说，农民都很顽固，目前没有军队，**镇压**他们是不合适的，最好先去把军队找来。

“我会给他们军队的……我要**镇压**他们！”尼古拉忘乎所以，带着兽性的狂怒气急败坏地说。他没考虑做什么，断然向人群冲去。尼古拉越接近人群，阿尔巴端奇越觉得他这种轻率的举动可能产生良好的效果。农民们瞧着尼古拉敏捷而稳健的步伐和果断而阴沉的脸也有这种感觉。

当骠骑兵进入村庄、尼古拉向公爵小姐走去时，人群里就发生了混乱和争吵。有些农民说，来的是俄国人，可能责怪他们阻止公爵小姐动身。德龙就有这种想法，但他一说出来，就遭到卡尔普和其他农民的攻击。

“你吃村社的饭吃了多少年？”卡尔普对他吆喝道，“你反正无所谓！你可以把钱罐子挖出来带走；我们家破人亡，同你都不相干，是吗？”

“有过命令，要维持秩序，谁也不许离家，什么也不准带走。就是这样！”另一个叫道。

“轮到你儿子当兵，你就会舍不得了。”一个小老头突然攻击德龙，急急地说，“结果就把我的凡卡剃了头。[①]唉，我们只有死路一条！”

“对，对，只有死路一条！”

“我从来不反对公社。”德龙说。

“哼，不反对公社，你自己的肚子已经填饱了！……”

两个高个子农民说了自己的意见。当尼古拉在伊林、拉夫鲁施卡和

① 当时新兵入伍都要剃头。

阿尔巴端奇陪同下走向人群时，卡尔普把手指插在腰带里，含笑走到前面。德龙则向后退。人群聚得更拢了。

“喂！你们这里谁是村长？”尼古拉大声问，快步走到人群面前。

“村长吗？您有什么事？……”卡尔普问。

但不等他把话说完，帽子就从他的头上飞下来，他的脑袋被沉重的拳头打歪了。

“把帽子摘下来，你们这些叛徒！”尼古拉怒气冲天地嚷道，“村长在哪里？”他狂暴地问。

“他叫村长，村长……德龙，叫您哪！”几个人急促而驯顺地说，一顶顶帽子都从头上摘下来。

“我们不敢造反，我们遵守秩序。”卡尔普说，同时后面有几个人也突然说：

“老人们说得对，你们的长官太多了……”

“你还顶嘴？……造反！……强盗！叛徒！”尼古拉抓住卡尔普的领子，忘乎所以地破口大骂，“把他捆起来，捆起来！”他嚷道，虽然除了拉夫鲁施卡和阿尔巴端奇之外，没有人能捆他。

不过，拉夫鲁施卡还是跑到卡尔普跟前，从后面抓住他的双臂。

“要把我们的部队从山那边叫来吗？”拉夫鲁施卡嚷道。

阿尔巴端奇脸向农民，叫两个人来捆卡尔普。这两个农民顺从地走出来，解下皮带。

“村长在哪里？”尼古拉大声问。

德龙脸色发白，皱着眉头，从人群中走出来。

“你是村长吗？把他捆起来，拉夫鲁施卡！”尼古拉叫道，相信这个命令也不会遇到阻力。果然有两个农民动手来捆德龙，而德龙毫不反抗，也解下腰带递给他们。

“喂，你们全体听我说！”尼古拉对农民们说，“马上都给我回去，不要让我听到你们的声音。”

“行，我们又没做过什么损人的事。我们只是一时糊涂，胡闹了一场……我说过，这样不行！”传出几个人相互责怪的声音。

“我不是早对你们说过啦？”阿尔巴端奇说，又行使起他的权力来，

"这样不好，弟兄们！"

"都怪我们糊涂，阿尔巴端奇老爷。"几个人回答。人群立刻散开，各自回村。

两个被捆的农民被带到主人家去。两个喝醉酒的农民跟在后面。

"嗨，让我瞧瞧你！"其中一个对卡尔普说。

"怎么可以这样对老爷说话？你在想什么？"

"傻瓜！"另一个帮腔说，"真是个傻瓜！"

两小时后，几辆大车停在保古察罗伏庄园的院子里。农民们起劲地把主人的行李搬出来放到车上。玛丽雅公爵小姐开恩，德龙从锁着的大箱子里被放出来，此刻站在院子里指挥农民。

"你不要这样乱放，"一个圆脸的大汉笑着说，从使女手里接过一只首饰匣，"这可是很值钱的。你怎么可以把它乱扔，用绳子会把它捆坏的。这样可不行。什么都得小心谨慎，照规矩办事。要用蒲席包起来，再用草盖上，这样就稳当了。对啦！"

"啊，都是书，都是书！"另一个农民搬着安德烈公爵的书橱，说，"你别碰！好重啊，弟兄们，书可是真重！"

"是啊，写书可不是闹着玩的！"圆脸大汉指指上面的几本辞典，意味深长地挤挤眼说。

尼古拉不愿勉强同玛丽雅公爵小姐认识，没去找她，却留在村里等她出来。等到公爵小姐的车子从家里出来，尼古拉骑上马，一直送她到保古察罗伏十二俄里外我军控制的大路上。在杨科伏旅店门口，他彬彬有礼地同她告别，第一次吻了吻她的手。

"说哪儿的话！"他红着脸回答公爵小姐对救命之恩（她把他的行为说成是救命）的感谢，"哪个警官都会这样做的。要是我们同农民打仗，就不会让他们长驱直入了。"他羞涩地说，竭力改变话题，"有机会认识您，真是太荣幸了。再见，公爵小姐，祝您平安幸福，希望下次在更愉快的场合同您见面。要是您不愿使我脸红，请别再说感谢的话。"

不过公爵小姐即使不用语言向他道谢，也用感激和温柔的表情向他表示了谢意。说她不必向他道谢，她无法同意。相反，她敢肯定，要是没有他，她一定会死在暴徒和法军手里；而他，为了搭救她，显然冒了极大的危险；她还肯定，他是一个心灵高尚的人，能理解她的不幸处境。他那双诚实善良的眼睛在她哭诉她的悲哀时也泪水盈眶。此情此景一直留在她的头脑里。

玛丽雅公爵小姐同他道别后，独自坐在车上，突然觉得泪水盈眶，心里冒出一个古怪的问题：她是不是爱他？

在去莫斯科的路上，虽然公爵小姐的境遇并不愉快，同车的杜尼雅莎却几次发现，公爵小姐把头伸到车窗外，不知为什么又快乐又感伤地微笑着。

“嗨，就算我爱上他，那又有什么呢？”玛丽雅公爵小姐想。

虽然她羞于向自己承认，她第一次爱上了一个男人，而那个男人也许永远不会爱她，但她可以自慰的是，这件事谁也不会知道，她也永远不会告诉任何人，她这辈子第一次也是最后一次爱上一个男人。她这样做也不算什么过错。

有时她想起他的目光、他的同情、他的语言，她觉得幸福不是没有希望的。这种时候，杜尼雅莎就发现她望着车窗外，脸上现出笑容。

“他早不来晚不来，偏偏这个时候到保古察罗伏来！”玛丽雅公爵小姐想，“他妹妹又偏偏要同安德烈公爵解除婚约[①]！”玛丽雅公爵小姐认为这一切都是天意。

玛丽雅公爵小姐给尼古拉留下很美好的印象。他一想到她，心里就感到快乐。同事们知道他在保古察罗伏的奇遇都取笑他，说他去找草料，却找到俄国最富有的姑娘，他听了很生气。他之所以生气，就因为同家有巨产、温柔可爱的玛丽雅公爵小姐结婚的念头常常情不自禁地在他的头脑里浮现。就尼古拉的条件来说，他不可能娶到比玛丽雅公爵小姐更理想的妻子：同她结婚可以使他的母亲得到幸福，使他的父亲重整家业，而且尼古拉觉得，可以使玛丽雅公爵小姐幸福。

那么，宋尼雅怎么办？不是有过山盟海誓吗？也因为这个缘故，人家拿玛丽雅公爵小姐取笑他，他就生气。

---

① 按俄国风俗，一个女人不可以嫁给嫂嫂或姐夫的兄弟。如果娜塔莎同安德烈结婚，玛丽雅就不能同尼古拉结婚。

15

库图佐夫接受指挥全军的大权后，想起安德烈公爵，就把他召到总司令部。

安德烈公爵来到察廖夫–扎伊米歇那天，正逢库图佐夫第一次阅兵。村里司祭家门口停着总司令的马车，安德烈公爵就在那里停下来。他坐在大门口长凳上等候总座——如今大家都这样称呼库图佐夫。村外田野上，不时传来军乐声和向新任总司令欢呼的“乌拉”声。大门外，离安德烈公爵十步的地方，两个勤务兵、一名信使和一个管家，趁总司令不在，在那里晒太阳闲聊。一个皮肤浅黑、留着络腮胡子的矮个子骠骑兵中校骑马来到门前，看了安德烈公爵一眼，问：总座是不是住在这里，他快回来了吗？

安德烈公爵说，他不属总座司令部，也是外来的。骠骑兵中校问一个服饰漂亮的勤务兵。那勤务兵现出凡是总司令勤务兵同军官说话时惯有的特别轻蔑的神气说：

“什么，总座吗？大概快回来了。您有什么事？”

骠骑兵中校听到勤务兵那种腔调，冷笑一声，下了马，把马交给传令兵，走到安德烈公爵面前，向他微微鞠了一躬。安德烈公爵在凳上挪挪身子让座，骠骑兵中校在他旁边坐下。

“您也在等总司令吗？”骠骑兵中校问。“据说，他平易近人，感谢上帝。不像香肠店老板[①]那样难对付。难怪叶尔莫洛夫要求加入德国籍了。看来，现在俄国人可以说话了。要不，鬼知道他们在搞什么名堂。老是撤退，撤退。您参过战吗？”他问。

“我不仅有幸参加过撤退，”安德烈公爵回答，“而且在撤退中失去了一切宝贵的东西，别说庄园和住宅……连父亲都因忧国忧民而死了。我是斯摩棱斯克人。”

“哦？……您是安德烈公爵吧？幸会，我是杰尼索夫中校，但人家

① 指德国人。

都知道我叫华西卡。”杰尼索夫说，握着安德烈公爵的手，特别亲切地瞧着安德烈公爵的脸。“是的，我听说了。”他同情地说。停了一停，他又说下去：“这是一场野蛮的战争。一切都很好，可就是苦了那些代人受过的人。您是不是安德烈公爵？”他摇摇头。“幸会，公爵，真是幸会！”他又带着苦笑补充说，握着安德烈公爵的手。

安德烈公爵听娜塔莎讲过，知道杰尼索夫是第一个向她求婚的人。这段又甜蜜又苦涩的回忆好久没有出现，一直埋藏在他的心底，现在又重新浮起。近来他经历过那么多重大事件，例如斯摩棱斯克的弃守、他的童山之行、前不久父亲的死讯，以致好久没想到那些往事，即使想到也不像以前那样激动。对杰尼索夫来说，安德烈公爵的名字在他心中勾起一系列的回忆，那是一种诗意盎然的遥远的往事。那天饭后，娜塔莎唱完歌，他竟情不自禁地向这位十五岁的少女求婚。他想起当时的情景和对娜塔莎的爱情，微微一笑，接着立刻转到他现在专心致志的事情上。这是他撤退时在前哨拟订的作战计划。他向巴克莱·德·托里提出过这个计划，现在他又想呈报库图佐夫。这个计划的根据是，法军战线拉得太长，我们不应该去堵截他们，而应该攻击他们的交通线，或者双管齐下。他向安德烈公爵说明他的计划。

“他们不可能守住整条交通线。这是不可能的，我负责去把他们切断；只要给我五百个人，我就能把他们切断，我有把握！有一个办法，就是打游击战。”

杰尼索夫站起来，做着手势，向安德烈公爵说明他的计划。在他说明时，从检阅处传来的军队叫喊声越来越不和谐，越来越分散，同军乐声和歌声混成一片。村庄里响起了马蹄声和吆喝声。

“他来了！”站在门口的哥萨克叫道，“骑马来了！”

安德烈公爵和杰尼索夫向大门口走去，那里站着一队兵（仪仗队）。他们看见库图佐夫骑着一匹不高的枣红马从街上走来。后面跟着一大批随从的将军。巴克莱几乎和他并行；一大群军官跟着他们跑，周围发出一片“乌拉”声。

几名副官领先跑进院子。库图佐夫不耐烦地催促在他沉重身躯下小跑的马，频频点头，举手到他那顶有红箍而无帽檐的白色近卫重骑兵帽边敬礼。他跑近向他致敬的多数佩有勋章的掷弹兵仪仗队，以长官的坚定目光向他们注视了一分钟光景，然后转向身边的将军和军官。他脸上突然现出难以捉摸的神色，困惑地耸耸肩。

“有这样出色的战士还一退再退！”他说。“嗯，再见，将军！”他添加说，催动马匹从安德烈公爵和杰尼索夫身边经过向大门走去。

“乌拉！乌拉！乌拉！”他后面发出一片欢呼声。

自从安德烈公爵上次见到他以来，库图佐夫皮肤松弛，身体臃肿，显得更胖了。但安德烈公爵所熟悉的白眼珠、伤疤、脸上和身上的疲劳神态依然如故。库图佐夫身穿陆军礼服，肩上挂着用细皮条编成的鞭子，头戴白色近卫重骑兵帽。他坐在他那匹骏马上，身子笨重地左右摇晃着。

“嘘……嘘……嘘。”库图佐夫骑马走进院子，轻轻地吹着口哨。在紧张的仪式之后，他脸上现出轻松的神气，似乎想休息一下。他从马镫里抽出左脚，整个身子侧过来，费力得皱着眉头，好不容易才把脚抬到马鞍上，臂肘支着膝盖，哼哧了一声，落在准备扶他的哥萨克和副官们怀里。

他定了定神，眯起眼睛环顾了一下，瞧了瞧安德烈公爵，显然没有认出他来，蹒跚地向台阶走去。

“嘘……嘘……嘘。”他吹着口哨，又回头瞧了瞧安德烈公爵。就像一般老年人常有的那样，安德烈公爵的相貌经过几秒钟之后才使库图佐夫想起他来。

“哦，你好，公爵，你好，好孩子，来吧……”库图佐夫疲倦地说，向周围打量着，费力地走上在他脚下吱嘎作响的台阶。他解开纽扣，在台阶旁的长凳上坐下。

“哎，你父亲怎么了？”

“昨天刚接到他去世的消息。”安德烈公爵简短地说。

库图佐夫睁大眼睛惊奇地对安德烈公爵望望，然后摘下帽子，画了个十字：“愿他早日进入天国！愿上帝的旨意降临我们每个人的身上！”他长叹一声，不再作声。“我敬爱他，衷心为你难过。”他拥抱安德烈公爵，把他搂到他那肥胖的胸膛上，好一阵没放手。当库图佐夫放开他时，他看见老人的厚嘴唇在颤动，眼睛里噙满泪水。他叹了一口气，双手撑着凳子站起来。

"来，跟我来，我们去谈谈。"他说。但这时在长官面前和敌人面前同样毫无顾忌的杰尼索夫，不顾台阶上怒气冲冲的副官们的低声阻挡，大胆地碰响马刺，走上台阶。库图佐夫双手撑着凳子，不以为然地瞧着杰尼索夫。杰尼索夫自报姓名，说是有国家大事向总座报告。库图佐夫眼睛疲劳无神，望望杰尼索夫，现出不耐烦的神气，双手放在肚子上，反问道："国家大事吗？什么事？说吧！"杰尼索夫像小姑娘似的涨红脸（这个嗜酒成癖、满脸胡子的人脸红，使人觉得挺别扭），大胆地讲着他那个在斯摩棱斯克和维亚兹马之间切断敌人交通线的计划。杰尼索夫在这个地区住过，熟悉那一带地形。他的计划无疑是好的，而从他说话满怀信心这一点来看尤其明显。库图佐夫望着自己的脚，偶尔回头望望隔壁农舍，仿佛那里会出什么麻烦。杰尼索夫说话的时候，从库图佐夫望着的农舍里果然走出一个夹公文包的将军。

"什么？"杰尼索夫讲的时候，库图佐夫插嘴问，"已经准备好了吗？"

"好了，总座！"将军说。库图佐夫摇摇头，仿佛表示："一个人怎么来得及干那么多事。"接着继续听杰尼索夫报告。

"我以俄国军官的名誉保证，"杰尼索夫说，"我能切断拿破仑的交通线。"

"你同军需官基里尔·杰尼索夫是什么关系？"库图佐夫打断他问。

"是家叔，总座。"

"哦！我们是老朋友，"库图佐夫快乐地说，"好，好，好孩子，你就留在司令部里吧，我们明天再谈。"他向杰尼索夫点点头，转身去接柯诺夫尼岑递给他的文件。

"总座是不是先进屋去一下，"值班将军不满意地说，"要审阅计划，签发几个文件。"这时从门里走出一个副官，说屋里一切都准备就绪。但库图佐夫显然想先办完公事再进屋。他皱了皱眉头……

"不，好孩子，你叫他们把小桌子搬到这里来，我在这里看文件。"库图佐夫说。"你别走。"他转身对安德烈公爵说。安德烈公爵留在台阶上，听值班将军报告。

将军报告的时候，安德烈公爵听见门里有女人的低语声和女人绸衣的窸窣声。他朝那边望了几眼，看见门后有个漂亮的女人，身穿粉红衣裳，头戴紫色丝巾，身体丰满，脸色红润，手里端着一个盘子，显然在等总司令进去。库图佐夫的副官向安德烈公爵咬了个耳朵，说这是女房东司祭太太，她要向总座敬献面包和盐以示欢迎。她丈夫在教堂里用十字架欢迎过总座，她则在家里欢迎……“她很漂亮。”副官含笑补充说。库图佐夫听见这话，回头看了看。库图佐夫听着值班将军的报告（主要批评察廖夫—扎伊米歇阵地），就像听杰尼索夫报告那样，也像七年前听奥斯特里茨军事会议上辩论那样。他之所以听着，显然因为他生着两只耳朵，尽管其中一只耳朵里塞有一小段船索[①]，但还是不能不听；不过显而易见，值班将军的报告不仅一点也没使他惊讶，而且完全引不起他的注意，这一切他早就知道，他之所以听着，只因为不能不听，就像不能不听教堂的祈祷那样。杰尼索夫的话是有道理的，是明智的。而值班将军的话则更有道理，更加明智。但库图佐夫显然轻视知识和智慧，他知道决定问题的不是知识和智慧而是其他东西。安德烈公爵留神观察总司令的脸，发现他脸上只有厌烦的表情，而且总司令很想知道门里的女人在叽叽喳喳地说些什么，但他又不能不遵守礼节。库图佐夫显然轻视才智，轻视知识，轻视杰尼索夫的爱国热情，但他不是凭才智、感情和知识加以轻视（因为他并不想卖弄这些长处），而是凭别的东西轻视它们。他轻视它们是因为他年老资深，经验丰富。库图佐夫在听报告时只就俄军抢劫事发了一个指令。值班将军报告完毕，递上一件公文。那是部队长官应一个地主要求赔偿割青麦的报告，要求总座签字。

库图佐夫听完这个报告，咂咂嘴，摇摇头。

“扔到炉子里去……烧掉！我对你明白说，好孩子，把这种公文统统烧掉。割庄稼，烧木柴，由他们去吧。我不下命令，也不准这样做，但我也不能赔偿。只能这么办。劈柴难免有碎片。[②]”他又看了看公文。

---

① 按俄国旧俗，这是治牙痛的一个方法。

② 俄谚，意思是做大事不能顾细节。

"哦，德国人做事真认真！"他摇摇头，说。

16

"啊，总算办完了！"库图佐夫签好最后一件公文，费力地站起来，伸直又白又胖的脖子，神情愉快地向门口走去。

司祭太太飞红了脸，抓起她准备了好久而不能及时送来的盘子。她低低地鞠着躬，把盘子献给库图佐夫。

库图佐夫眯起眼睛，微微一笑，一手托起她的下巴说：

"哦，真美啊！谢谢你，好太太！"

他从裤袋里掏出几枚金币，放在她的盘子里。

"那么，你日子过得怎样？"库图佐夫说，向给他准备的房间走去。司祭太太粉红的脸蛋笑出两个酒窝，她跟着他走进屋里。副官走到台阶上，请安德烈公爵去吃饭。半小时后，又有人来召安德烈公爵见库图佐夫。库图佐夫依旧穿着那件军服，解开纽扣，躺在安乐椅上。他手里拿着一本法文书，看见安德烈公爵进来，就把一柄小刀夹在书里，合拢书。安德烈公爵看到封面，知道是让理夫人的《天鹅骑士》[①]。

"坐吧，坐在这里，我们谈谈，"库图佐夫说，"我很伤心，很伤心。但你记住，孩子，我也是你的父亲，第二个父亲……"

安德烈公爵向库图佐夫讲了父亲临终的情形，也讲了他路过童山的见闻。

"都弄成什么样子……弄成什么样子了！"库图佐夫突然激动地说，显然，安德烈公爵的一席话使他清楚地看到俄国的处境。"给我时间，给我时间！"他怒容满面地补充说，显然不愿再谈使他激动的话题。他接着说："我找你来，是要把你留在身边。"

"谢谢总座，"安德烈公爵回答，"但我怕我不适宜留在参谋部里。"他含笑说。库图佐夫发现他的笑容，疑问地对他望望。"主要是，"安德烈公爵添加说，"我在团里已经习惯了，我喜欢团里的军官，他们也喜

---

① 让理夫人（1746—1830），法国女作家，主要写教诲小说，在贵族家庭流传很广。

欢我。我舍不得离开团。我辞谢留在您身边的光荣，那是因为……”

库图佐夫的胖脸上现出聪明善良而又微微嘲弄的神色。他打断安德烈公爵的话说：

“很可惜，我本想把你留下，但你说得对，说得对。我们这里并不缺人。谋士有的是，可是人才没有。要是谋士们都像你这样留在部队里，部队也不会像现在这样了。我记得你在奥斯特里茨……记得，记得，记得你当时高举军旗。”库图佐夫说，他提到这件事，安德烈公爵高兴得脸都红了。库图佐夫拉过他的手，伸过面颊让他吻，他又看见老人的眼睛里滚动着泪水。虽然安德烈公爵知道库图佐夫容易流泪，现在待他又特别亲切，同情他丧父的悲伤，但他一听到奥斯特里茨，还是感到快乐和得意。

“上帝保佑你走你的路。我知道你走的是一条光荣的路！”他停了停，“我在布加勒斯特为你担心，当时不得不派人去找你。”接着库图佐夫换了话题，谈到土耳其战争和缔结和约的事。“是啊，我听到很多责备，一会儿为了战争，一会儿为了和平……而且都很及时。善于等待就能及时等到。那里的谋士也不比这里少……”他说着又谈到谋士，显然念念不忘这个问题。“唉，谋士，谋士！”他说，“要是都听谋士的话，我们就不会在土耳其签订和约，也不能结束战争。欲速则不达。卡敏斯基要是不死，他一定也会遭殃。他用三万人猛攻要塞。攻下要塞不难，要打胜仗可就难了。打胜仗不需要冲锋和猛攻，而需要**耐心和时间**。卡敏斯基派兵进攻鲁舒克，可我用**耐心和时间**攻下的要塞比卡敏斯基多，并且逼得土耳其人吃马肉。”他摇摇头。“我还要叫法国人吃马肉！我说到做到！”库图佐夫情绪激动，拍拍胸脯说，“我要叫他们吃马肉！”他的眼睛里又含着泪水。

“那么，我们要不要应战呢？”安德烈公爵问。

“要应战，如果大家都这样希望，那是无可奈何的……但你要知道，好孩子，没有比**耐心和时间**更厉害的武器了。有了**耐心和时间**，什么事都能办到，可是谋士们听不进去，糟就糟在这里。有人要打，有人不要打。怎么办呢？”他问，显然在等待回答。“你说该怎么办？”他又问，眼睛里闪出深邃和智慧的光芒。“我告诉你该怎么办。好孩子，犹豫不决的时候，先看一看，我现在就是这么办的。”他字斟句酌地说。

“那么，再见了，好朋友！我衷心同情你的不幸。对你来说，我不是总座，不是公爵，不是总司令，我是你的父亲。你有什么事，尽管来找我。再见了，好孩子。”库图佐夫又拥抱安德烈，亲了亲他。安德烈公爵还没走出门，库图佐夫就放心地舒了一口气，又拿起没有读完的让理夫人的小说《天鹅骑士》来。

安德烈公爵同库图佐夫会面后回到团里，他对大局和受委托指挥大局的人感到放心。怎么会有这样的心情，他自己也说不出来。安德烈公爵越清楚地看到这位老人没有私心，仿佛缺乏归纳事件、作出结论的智慧，只有易动感情的习惯，以及善于静观事态发展的能力，他就越感到放心，越相信一切都会安排妥当。“他没有什么个人的东西。他不作任何计划，不采取任何措施，”安德烈公爵想，“但他听取各种意见，记住各种事情，把一切都安排妥当，不阻碍任何好事，也不放过任何坏事。他懂得有一种东西比他的意志更强大更重要，那就是事态的必然规律。他善于看到事态的发展，善于理解它们的意义，因此不干预这些事，并能放弃个人意志，改变初衷。大家信任他，主要因为他是个俄国人，尽管他读让理夫人的法国小说，说法国成语，而当他说‘弄成什么样子了’时，声音发抖；说‘我要叫他们吃马肉’时，他呜咽。”

库图佐夫出任总司令，虽违反朝廷意志，却获得人民的普遍拥护，就是出于这种模模糊糊的感情。

17

自从皇帝离开后，莫斯科一切恢复正常。城里生活如旧，使人很难想起一度高涨的爱国热情，很难相信俄国真的处境危险，还有英国俱乐部成员也是愿意奉献一切的祖国好儿子。唯一使人想起皇帝驾临莫斯科时爱国热情高涨一事的，是号召有人出人、有钱出钱，而这一号召立刻得到响应，成为非实行不可的法令。

随着敌人的逼近，莫斯科人看待自己的处境不仅没有变得严肃些，相反变得更轻率了。人们眼见大祸临头时往往是这样的。每逢大祸临头，人的心里总会响起两个同等强烈的声音：一个声音非常理智地说，人应该考虑自己处境的危险和避免危险的方法；另一个声音更加理智地说，要预见一切和逃避大势是非人力所能及的，因此面临危险时还是别去想它，否则太痛苦，还是多想想快乐的事为好。单身独处，人往往听从第一种声音；众人群处，人往往听从第二种声音。现在的莫斯科居民就是这样。在莫斯科，人们好久没有像今年这样欢乐了。

拉斯托普庆的传单上画着一家酒店、一个酒店掌柜和莫斯科小市民卡尔普施卡，**他加入民团，在酒店里多喝了几杯，听说拿破仑要进攻莫斯科，不禁大发雷霆，把法国人都臭骂一顿，走出酒店，在鹰徽下向集合的民众说话。**这份传单像华西里·普希金[①]的打油诗一样被人们传阅和议论着。

俱乐部的角房里聚集了许多人，都在读这些传单。有些人很欣赏卡尔普施卡这样取笑法国人，他说：**法国人要被大白菜撑破肚子，要被麦片粥撑死，要被菜汤噎死，说他们都是矮子，一个婆娘能用草叉挑起他们三个。**有些人不赞成这种腔调，说这种话太粗鲁，太愚蠢。据说，拉斯托普庆不仅把法国人，甚至把所有的外国人都赶出莫斯科，其中有拿破仑的间谍和奸细；但说这种话的目的，主要是借此复述拉斯托普庆驱逐他们时说的俏皮话。外国人被装船送到下城，拉斯托普庆当时用法语对他们说：“*你们要老老实实坐在这条船上，别让它成为你们去阴间的摆渡船。*”据说，政府衙门都已撤出莫斯科，申兴就借此开玩笑说，单为这件事莫斯科就该感谢拿破仑。据说，马蒙诺夫为他的团花费了八十万卢布，皮埃尔花在民团上的钱更多，但最精彩的是他将穿上军装，骑上马，走在民团前面，而且免费让人观赏。

“您总是不饶人。”裘丽说，同时用她那戴满戒指的纤细手指撕着裹伤用的绒布。

裘丽第二天就要离开莫斯科，此刻正在举行告别晚会。

“皮埃尔这人是挺可笑，可他是那么善良和气。何必这样挖苦他呢？”

“罚款！”一个穿民团军服的青年说。他被裘丽称为“*我的骑士*”，

---

① 华西里·普希金（1770—1830），俄国诗人，大诗人亚历山大·普希金的伯父，著有讽刺诗和寓言。

并将陪她去下城。

裘丽的圈子，也像莫斯科许多社交团体那样，规定只许说俄语，谁要是违反规定说了法语，就要罚款给捐献委员会。

"说话法国腔也要罚款，"客厅里有位俄国作家说，"俄语不说'乐于'这个词。"

"您总是不饶人，"裘丽不理作家的话，继续对民团军官说。"我说挖苦是我的不是，我认罚，但为了享受说实话的快乐，我情愿再受罚；不过避免法国腔我可办不到。"她对作家说。"我既没有钱，也没有时间，可以像高里岑公爵那样请个教师来教俄语。哦，他来了。"裘丽说。"说到……不，不！"她对民团军官说，"您别尽挑岔子。真是说到太阳，太阳光就到，"她亲切地对皮埃尔笑着说，"我们刚说到您哪，"裘丽用社交场中女人特有的说谎本领说，"我们说，您的团一定比马蒙诺夫的团还要好。"

"哦，别提我的团了！"皮埃尔回答，吻吻女主人的手，在她旁边坐下，"它弄得我烦死了！"

"您一定要亲自指挥这个团吧？"裘丽调皮地同民团军官交换了一个嘲弄的眼色，说。

民团军官当着皮埃尔的面不再那么挖苦人了，他对裘丽的笑容感到迷惑不解。虽然皮埃尔心地善良而又魂不守舍，但他的高尚人品使人不敢当面嘲弄他。

"不，"皮埃尔望着自己胖大的身子，含笑回答，"我很容易成为法国人的目标，而且我怕爬不上马……"

在谈话时，裘丽家人谈到了罗斯托夫家。

"据说，他们的事情很糟，"裘丽说，"伯爵本人真是糊涂。拉祖莫夫斯基家要买他的房子和莫斯科郊区的庄园，可是这事一直拖着。他要价太高。"

"不，这笔买卖最近就可以成交，"有人说，"虽然现在莫斯科人置办产业简直就像发疯。"

"为什么？"裘丽问，"难道您认为莫斯科的形势确实很危险吗？"

"那您为什么要走？"

“我吗？问得真怪。我走，因为……因为大家都走，再说我又不是贞德，也不是亚马孙人[①]。”

“喂，再给我一些碎布。”

“他要是会经营，早就把债都还清了！”民团军官又谈到罗斯托夫伯爵。

“老头儿人挺好，可就是太不中用。他们为什么要在这里待这么久呀？他们早就要回乡下去了。娜塔莎现在身体康复了吗？”裘丽弦外有音地微笑着问皮埃尔。

“他们在等小儿子，”皮埃尔说，“他参加了奥勃仑斯基的哥萨克团，去了白采尔科维。团是在那里成立的。如今他被调到我的团里，他们天天都在等他回来。伯爵早就想回乡下去，可是儿子不回来，伯爵夫人说什么也不肯离开莫斯科。”

“前几天我在阿尔哈罗夫家见到他们。娜塔莎又显得很漂亮很快活了。她唱了一首抒情歌曲。有些人多么容易把事情忘记啊！”

“忘记什么啦？”皮埃尔不高兴地问。裘丽微微一笑。

“我说，伯爵，像您这样的骑士只有在苏萨夫人[②]的小说里才找得到。”

“什么骑士？您这是什么意思？”皮埃尔红着脸问。

“哦，得了吧，亲爱的伯爵，这事整个莫斯科都知道。说实话，您真使我感到惊讶。”

“罚款！罚款！”民团军官叫道。

“行啦！这样叫人无法说话了，真泄气！”

“整个莫斯科，这是什么意思？”皮埃尔怒气冲冲地插嘴问。

“得了吧，伯爵。您自己明白！”

“我什么也不明白。”皮埃尔说。

“我知道您同娜塔莎好，因此……可我一向同薇拉更好。那个可爱的薇拉！”

“不，夫人，”皮埃尔不高兴地继续说，“我根本就没有想到当娜塔莎小姐的骑士，我快一个月没去他们家了。但我不明白这样冷酷……”

① 据古希腊神话，黑海沿岸英勇好战的女部落叫亚马孙人。

② 苏萨夫人（1761—1836），法国女作家，她的小说十九世纪初一度在俄国很流行。

“真所谓欲盖弥彰。”裘丽含笑说，同时挥动绒布。为了不再让对方反驳，她立刻改变话题。“哦，我今天听到一个消息：可怜的玛丽雅公爵小姐昨天到了莫斯科。您知道吗？她父亲去世了。”

“真的吗？她在哪里？我很想见见她。”皮埃尔说。

“我昨天晚上同她在一起。不是今天就是明天早晨，她要带侄儿去莫斯科郊区的庄园。”

“她怎么样？”皮埃尔问。

“还好，但很伤心。您知道是谁救了她吗？简直是一个浪漫故事。是尼古拉·罗斯托夫。她被包围了，有人要杀她，她的仆人都被打伤了。他冲进去，把她救了出来……”

“又是一个浪漫故事，”民团军官说，“这次全民逃难，就是要使所有的老姑娘都嫁人。卡蒂奇是一个，玛丽雅公爵小姐又是一个。”

“不瞒您说，我真的认为她有点儿爱上那青年了。”

“罚款！罚款！罚款！”

“这句话俄语该怎么说？……”

18

皮埃尔回到家里，接到拉斯托普庆当天签署的两张公告。

第一张公告说，拉斯托普庆伯爵禁止人们离开莫斯科的传闻纯属谣言，正好相反，拉斯托普庆伯爵对贵族妇女和商人妻子离开莫斯科感到高兴。“镇定沉着可以减少流言蜚语，”公告里说，“但我敢用生命担保，那个匪首绝对进不了莫斯科。”这句话第一次清楚地向皮埃尔表示，法国人将进入莫斯科。第二张公告说，我们的总司令部设在维亚兹马，维特根施泰因伯爵打败了法国人，但因莫斯科许多居民愿意武装起来，军器库已为他们准备了武器：刀、手枪、步枪，居民可以廉价买到这些武器。传单的语气已不像以前他在奇吉林谈话时那样俏皮。皮埃尔仔细研究这两张公告。他全心等待着但又感到恐惧的暴风雨的乌云显然已经临近了。

“参军服役呢，还是再等等？”皮埃尔上百次地问自己。他从桌上拿起一副牌，摆起牌阵来。

“要是这副牌能通过，”皮埃尔洗过牌，把牌拿在手里，眼睛望着上方自言自语，“要是能通过，那就表示……表示什么？……”他还没来得及解答，就听见大公爵小姐在门外问可不可以进来。

“那就表示我应该参军。”皮埃尔自己回答。“进来，进来！”他回答公爵小姐说。

现在只有长腰身、板着脸的大公爵小姐仍住在皮埃尔家里；两个小公爵小姐都已出嫁。

“对不起，*表弟*，我来找您，”她用责备的语气激动地说，“我说，我们总得拿个主意啊！老是这样算什么？人家都离开莫斯科了。老百姓在闹事。我们留在这里干什么？”

“正好相反，*表姐*，我觉得平安无事。”皮埃尔用惯常的戏谑口吻说。他是公爵小姐的恩人，但这样的身份常使他感到不快。

“哼，平安无事……好一个平安无事！今天华尔华拉告诉我，我们的军队立了功。这确实是他们的光荣。老百姓都造反了，谁的话也不听，连我的使女都蛮不讲理。照这样下去，眼看他们都要动手打我们了。现在不能上街。主要是法国人不是今天就是明天就会到来，我们还等什么呀！我有一件事求您，*表弟*，”公爵小姐说，“您派人把我送到彼得堡去，尽管我这人微不足道，我可不能在拿破仑统治下过日子啊。”

“别说了，*表姐*，您这是从哪儿来的消息？正好相反……”

“我不会向您的拿破仑投降的。别人高兴怎么样就怎么样……您要是不肯帮忙……”

“哦，我会办的，我这就吩咐他们办。”

公爵小姐显然因为找不到发火的对象而恼怒。她嘴里嘀咕着，在椅子上坐下来。

“但您得到的消息不可靠，”皮埃尔说，“城里太太平平，没有一点危险。喏，我刚才读了……”皮埃尔把公告递给公爵小姐看，“拉斯托普庆伯爵用生命担保，决不让敌人进莫斯科。”

“哼，您那个伯爵老爷！”公爵小姐怒气冲冲地说，“他是个伪君子，是个恶棍，是他挑动老百姓起来闹事的。还不是他那些愚蠢的公告上写到，不论谁都要被揪住头发送去坐牢？您瞧，多么愚蠢！他说，谁要是能抓住他，荣誉就属于谁。您瞧，多么肉麻！华尔华拉说，她因为说法语差点儿被老百姓打死……”

“我看哪……您这人什么事都往心里去。”皮埃尔说，动手摆牌阵。

尽管通关通过了，皮埃尔还是没去参军而仍留在居民撤走的莫斯科，依旧那么又激动，又迟疑，又恐惧，又欢喜地等待着什么可怕的事。

第二天傍晚，公爵小姐走了。皮埃尔的总管来向他报告，要是不卖掉一处庄园，就筹不出装备一个团的费用。总管明确对皮埃尔说，筹建这样一个团会使他倾家荡产的。皮埃尔听着总管的话，好不容易才忍住笑。

“嗯，卖吧！”他说，“有什么办法呢？我总不能打退堂鼓啊！”

局势越恶劣，尤其是他的家境越糟，他就越高兴，他所等待的灾难也越近。在城里，皮埃尔几乎已没有一个熟人。裘丽走了，玛丽雅公爵小姐也走了。皮埃尔的熟人中只有罗斯托夫一家没有走，但皮埃尔也没去看望他们。

那天，皮埃尔为了散散心，到伏隆卓伏村去观看雷比赫为消灭敌人而制造的大气球[①]，这个试验性大气球将在明天升空。这个气球还没有完工，但皮埃尔知道是奉皇帝圣旨制造的。皇帝曾为这个气球给拉斯托普庆伯爵写了这样一封信：

> 雷比赫一旦完工，立刻组织一队聪明可靠的人做他气球的乘客，并派专使通知库图佐夫将军。此事我已告诉过他。
>
> 请叮嘱雷比赫千万注意他首次降落的地点，以免失误落入敌手。他的行动必须配合总司令的行动。

皮埃尔从伏隆卓伏村乘车回家，路过鲍洛托广场，看见宣谕台[②]前围

---

① 当拿破仑大军逼近斯摩棱斯克时，荷兰人斯密特（又名弗朗茨·雷比赫）向莫斯科总司令建议制造一个装有炮弹的大气球，得到俄国皇帝支持，这一建议被接受后，就在离莫斯科六俄里处试制，但未成功。

② 当时是莫斯科宣读圣谕和行刑的地方，离红场不远。

着一群人，就下了车。原来是一个被控犯间谍罪的法国厨子正在受鞭刑。鞭刑刚结束，行刑兵正把一个穿绿上衣和蓝袜子、留棕色络腮胡子、不断惨叫的胖子从行刑凳上解下来。另一个消瘦苍白的罪犯站在旁边。从脸型上看，两个都是法国人。皮埃尔脸色也像那个瘦法国人一样又恐惧又痛苦，他往人群里挤去。

“什么事？他是什么人？为了什么？”皮埃尔问。但人群——官吏、小市民、商人、农民、身披斗篷和身穿皮大衣的女人——都全神贯注地凝视着宣谕台上发生的事，谁也没有理他。那胖子爬起来，皱着眉头，耸耸肩膀，显然想装得很坚强，不看周围的人群，动手穿上衣服；但他的嘴唇突然颤动起来，他哭了，同时又生自己的气，就像一般多血质的人那样。人群大声谈着话，皮埃尔觉得他们这是借此克制怜悯之情。

“他是一位公爵家的厨子……”

“行，先生，让法国佬尝尝俄国酱油的味儿……涩嘴的呀！”一个站在皮埃尔旁边、满脸皱纹的小官员看见法国人哭起来，说。小官员环顾了一下，显然等着人家欣赏他的俏皮话。有些人笑起来，有些人仍恐惧地望着正在脱另一个人衣服的行刑手。

皮埃尔沉重地喘着气，皱起眉头，慌忙转过身，向马车走去，一边走，一边不断地咕哝着，直到跳上马车。半路上，他几次沉重地抖动身子，高声叫嚷，车夫忍不住问他：

“您吩咐什么？”

“你这是上哪儿去啊？”皮埃尔怒斥向鲁比扬卡街赶去的车夫。

“您吩咐过要去总司令家。”车夫回答。

“傻瓜！畜生！”皮埃尔骂车夫——这在他是很难得的。“我说回家。快一点儿，笨蛋……我今天就得走！”皮埃尔自言自语。

皮埃尔看到受刑的法国人和宣谕台周围的人群，打定主意不再留在莫斯科，当天就去参军。他认为，这事他已对车夫说过，或者车夫自己应该知道。

皮埃尔回到家里，就吩咐叶夫斯塔斐耶维奇，他那个无所不知、无所不能、闻名全莫斯科的车夫头，说他今夜就去莫扎依斯克参军，先把他的坐骑送到那里。这一切当天是办不成的，照叶夫斯塔斐耶维奇看来，皮埃尔得把行期推迟一天，这样才来得及把替换的马先送走。

二十四日，雨后初晴，皮埃尔午饭后离开莫斯科。当夜在彼尔胡施科伏换马的时候，皮埃尔知道那天晚上打了一场大仗。据说，在这里，彼尔胡施科伏，地面都被大炮轰得震动了。皮埃尔问哪一方打胜了，没有人能回答（这是二十四日舍瓦尔季诺村之战）。第二天破晓，皮埃尔来到莫扎依斯克。

莫扎依斯克的房子都住了军队。在马夫和车夫迎接皮埃尔的旅店里也没有空房间，全住了军官。

在莫扎依斯克和莫扎依斯克外围，到处有军队驻扎和路过。到处都是哥萨克、步兵、骑兵、大车、弹药车和大炮。皮埃尔匆匆往前赶路，他离开莫斯科越远，越深入军队的海洋，就越感到焦躁不安，越觉得心里有一种从未有过的欢乐。这有点像他在斯洛博达宫期待皇帝驾临时的心情，他觉得他必须有所作为，有所奉献。如今他快乐地意识到，人类的一切幸福：生活享受、财富，甚至生命本身，比起那个东西来，都是微不足道的……至于那个东西究竟是什么，皮埃尔弄不清楚，也说不出。他乐于牺牲一切，究竟是为了谁，为了什么。他对为之牺牲的东西并不感兴趣，但牺牲本身在他却是一件新鲜的乐事。

19

二十四日，舍瓦尔季诺多面堡附近发生战斗；二十五日，双方都没有开火；二十六日，发生了鲍罗金诺战役。

舍瓦尔季诺战役和鲍罗金诺战役为什么发生，一方怎样挑起，另一方又怎样应战？鲍罗金诺战役怎么会发生的？这次战役对法国人和对俄国人都毫无好处。它的直接后果，对俄国人来说，就是更接近莫斯科的毁灭（这是我们最害怕的事）；而对法国人来说，就是更接近全军覆没（这是他们最害怕的事）。这个后果当时是一清二楚的，但拿破仑还是发动了那次战役，库图佐夫也应了战。

如果两位统帅当时都头脑冷静的话，拿破仑就该明白，大军深入两千俄里，冒着牺牲四分之一军力的危险，他必然走向灭亡；库图佐夫同样应该明白，他悍然应战，也冒着牺牲四分之一军力的危险，他定会失掉莫斯科。对库图佐夫来说，这事像数字一样清楚，好像下跳棋，我比对方少一个子，我就不能拼，否则准输无疑，因此不应该拼。

如果对方有十六个子，而我只有十四个，那我只比他弱八分之一；但我要是拼掉十三个子，对方就比我强三倍。

在鲍罗金诺战役以前，我们的力量同法国人力量的对比大约是五比六，战役以后，就变成一比二了。换句话说，战役前是十万对十二万，而战役以后，则是五万对十万。然而，精明老练的库图佐夫却应了战。拿破仑呢，这个被称为天才的统帅，发动了战役，损失四分之一的军队，并把战线拉得更长。有人说，他占领莫斯科就像占领维也纳那样，可以结束战事，其实有许多证据正好相反。拿破仑的御用史学家说，他从斯摩棱斯克出发，就想停止前进，他懂得拉长战线的危险，占领莫斯科并不能结束战争，因为从斯摩棱斯克起他就看到遗弃给他的俄国城市的情景，他一再表示愿意谈判，但没有得到任何答复。

库图佐夫和拿破仑，在鲍罗金诺，一个挑战，一个应战，都出于无奈，都毫无意义。后来的史学家面对既成的事实，却还要狡猾地证明统帅的天才和预见，其实统帅只是历史的工具，是身不由己的奴隶。

古人留给我们一些典型的英雄史诗，在那里，英雄人物成了历史的中心。这类历史对现代人并没有意义，但我们还不能习惯这样的观点。

至于鲍罗金诺战役和这之前的舍瓦尔季诺战役是怎样发生的，对这个问题也存在着尽人皆知的十分荒谬的观点。史学家都是这样描写的：

俄军在撤离斯摩棱斯克后一直在找寻最有利于大会战的阵地，结果找到了鲍罗金诺。

俄军在莫斯科到斯摩棱斯克大道左侧，与大道几乎呈直角，从鲍罗金诺到乌基察，也就是会战的地方，事先设了防。

在这一阵地前面，为了观察敌人，在舍瓦尔季诺土岗上建立了设防的哨所。二十四日，拿破仑攻击哨所，加以占领；二十六日，他就向驻在鲍罗金诺战场上的全部俄军发动了进攻。

史书上都这样说，而这是完全错误的。凡是愿意弄清事情真相的人都很容易明白这一点。

俄军没有找寻更好的阵地，相反，他们在撤退时放弃过许多比鲍罗金诺好的阵地。他们没有在其中任何一处停留，因为库图佐夫不肯接受不是他自己选择的阵地，因为民众要求会战的愿望表现得还不够强烈，因为米洛拉多维奇还没有率民团赶到，还有其他数不清的原因。事实是，以前的几处阵地都比鲍罗金诺阵地（会战的地方）强，鲍罗金诺阵地不仅不强，而且比大头针在俄罗斯帝国地图上任意钉下的随便哪一个地方都差。

俄军不仅没有在左边与大路成直角的鲍罗金诺阵地（也就是会战的地方）设防，而且在一八一二年八月二十五日以前从未想到战事会在这里发生。证据是，第一，二十五日前这里不仅没有工事，而且二十五日开始构筑的工事到二十六日还没有完成；第二，舍瓦尔季诺多面堡的情况也可以做证，因为舍瓦尔季诺多面堡设在会战点之前，那就毫无意义。为什么要把这个多面堡筑得比其他几个点更坚固呢？为什么要竭尽全力，牺牲六千人，把它一直守卫到二十四日深夜呢？侦察敌情，只要一个哥萨克侦察班就足够了。第三，会战的地点是没有预料到的，舍瓦尔季诺多面堡不是那个阵地的前哨，再有，巴克莱·德·托里和巴格拉基昂在二十五日以前还坚信，舍瓦尔季诺多面堡是阵地的**左**翼，而库图佐夫自己在战后仓促写成的报告中，也把舍瓦尔季诺多面堡称作阵地的**左**翼。好久以后，在从容不迫地编写鲍罗金诺会战的报告时（大概是要为一贯正确的总司令所犯的错误辩解），竟捏造出荒诞离奇的说法：舍瓦尔季诺多面堡是**前哨**（其实只是左翼的一个设防点），我们是在事先选定的设防阵地上应战的，其实会战是在完全没料到的几乎不设防的地方发生的。

实际情况显然是这样的：阵地选在柯洛察河畔，这条河穿过大路不是成直角，而是成锐角，因此左翼在舍瓦尔季诺，右翼在新村附近，中心在鲍罗金诺，在柯洛察河与伏依纳河汇合的地方。凡是观察鲍罗金诺战场，忘记这次会战是怎样进行的人都会认为，选择这个在柯洛察河掩护下的阵地，目的是要阻止敌军沿斯摩棱斯克大道向莫斯科推进。

二十四日，拿破仑骑马来到瓦卢耶瓦，但没有看见（历史上这么说）从乌基察到鲍罗金诺的俄军阵地（他不可能看见这个阵地，因为它是不存在的），也没有看见俄军的前哨，但在追赶俄军后卫时，在舍瓦尔季诺多面堡碰上了俄军左翼，并且出乎俄国人的意料，命他的军队渡过柯洛察河。俄军来不及进入大会战，左翼撤出他们打算固守的阵地，转移到一个计划外的没有设防的新阵地。拿破仑来到柯洛察河左岸，大道左边，他把未来的大会战从右边移到左边（从俄军方面看），并把会战地点安排在乌基察、谢苗诺夫斯科耶和鲍罗金诺之间（这地方作为双方对阵处并不比俄国任何其他地方有利）。二十六日的大会战就发生在这里。

如果拿破仑没在二十四日晚上骑马去柯洛察河畔，并下令立即攻击多面堡，而在第二天早晨开始进攻，那么，谁也不会怀疑舍瓦尔季诺多面堡会成为我们阵线的左翼，会战就会照我们预期的那样进行。这样，我们准能更顽强地守卫舍瓦尔季诺多面堡，保护左翼；我们就能从中央和右翼攻击拿破仑，而二十四日的大会战就会在设防的预期阵地上展开。但由于敌军进攻我们的左翼，就发生在我们后卫撤退后的晚上，也就是紧接着格里德涅瓦会战之后；同时由于俄军指挥官不愿或来不及在二十四日晚上投入会战，鲍罗金诺会战初期与主要关节在二十四日就输了，这显然也导致二十六日大会战的失败。

舍瓦尔季诺多面堡失守后，二十五日早晨，我们发现左翼没有防线，不得不收回左翼，随便找个地方临时设了防。

不过，八月二十六日，俄国军队不仅只有未完成的薄弱工事作掩护，而且，俄国指挥官不肯承认既成事实（左翼阵地失守，未来战场整个自右向左移动），仍维持他们从新村到乌基察的长条形阵地，结果不得不把自己的军队及时自右向左移动，这样就使形势更加不利。因此，在全部战斗中，俄军只能用相当于敌军一半的兵力来对付向我们左翼进攻的法军（波尼亚托夫斯基对乌基察的进攻，以及乌瓦罗夫对法军右翼的攻击，都是同会战无关的单独军事行动）。

因此，鲍罗金诺战役绝不是像史学家所描写的那样（他们竭力掩饰俄军指挥官的错误，结果就损害俄国军队和人民的荣誉）。鲍罗金诺战役并非以俄军稍弱的兵力，在经过选择的设防阵地上进行的。鲍罗金诺战役是在舍瓦尔季诺多面堡失守后，俄军以只有法军一半的人力，在几乎不曾设防、没有掩护的阵地上进行的，也就是说，在这样的条件下，不仅连续作战十小时并使战斗不分胜负是不可思议的，就连坚持三小时战斗而不全军覆没和溃逃也是不可思议的。

20

二十五日早晨，皮埃尔离开莫扎依斯克。他在陡峭崎岖的山坡上下了车，徒步前进。那条山路通往城里，路的右边有一座大教堂，教堂里钟声当当，正在做礼拜。有一个骑兵团在他后面下山，团的歌咏队走在前面。一队大车迎面赶上山来，车上载着昨天在战斗中挂彩的伤员。赶车的农民吆喝和鞭打着他们的马，不断从这边跑到那边。每辆大车上躺着和坐着三四名伤员。大车在陡峭的石头山路上颠簸着。伤兵包着破布，脸色苍白，嘴唇紧闭，眉头紧蹙，双手抓住横木，在车上摇晃着，互相碰撞着。几乎每个伤兵都怀着天真的好奇心，望着皮埃尔的白色礼帽和绿色礼服。

皮埃尔的车夫怒气冲冲地对着伤兵大车吆喝，要他们靠边走。骑兵团唱着歌直冲着皮埃尔的轻便马车下山，把道路堵住了。皮埃尔被挤到山路边上停下。阳光被山坡挡住，还没照到道路深处，这里又阴冷又潮湿；但皮埃尔的头上却是灿烂的八月骄阳，空中荡漾着教堂的快乐钟声。有一辆伤兵车紧靠着皮埃尔停在路边。穿树皮鞋的车夫上气不接下气地跑到自己那辆车旁，把一块石头垫在没有轮胎的后轮下，动手整理马的皮带。

一个负伤的老兵吊着一条手臂跟在车子后面，用他那只完好的手抓住车子，回头向皮埃尔瞅了一眼。

“喂，老乡，是不是要把我们撂在这里？还是送到莫斯科去？”他问。

皮埃尔正在沉思，没听见问话。他时而望望迎着伤兵车走来的骑兵团，时而瞧瞧身边的大车，车上坐着两个伤兵，躺着一个伤兵，仿佛能从他们身上找到他所关心的问题的答案。坐在大车上的一个兵大概脸颊上受了伤，整个脑袋都用破布包扎着，一边腮帮肿得有小孩的头那么大。他的嘴和鼻子歪在一边。这个兵望着教堂，画了个十字。另一个是半大孩子的新兵，头发淡黄，皮肤白净，白嫩的脸上没有一点血色，带着呆滞的微笑望着皮埃尔。第三个伤兵趴在车上，因此看不见他的脸。骑兵团的歌手正走过这辆伤兵车。

“唉，顽强的汉子……不见了……”

“住在异国他乡……”他们唱着士兵的歌曲。空中荡漾着当当的钟声，仿佛在用另一种欢乐响应他们。灼热的阳光倾泻在山坡顶上，也增加了欢乐的气氛。但在停着伤兵车的山坡底下，在皮埃尔附近喘气的马匹旁边，却是又潮湿，又阴暗，又悲惨。

脸颊肿起的士兵怒气冲冲地望着骑兵歌手。

“哼，公子哥儿！”他责骂道。

“如今不仅有士兵，还有农民！农民也被赶上战场了，”站在车旁的士兵苦笑着对皮埃尔说，“如今大家都一样……他们动员全民。一句话，为了莫斯科，他们要拼到底。”尽管那兵口齿不清，皮埃尔还是明白他的意思，就赞同地点点头。

道路通了，皮埃尔下了山，继续乘车前进。

皮埃尔一边走，一边望着道路两边，找寻着熟人，但到处只看见各兵种的陌生军人，他们都惊讶地瞧着他的白色礼帽和绿色礼服。

他走了四俄里光景，终于遇见一个熟人，就高兴地招呼他。这熟人是一位高级军医。那军医坐着一辆篷车向皮埃尔迎面驶来，他旁边还有一个青年医生。他一认出皮埃尔，就吩咐坐在驭座上的哥萨克停下来。

“伯爵！大人怎么来到这里？”军医问。

“啊，想来瞧瞧……”

“对，对，是有点什么可瞧的……”

皮埃尔下了车，站住，跟军医攀谈起来，对他说自己想参加作战。

医官劝他直接去找总司令。

“唉，在会战的时候天知道您该待在哪里，谁也不知道，”军医和青年同行对看了一眼，说，“总司令毕竟知道您，他会亲切地接待您的。我看，老兄，就这么办吧。”军医说。

军医显得疲劳而焦急。

“您这样想吗……我还想问您一下，阵地到底在哪里？”皮埃尔问。

“阵地吗？”军医说，“这可不是我分内的事。您到塔塔利诺瓦去，那里有许多人在挖战壕。您爬上那个土岗就看得见了。”军医说。

“从那儿看得见吗？……您要是……”

但军医打断他的话，转身向马车走去。

“我真想陪您去，真的，可是（军医在喉咙口比画了一下，表示忙得不可开交）我现在要到军长那儿去。我们的情况怎么样？……您知道，伯爵，明天会战就要开始：十万大军估计至少有两万负伤，可是我们的担架、病床、医生、护士连六千人都不够用。大车倒是有一万辆，但还需要别的东西，只能对付着办啦。”

这几万名老老少少、身强力壮的人此刻正好奇地打量着他的帽子，他们中间有两万人注定要负伤或者阵亡——这个古怪的念头不禁使皮埃尔感到震惊。

“他们说不定明天就会死去，除了死，他们何必再考虑别的事呢？”由于一种古怪的联想，他生动地想象着莫扎依斯克的山坡、载着伤员的大车、教堂的钟声、太阳的斜晖和骑兵的歌声。

“骑兵去战斗，路上遇见伤员，可是他们根本没想到他们自己的前途，只向伤员挤挤眼走过去。他们中间有两万人注定要死，可是他们却对我的帽子发生兴趣！真怪！”皮埃尔想着，继续往塔塔利诺瓦前进。

路左边有一所地主的邸宅，旁边停着许多马车、辎重车，站着几个勤务兵和哨兵。总司令的行辕就设在这里。不过，皮埃尔来的时候总司令正好不在，司令部里几乎一个人也没有。大家都到教堂做礼拜去了。皮埃尔就向果尔基走去。

皮埃尔上了山，来到一条不大的村街上，第一次看见身穿白衬衫、帽上有十字架的民团农民。他们兴高采烈，大声说笑，在路右边野草丛生的大土岗上干活，个个满头大汗。

有人用铁铲挖土，有人用手推车沿跳板运泥，有人站在那里什么事也不干。

两个军官站在土岗上指挥他们干活。皮埃尔看见那些农民对他们的新职显然很感兴趣，他又想起莫扎依斯克的伤兵，这时他突然明白了那个兵说的话：**他们动员全民。**这些在战场干活的大胡子农民、他们脚上笨重古怪的靴子、热汗淋漓的脖子、有些人解开衬衫斜领露出的晒黑的锁骨，这些景象使皮埃尔比所见所闻更强烈地感受到此时此刻的庄严和重要。

21

皮埃尔从马车上下来，经过干活的农民旁边，爬上土岗。军医告诉他，从那里可以看见战场。

这时大约上午十一点。太阳高悬在皮埃尔的左后方，通过纯净清洁的空气，照亮浮现在他面前像露天圆剧场那样的全景。

斯摩棱斯克大道，穿过前面五百步外有白色教堂的村庄（这就是鲍罗金诺），蜿蜒在这圆剧场的左上方，把它分割开来。这条大道经过村外的一座桥，穿过山坡，不断向上伸展，直到六俄里外瓦卢耶瓦村（现在拿破仑就驻扎在这里）。过了瓦卢耶瓦村，大道就没入地平线那边叶子发黄的树林里。在这座白桦和云杉林里，大道右边，柯洛察修道院遥远的十字架和钟楼在阳光下熠熠发亮。在苍茫的远方，在树林和大道右边和左边，可以看到一堆堆冒烟的篝火，以及模糊不清的敌我双方的军队。右边，在柯洛察河和莫斯科河流域多半是丘陵和峡谷。在远处峡谷间，远远地可以看见别祖波伏村和扎哈林诺村。左边地势比较平坦，都是庄稼地，还看得见正在焚烧冒烟的谢苗诺夫村。

皮埃尔看到两边的一切都朦朦胧胧，因此原野左右的景色没有给他明确的印象。那里没有他希望看到的战场，只有田野、草地、军队、树林、篝火的烟、村庄、丘陵和小河。不论皮埃尔怎样用心观察，他都不能在这个有生命的地方找到阵地，甚至不能分清我军和敌军。

“得问问了解情况的人。”他想着，问一个军官，那个军官正好奇地打量着他那不像军人的胖大身体。

“请问，”皮埃尔对军官说，“前面的村子叫什么？”

“布尔季诺，是不是？”那军官问同伴说。

“鲍罗金诺。”同伴纠正他说。

军官看到有机会说话，显然很高兴，就向皮埃尔走近一步。

“那里是我们的人吗？”皮埃尔问。

“对，但再过去就是法国人了，”军官回答，“喏，他们在那里，看得见。”

“哪里？哪里？”皮埃尔问。

“肉眼看得见。喏，您瞧，您瞧！”军官指指河对岸左边的浓烟，脸上现出严肃庄重的神色。这种神色皮埃尔在许多人脸上都见到过。

“哦，那是法国人！那么那边呢？……”皮埃尔指指左边的土岗，那一带有军队。

“这是我们的军队。”

“哦，我们的军队！那么那边呢？……”皮埃尔指指远处另一个土岗，岗上有一棵大树，旁边峡谷里有个村庄也在冒烟，还有一样黑魆魆的东西。

“那又是**他们**，”军官说，（这是舍瓦尔季诺多面堡。）“昨天还是我们的，今天可是**他们**的了。”

“那么我们的阵地呢？”

“阵地？”军官得意扬扬地说，“这事我可以明确告诉您，因为我们的工事差不多都是我造的。您瞧，我们的中心鲍罗金诺就在这地方。”他指指前面有白教堂的村庄。“那是柯洛察河的渡口。那里，您瞧，那堆着一行行干草的地方，那里有一座桥。那是我们的中心。我们的右翼就在那里，”他向右指指峡谷远处，“那是莫斯科河，我们在那里造了三座坚固的多面堡。左翼……”军官说到这里停住了。“老实说，这事很难给您讲清楚……昨天我们的左翼在那里，在舍瓦尔季诺，您看，那里有一棵栎树；可现在我们撤回左翼，您瞧，看见那边的树和浓烟吗？那是谢苗诺夫村，就在那个地方，”他指指拉耶夫斯基土岗，“这里未必会发生战斗。**他们**把军队调到这里来，这是诡计；**他们**多半要从莫斯科河右边绕过去。嗯，不论在什么地方打，明天肯定要损失好多人！”军官说。

一个上了年纪的军士在军官说话时走到他旁边，默默地等他把话说完，但这时他对军官的话显然很不满，就插嘴说：

“该去取土筐了。”他严厉地说。

军官仿佛有点窘，仿佛省悟到，他可以想到明天会损失许多人，但不能说出来。

“嗯，那就再派三连去吧！”军官赶紧说。

“那么，您是谁，是不是军医？”

“不，我是路过的。”皮埃尔回答。皮埃尔说着下山去，又从民兵旁边走过。

“哼，该死的！”军官跟在他后面，捂着鼻子从干活的人旁边跑过。

“瞧，他们来了！……抬着圣母娘娘来了……你瞧……马上就到……”传出了嘈杂的人声。军官、士兵和民兵都沿着大路跑去。

一队神职人员从鲍罗金诺走上山来。在尘土飞扬的大路上，步兵光着头，倒背着枪，整齐地领头走着。步兵后面响起教堂唱诗班的歌声。

士兵和民兵光着头赶过皮埃尔，前去迎接。

“把圣母娘娘抬来了！把保护神抬来了！……伊维尔圣母！……”

“是斯摩棱斯克圣母。”另一个人纠正说。

民兵，不论村子里的，还是在炮兵连干活的，都丢下铲子，跑去迎接教堂的行列。在尘土飞扬的大路上，在一营步兵后面，走着几个穿法衣的司祭、一个戴方帽的小老头，还有一批教会执事和唱诗班。他们后面，士兵和军官一起抬着一座有金饰的黑脸圣母像。这是从斯摩棱斯克撤出一直随军迁移的圣母像。圣母像的前后左右都是摘下帽子的军人，有的走，有的跑，有的跪拜在地。

圣母像搬到山上放下来。用麻布抬圣像的人换了班，诵经士重新点上神香，做起礼拜。炎热的太阳从头顶上直射下来；凉爽的微风吹拂着不戴帽子的头和圣像上的飘带；唱诗班在广阔的天空下传出低低的歌声。一大群不戴帽的军官、士兵和民兵团团围住圣像。当官的站在司祭和诵经士后面的空地上。一个脖子上挂圣乔治勋章的秃头将军站在神父背后，没有画十字（显然是德国人），耐心地等待祈祷结束。他认为需要听完祈祷，因为听祈祷能激发俄国人民的爱国热情。另一个将军雄赳赳地站在那里，在胸前画着十字，东张西望着。皮埃尔站在农民群中，在这批官员中间看到了几个熟人；但他没有看他们，他的注意力完全被凝视着圣母像的士兵和民兵的庄严神态吸引住了。诵经士们念了二十遍祷文，精疲力竭，没精打采地唱着：“圣母啊，拯救你的奴仆脱离苦难吧！”司祭和助祭就接着唱道：“我们向你求救，你是一座坚不可摧的壁垒，庇护众人。”人人脸上又都现出庄严时刻降临的神色，这种神色今天早晨他在莫扎依斯克山下遇见的许多人脸上都看见过。一个个脑袋更快地垂下，头发抖动得更频繁，叹息声不断发出来，十字架撞击着胸脯。

围着圣母像的人群突然分开，挤到皮埃尔身上。有个人向圣母像走来，从大家给他让路的速度上可以看出，他是个重要人物。

这是库图佐夫，他骑马去视察阵地。他在回塔塔利诺瓦的路上，走近做礼拜的人群。皮埃尔从他与众不同的身材上立刻认出是库图佐夫。

库图佐夫胖大的身上穿着长礼服，背有点驼，一头白发，浮肿的脸上露出一只有眼白的瞎眼，身子摇摇晃晃，一瘸一拐地走进人群，在司祭后面站住。他习惯成自然地画了个十字，一只手触到地面，费力地叹了一口气，垂下他那白发苍苍的脑袋。库图佐夫后面是别尼生和随从。虽然总司令驾到吸引了高级军官们的注意，民兵和士兵却没有看他，继续做祈祷。

等祈祷完毕，库图佐夫走到神像前，费力地跪下来，在地上叩头；由于肥胖和衰弱，他好半天爬不起来。他那白发苍苍的脑袋累得直打哆嗦。最后他站起来，像孩子般天真地噘起嘴唇吻着神像，又一手触到地面。将军们都照他那样做了一遍，然后是军官们，然后是士兵和民兵，他们你推我挤，气喘吁吁，脸色激动，趴在地上。

22

皮埃尔在拥挤的人群中踉踉跄跄地走着，不断向四下里环顾。

“伯爵，皮埃尔伯爵！您怎么会在这里？”有人对他说。皮埃尔环顾了一下。

保里斯拍拍弄脏的膝盖（他大概也在圣母像前跪拜过），笑眯眯地走到皮埃尔跟前。保里斯服饰讲究，显出雄赳赳的军人气派。他身穿长外套，像库图佐夫那样把鞭子搭在肩上。

库图佐夫这时已来到村里。他来到附近一所房子的阴影下，坐在哥萨克给他飞快端来的长凳上，另一个哥萨克在他前面铺了一张地毯。一大群衣着华丽的随从围住总司令。

神像在人群的簇拥下向前移动。皮埃尔站在离库图佐夫三十步的地方，跟保里斯说话。

皮埃尔说了他想参加战斗和观察阵地。

"那就这样吧，"保里斯说，"我代表全营招待您。您随别尼生伯爵一起去，什么都看得清楚。我是他的侍从。让我去向他报告。您要是想观察阵地，可以跟我们一起走，我们现在去左翼。然后我们回来，请您赏光在我这里过夜，我们来安排个牌局。您不是认识陶洛霍夫吗？他就住在这里。"他指指果尔基村里第三座房子。

"但我想看看右翼，据说右翼兵力很强，"皮埃尔说，"我很想看看莫斯科河和整个阵地。"

"哦，这您以后会看到的，主要是看左翼……"

"好，好。那么，安德烈公爵的团在哪里，您不能给我指点指点吗？"皮埃尔问。

"安德烈公爵吗？我们要经过那里，我可以带您到他那里去。"

"左翼究竟怎么样？"皮埃尔问。

"不瞒您说，我对您私下说说，我们的左翼天知道是怎么一回事，"保里斯神秘地压低声音说，"这绝不是别尼生伯爵的本意。他主张在那个土岗上设防，根本不主张……可是，"保里斯耸耸肩膀，"总座根本不同意，也许是别人硬说服他的。要知道……"保里斯没把话说完，因为库图佐夫的副官凯萨罗夫这时走到皮埃尔跟前。"哦！凯萨罗夫将军，"保里斯落落大方地招呼凯萨罗夫，"您瞧，我正向伯爵说明我们的阵地。总司令对法国人的心思摸得真透！"

"您是说左翼吗？"凯萨罗夫问。

"对，对，一点不错。我们的左翼如今非常非常强。"

尽管库图佐夫裁去了司令部里所有的冗员，保里斯在人事调动后仍留在司令部里。保里斯被安置在别尼生伯爵身边。别尼生伯爵也像保里斯跟随过的一切人那样，认为这个青年公爵是无价之宝。

在最高统帅部里存在着泾渭分明的两派：一派是库图佐夫派，一派是总参谋长别尼生派。保里斯属于后一派，可是谁也不会像他那样既卑躬屈节地向库图佐夫表示敬意，又使人觉得这老头子不中用，全部事务都是别尼生一人在主持。如今到了会战关键时刻，这件事应该导致库图佐夫垮台，把大权交给别尼生，如果库图佐夫赢了，也要使人觉得一切都是别尼生的功劳。不论怎样，明天一仗后就会嘉奖许多人，提拔一批新人，因此保里斯今天一天都处于兴奋状态。

在凯萨罗夫之后，其他熟人也纷纷走到皮埃尔跟前。皮埃尔来不及回答大家向他提出的有关莫斯科情况的问题，也来不及听取人家的讲述。人人脸上都露出兴奋和惊惶的神色。不过皮埃尔觉得，一部分人激动只是因为考虑到个人的成败得失，另一部分人激动则不是由于个人问题，而是关心众人的生死存亡。库图佐夫发现了皮埃尔和聚集在他周围的人群。

"叫他到我这里来。"库图佐夫说。副官传达了总司令的意思，皮埃尔向长凳走去。但有个普通民兵赶在他之前走到库图佐夫跟前。这是陶洛霍夫。

"这家伙怎么会在这里？"皮埃尔问。

"他是个骗子手，无孔不入！"有人回答皮埃尔，"您知道，他降了职，现在又要往上蹿了。他提出过一些作战方案，夜里爬到敌人的哨兵线……是条好汉……"

皮埃尔摘下帽子，恭恭敬敬地向库图佐夫鞠了一躬。

"我知道，要是我向总座禀报，您会把我赶走，或者说，您已经知道我所禀报的事了，不过，即使是这样我也不在乎……"陶洛霍夫说。

"噢，噢！"

"但要是我说得对，我就能为祖国做出贡献，我随时准备为国捐躯。"

"噢……噢……"

"要是总座需要一名不怕牺牲的人，请别忘记我……也许总座用得着我。"

"噢……噢……"库图佐夫重复说，用他那只笑得眯起来的独眼瞧着皮埃尔。

这时，保里斯使出他那宫廷侍臣的灵活劲儿，故意同皮埃尔并排走近总司令，同时落落大方地低声对皮埃尔说话，仿佛在继续已开头的谈话：

"民兵，他们都穿上干净的白衬衫，准备为国牺牲。多么英勇啊，伯爵！"

保里斯对皮埃尔说这话，显然是要让总司令听见。他知道库图佐夫会注意这话。果然，总司令对他说：

"你说民兵什么？"他问保里斯。

"总座，他们都穿上白衬衫，明天准备牺牲。"

"啊！……真是天下无双的好百姓！"库图佐夫说，闭上眼睛，摇摇头。"天下无双的好百姓！"他叹息着又说。

"您想闻闻火药味吗？"他对皮埃尔说，"是的，这味儿好闻得很哪。我有幸崇拜尊夫人。她好吗？我住的地方可以供您使用。"库图佐夫像一般老年人那样，心不在焉地环顾四周，仿佛忘记他要说什么话，做什么事。

接着，显然想起了什么，招招手叫副官凯萨罗夫的弟弟安德烈[①]过去。

"马林[②]那几句诗……那几句诗……怎么说？关于盖拉科夫[③]他写过：'你去军校当教员……'你背背，你背背。"库图佐夫说，显然想笑出来。凯萨罗夫念诗……库图佐夫笑眯眯地按诗的音节点着点。

等皮埃尔离开库图佐夫，陶洛霍夫向他挤挤眼，拉住他的手。

"在这里见到您，真是幸会，伯爵，"他旁若无人地大声说，声音特别坚决而庄重，"天知道明天我们中间谁能活下来，我很高兴现在有机会对您说，我对我们之间发生过的误会感到遗憾，我希望您对我不再存什么芥蒂。我求您原谅。"

---

① 安德烈·凯萨罗夫（1782—1813），政论家、作家、语文学家。

② 马林，亚历山大一世的宫廷诗人，善作打油诗。

③ 盖拉科夫，史学家，写过许多平庸的诗篇，曾在军官学校任教。

皮埃尔含笑望着陶洛霍夫，不知道对他说什么才好。陶洛霍夫眼泪夺眶而出，拥抱了皮埃尔，吻了吻他。

保里斯向他的将军说了几句话。别尼生伯爵便招呼皮埃尔，请他一起视察防线。

“这事您会感兴趣的！”他说。

“是的，这事很有意思！”皮埃尔说。

半小时后，库图佐夫去塔塔利诺瓦。别尼生带着随从和皮埃尔去巡视防线。

23

别尼生从果尔基沿着大路来到一座桥边。那桥就是刚才军官从土岗上指给皮埃尔看，认为那是左翼中心的，在桥边的岸上摆着一排排散发着香气的新割下的草秸。他们过桥来到鲍罗金诺村，从那里向左拐，从大量军队和大炮旁边走过，来到民兵正在挖土的高岗上。这是个多面堡，还没有名字，后来被称为拉耶夫斯基多面堡或者土岗炮台。

皮埃尔没有特别注意这个多面堡。他不知道，这地方对他来说将比鲍罗金诺战场的其他地方更值得纪念。然后他们骑马经过峡谷，来到谢苗诺夫村。士兵们正在村里拆走农舍和仓房的最后一批木料。然后他们下山，上山，经过像被冰雹打过的黑麦地，又走过炮兵新铺的路，来到一座正在修筑的尖顶堡。

别尼生在尖顶堡前停住，遥望昨天还是我们的舍瓦尔季诺多面堡，那里有几个骑马的人。军官们说，那不是拿破仑就是缪拉。大家都聚精会神地瞧着这一伙骑马的人。皮埃尔也往那里眺望，竭力想看出骑马的人中哪一个是拿破仑。最后，骑马的人跑下土岗不见了。

别尼生对走到他跟前的一位将军说话，说明我军的全部阵势。皮埃尔听着别尼生的话，竭力想理解当前这场战役的关键，可是他失望地感到，他无能为力。他一点儿也不理解。别尼生住了口，注意到在旁边听着的皮埃尔，突然对他说：

“我想您大概不感兴趣吧？”

“不，正好相反，我很感兴趣。”皮埃尔说了违心话。

他们从尖顶堡下来，靠左沿着稠密的矮桦树林间的道路前进。他们来到树林中央，前面路上跳出来一只棕毛白脚兔。这兔子被大队人马的马蹄声吓得半死，慌慌张张地在他们前面跳了好一阵，引起大家的注意和笑声，直到有几个人向它吆喝，它才窜到路旁，消失在树丛里。他们在树林里跑了两俄里光景，来到一块空地上。负责守卫左翼的杜契科夫军的部队就驻在那里。

在左翼边上，别尼生情绪激动地说了许多话，并且发了皮埃尔认为很重要的军事命令。杜契科夫军队的前面有一个无人据守的高地。别尼生大声批评这个错误，他说不控制高地而在高地下驻军是精神错乱。有几个将军也发表同样的意见。其中一个带着军人的急躁脾气说，这是让他们听任敌人屠杀。别尼生自作主张，下令把军队调到高地上。

左翼的这一命令使皮埃尔更加怀疑自己对军事的理解力。他听着别尼生和将军们批评山下军队的阵形，完全懂得他们的意思，也赞成他们的意见；但正因为这个缘故，他不能理解那个把他们部署在山下的人怎么会犯这样明显而严重的错误。

皮埃尔不知道，这些军队并非像别尼生设想的那样用来守卫防线，而是隐蔽在那里打埋伏，也就是为了出其不意地袭击逼近的敌军。别尼生不知道这一点，他没有报告总司令，就自作主张把军队往前调动了。

24

二十五日黄昏天气晴朗，安德烈公爵支着臂肘斜躺在克尼亚兹科伏村一所破仓房里。这个村在他那个团的营地边缘。通过破墙的裂口，他望着墙旁一排下部树枝被砍去的三十年桦树，望着摊着一束束燕麦的田地，以及有一堆堆篝火冒烟的矮树丛——士兵在那里做饭。

现在安德烈公爵虽然觉得他的生活圈子很小，精神痛苦，不为人理解，他却像七年前在奥斯特里茨会战前夜那样感到又兴奋又激动。

明天会战的命令已发出，他也已接到。此刻他没有什么事要做。但一些最简单、最清楚、因而也是最可怕的思想却使他不安。他知道，明天的会战将是他参加过的最可怕的战斗。他生平第一次具体、明确、单纯而恐惧地想到他可能死去，他不考虑这事同别人有什么关系，只想到同他个人的关系，对他灵魂的影响。从这一思想高度出发，以前使他苦恼、焦虑的一切都被一道冰冷的白光照得雪亮，没有阴影，没有前景，没有轮廓的差别。他觉得生活就像一具幻灯，在人工光的照耀下，他长久地透过玻璃进行观察。如今，没有那片玻璃，在光天化日之下，他看到了那些画得很差的图片。“对，对，这些都是使我激动、使我心醉、使我痛苦的幻象！”他自言自语，在头脑里翻阅着生活幻灯的主要图片，现在他是在冰冷的白光——死的白光——照耀下观察这些图片的。“瞧，这些画得很差的图片，一度曾显得那么美丽和神秘。荣誉、社会地位、对女人的爱情、祖国——这些图片我以前认为多么重要，具有多么深远的意义啊！可是这一切，在那个为我而来临的早晨的冰冷白光照耀下，又显得多么简单、苍白和粗糙！”他一生遭遇的三大不幸使他特别难过：他对一个姑娘的爱情、父亲的去世和占领了俄国半壁江山的法军入侵。“爱情！……我觉得充满神秘魅力的那个姑娘，我原来多么爱她呀！我有过同她共享爱情和幸福的充满诗意的计划。唉，我真是个天真的孩子！”他愤恨地出声说，“可不是！我相信理想的爱情，以为我离家一年她会对我忠贞不渝！就像寓言里温柔的小鸽子，她会相思得憔悴。这一切其实要简单得多……这一切真是太简单太可憎了！”

“父亲在童山大兴土木，以为那是他的地方，他的土地，他的空气，他的农奴，可是拿破仑一来，眼里根本没有他这个人，把他像路上的一块木片那样扫掉，他的童山和全部生活就被摧毁了。玛丽雅公爵小姐说，这是上天的考验。他人都没有了，还考验他做什么？他死了！再也不会复活了！那么这是考验谁呢？祖国啊，莫斯科毁灭啦！明天我将被打死，甚至不是被法国人打死，而是被自己人打死，就像昨天一个兵在我耳旁放了一枪。于是法国人一来，就抓住我的双脚和头随便扔进坑里，免得我在他们鼻子底下发臭。将来还会出现新的生活秩序，别人也会适应那种生活，可是我不会知道，那时我已不在人间。”

他望着一排在阳光下枝叶黄绿掺杂、树皮发白的桦树。“死，明天我将被打死，我这个人将不再存在……一切如旧，就是没有我这个人。”他生动地想象着那个没有他的世界。这些明暗交错的白桦，这些变幻莫测的白云，这些炊烟——他觉得周围的一切都变了样，变得阴森可怕和咄咄逼人。一阵寒气掠过他的脊背。他连忙起身，走出仓房，到室外散步。

仓房后面传来一片说话声。

“谁呀？”安德烈公爵大声问。

红鼻子的基莫兴大尉，原来做过陶洛霍夫的连长，现在因为缺乏军官升任营长，怯生生地走进仓房。一名副官和团里的军需官跟着他进来。

安德烈公爵慌忙站起来，听军官们向他汇报，他又给了他们几项指示，准备让他们走，这时仓房后面传来一个熟悉的低语声。

“见鬼！”有个人在什么东西上绊了一下，说。

安德烈公爵从仓房里向外一望，看见皮埃尔向他走来，他在地上一根木棒上绊了一下，差点儿跌跤。安德烈公爵通常不愿看见自己圈子里的人，特别不愿看见皮埃尔，因为他使他想起上次去莫斯科的痛苦时刻。

“哦，是你！”他说，“什么风把你吹来的？真是没想到。”

安德烈公爵说这话的时候，他的眼神和整个脸色表现出来的是敌意多于冷淡。这一点皮埃尔立刻看出来。他走近仓房时情绪很好，但一看见安德烈公爵的脸色，立刻感到局促不安。

“我来……就是……您知道……我来……我感到兴趣……”皮埃尔说，这天他不知几次莫名其妙地说着“兴趣”这两个字，“我想看看打仗。”

“噢，噢，那么共济会弟兄对战争有什么看法？怎样防止战争？”安德烈公爵嘲弄地说。“莫斯科怎么样？我家里的人怎么样？他们到底有没有去莫斯科？”他一本正经地问。

“去了。裘丽告诉我的。我去看过他们，但没有遇到。他们到莫斯科乡下去了。”

25

军官们要告辞，但安德烈公爵仿佛不愿同他的朋友单独在一起，就请军官们也坐下来喝茶。勤务兵给他们端来凳子和茶。军官们惊奇地望着皮埃尔的胖大身体，听他讲莫斯科的情况，以及他观察过的我军阵地。安德烈公爵没有作声，他的脸色很不高兴，结果皮埃尔便更多地对和蔼的基莫兴营长说话。

“那么你明白军队的整个部署吗？”安德烈公爵打断他的话问。

“嗯，你这话是什么意思？”皮埃尔说，“我不是军人，不能说完全明白，但还是知道总的部署。”

“这么说，你就比谁都知道得多！”安德烈公爵说。

“哦！”皮埃尔从眼镜上方打量着安德烈公爵，困惑地说，“那么，你对任用库图佐夫有什么意见？”他问。

“他被任用，我很高兴。我就知道这些。”安德烈公爵说。

“那么，你倒说说，你对巴克莱·德·托里有什么看法？在莫斯科，天知道人家在说他什么。你看他怎么样？”

“你问问他们吧。”安德烈公爵指指军官们说。

皮埃尔带着宽厚的疑问性微笑对基莫兴望望，大家也都不由自主地对他望望。

“自从总座受命以来，先生，我们又重见光明了。”基莫兴说，不时怯生生地望望自己的团长。

“怎么会这样呢？”皮埃尔问。

“嗯，就拿木柴和草料来说吧。我们撤离斯文强尼的时候，不敢碰一碰树枝或者干草，或者别的什么。既然我们要撤退，那就会落到**他们**手里，您说是不是，长官？”他对安德烈公爵说，“可就是不敢拿。我们团里有两个人为这种事吃官司。可是总座一来，事情就简单了，重见光明了……”

“那么，为什么要禁止呢？”

基莫兴尴尬地环顾着，不知该怎样回答这个问题。皮埃尔也向安德烈公爵提出这问题。

“为了不糟蹋我们留给敌人的地区，”安德烈公爵恶毒地嘲弄说，“不容许抢劫地方，不让军队养成趁火打劫的习惯，这是很重要的。在斯摩棱斯克，他的判断也很正确：法国人能包抄我们，他们的力量比我们强。但他不能理解，”安德烈公爵突然低声叫起来，“但他不能理解，我们这是第一次为保卫俄国土地而战，部队里士气高昂，那是我从未见过的，我们一连两天抗击法军，这一胜利使我们的力量增强十倍。他下令撤退，我们的努力和损失都白费了。他没有出卖他的祖国的念头，他尽力想把事情办得更好，他考虑得很周到；但因此他不合适。他之所以不合适，就因为他像一切德国人那样考虑事情太仔细太周到了。怎么对你说呢……好吧，譬如说你父亲有个德国跟班，他是个出色的跟班，他能满足你的一切要求，让他干活是不错的；但要是你的父亲病危，你就得把那跟班辞掉，自己笨手笨脚地照顾父亲，即使笨手笨脚，自己人照顾也比干练的外人强。巴克莱的情况就是这样。当俄罗斯强大的时候，是可以让外人做事的，他原是个出色的大臣，但一旦情况紧急，就需要自己人，需要亲人。可你们俱乐部里有人把他看作叛徒！诬蔑他是叛徒，将来只会因错误的指摘而感到羞愧，而把叛徒说成英雄或天才，那就更不合理了。他是个诚实而很刻板的德国人……”

“但有人说他是个精明的统帅。”皮埃尔说。

“我不明白什么叫‘精明的统帅’。”安德烈公爵嘲笑说。

“精明的统帅，”皮埃尔说，“嗯，就是能预见各种意外事故……嗯，能看透敌人的心思。”

“这是不可能的！”安德烈公爵说，仿佛那是一个早就解决的问题。

皮埃尔惊讶地对他望望。

“不过，据说打仗好比下棋。”皮埃尔说。

“对，”安德烈公爵说，“只有一个小差别，就是下棋每走一步都可以随意考虑，不受时间限制；还有一个差别，马总比卒子强，两个卒子总比一个卒子强。但在战争中，一个营有时比一个师强，而有时却还不如一个连。两军力量的对比是谁也无法知道的。老实说，要是参谋部的部署能决定战局，那我也愿意留在那里从事部署了，可我现在却有幸在这里服役，在团里同这儿位先生在一起。我认为，真正决定明天战役的是我们，而不是他们……胜利从来不靠阵地，不靠武器，甚至不靠人数，尤其不靠阵地。”

“那么究竟靠什么呢？”

“靠感情，靠我心里的感情，靠他心里的感情，”他指指基莫兴，“靠每个士兵心里的感情。”

安德烈公爵瞧了基莫兴一眼，基莫兴惊疑地望着他的指挥官。安德烈公爵一反沉默寡言的常态，这时变得十分兴奋。他显然克制不住突然涌上心头的思绪。

“谁下定决心要打胜仗，谁就能打胜仗。我们在奥斯特里茨怎么会打败仗的？我们的损失几乎同法国人相等，但我们过早断言我们要打败仗，结果真的打了败仗。我们当时之所以那样说，是因为我们没有必要在那里打仗，我们想尽快离开战场。‘打败了，那就只好跑！’于是我们就跑了。要是到傍晚我们都没说这样的话，天知道会发生什么情况。明天我们可不会说这样的话了。你说，我们的阵地左翼弱，右翼太长。这是胡说，根本不是那么回事。明天我们将面临怎样的局面呢？亿万种五花八门的偶然事件将在刹那间由对方或我方逃跑或不逃跑、杀死这个或杀死那个来决定。而目前所做的一切只是开玩笑。问题在于，同你一起巡视阵地的人不仅于事无补，而且于事有碍。他们只关心自己细小的利益。”

“在这样的时刻吗？”皮埃尔不以为然地说。

“**在这样的时刻**，”安德烈公爵重复说，“他们认为这只是暗算对手、多得一枚十字勋章和绶带的机会。可我认为明天就是：十万俄军同十万法军交手，也就是二十万人马大搏斗，谁打得狠，谁不怕牺牲，谁就会取胜。你愿意听的话，我可以告诉你，不论发生什么事情，不论上面怎样糊涂，明天我们一定会打胜仗。明天不论发生什么事，我们必胜！”

“大人，这话是真的，千真万确！”基莫兴说，“如今谁都不怕死！说实在的，我营的士兵都不喝酒了，他们说现在不是喝酒的时候。”

大家都不作声。军官们纷纷起身。安德烈公爵同他们一起走出仓房，向副官作了最后一些指示。军官们一离开，皮埃尔走到安德烈公爵跟前，正要跟他说话，忽然听见离仓房不远的大路上传来三匹马的马蹄声。安德烈公爵往那个方向望了一眼，认出伏尔佐根和克劳塞维茨[①]，后面跟着一名哥萨克。他们骑马走来，继续谈着话。皮埃尔和安德烈无意中听到了下面的谈话：

"战争要转移到空旷的地方。这种观点我不敢恭维。"[②]一个人说。

"是啊，既然战争的目的是要削弱敌人，那就不能考虑个人的牺牲。"[③]另一个人说。

"对！"[④]第一个人附和说。

"转移到空旷的地方，[⑤]"当他们走过时，安德烈公爵愤恨地重复他们的话说，"到空旷的地方[⑥]，那里，在童山上有我的父亲、儿子和妹妹。说这话的人反正都一样。是啊，我对你说过，这些德国老爷明天打不了胜仗，他们只会尽量坏事，因为在他们德国式的头脑里只有不值一个空蛋壳的空头理论，他们的心里没有明天所需要的东西，可是基莫兴却有。他们把整个欧洲都奉送给**他**[⑦]，又跑来教训我们，真是好教师！"他又尖声嚷道。

"那么，你以为明天的仗能打赢吗？"皮埃尔问。

"能，能！"安德烈公爵漫不经心地说，"我要是有权，有一件事我是不会做的，我不会收俘虏。为什么收俘虏？这是骑士精神。法国人毁了我的家，现在又要来摧毁莫斯科，他们一直在侮辱我。他们是我的敌人，照我看来，他们都是罪人。基莫兴也这样看，全军都这样看。应该把他们杀死。他们既然是我的敌人，就不可能是我的朋友，不管他们在蒂尔西特说了什么话。"

"对，对！"皮埃尔说，双目炯炯地瞧着安德烈公爵，"我完完全全同意你的意见！"

在莫扎依斯克山上发生、今天一直使皮埃尔烦恼的那个问题，现在完全明确和彻底解决了。现在他懂得了这场战争和当前战役的全部意义和重要性。他今天一天看到的一切，他匆匆看到的人们脸上庄严肃穆

---

① 克劳塞维茨（1780—1831），普鲁士将军，军事理论家；1812年曾在俄军服务，1814年回普军，次年参加滑铁卢战役；重要著作有《战争论》。

②③④⑤⑥ 原文是德文。

⑦ 指拿破仑。

的神情，都显示出新的含义。他看见人人身上都有爱国的潜热（物理学名词），这种潜热使他懂得为什么所有这些人都能若无其事地准备为国捐躯。

“不收留俘虏，”安德烈公爵继续说，“不收留俘虏，单是这件事就会改变整个战争，使它不那么残酷。要不我们是拿战争当儿戏，讲宽宏大量，恻隐之心，这是很糟糕的。讲宽宏大量、恻隐之心，这有点像贵族小姐看见宰牛犊就会感到头晕恶心，她心肠太好，看不得血，但吃起加调料的小牛肉来却津津有味。有人向我们大谈战争规矩、骑士精神、停战谈判，怜悯不幸者，等等。这都是谬论。我在一八〇五年看到过骑士精神、停战谈判：我们受骗，我们也骗人。他们抢劫别人的住宅，发行伪钞，尤其是杀害我的孩子、我的父亲，还说什么战争规矩、对敌人要宽宏大量。不收留俘虏，只要杀人和自己去牺牲！谁要是经历过我所受的那些痛苦，谁就能理解……”

安德烈公爵原以为，敌人会不会像占领斯摩棱斯克那样占领莫斯科在他是无所谓的，但这时喉咙里突然起了一阵痉挛，他说不下去。他默默地来回走了几趟，他的眼睛里闪耀着狂热的光芒，嘴唇抖动着。他又说下去：

“要是战争中不讲宽宏大量，那么，我们只有像现在这样值得牺牲的时候才打仗。在这种情况下，要是巴维尔·伊凡内奇欺负了米哈伊尔·伊凡内奇，就不会发生战争。要是打仗，那就得像现在这样打。那时，军队的斗志也就不同了。那时，拿破仑所率领的威斯特法利亚人和黑森人就不会跟着他入侵俄国，我们也不会莫名其妙地到奥地利和普鲁士去打仗了。战争不是请客吃饭，而是生活中最可恶的事。必须懂得这一点，不要拿战争当儿戏。必须严肃认真地对待这一可怕的行动。关键在于抛弃一切谎话，战争就是战争，不是儿戏。要不战争就会成为游手好闲和轻举妄动的人的消遣……军人是最光荣的。可是战争是什么呢？打胜仗需要什么条件？军人需有什么样的素质？战争的目的是杀人，战争的手段是间谍、叛变、策反、居民破产、抢劫和盗窃居民来维持军队的给养；欺诈被称为足智多谋；军人的习性就是没有自由，只有纪律，以及懒散、无知、残酷、淫乱、酗酒。尽管如此，军人还是受到普遍尊敬的最高阶层。所有的皇帝，除了中国皇帝，都穿军装；谁杀人最多，谁就获奖最多……两军相遇，就像明天将要发生的那样，互相残杀，杀伤几万人，然后举行感恩礼拜，感谢杀了那么多人（人数还要增加），宣布胜利，并且认为杀人越多，功劳越大。上帝怎样从天上看待他们的行为啊！”安德烈公爵尖声叫道。“唉，老朋友，近来我感到生活很痛苦。我知道我懂得太多了。人不可以吃分别善恶树上的果子[①]……好吧，反正时间不多了！”他补充说。“不过你要睡了，我也该睡了，你到果尔基去吧！”安德烈公爵突然说。

“哦，不！”皮埃尔回答，用恐惧而同情的眼神瞧着安德烈公爵。

“去吧，去吧，战斗以前得好好睡一觉！”安德烈公爵重复说。他匆匆走到皮埃尔面前，拥抱他，亲吻他。“再见，你去吧！”他叫道，“我们能不能再见面啊……”他连忙转过身去，走进仓房。

天色已经黑了，皮埃尔辨不出安德烈公爵脸上的表情是愤恨还是感伤。

皮埃尔默默地站了一会儿，考虑着跟他进去还是自己回家。“不，他不要我去，”皮埃尔暗自断定，“我知道这是我们最后一次见面了。”他长叹一声，骑马回果尔基去。

安德烈公爵回到仓房，躺在地毯上，但是睡不着。

他闭上眼睛，一个个形象交替出现在他的面前。他在一个形象上快乐地停留了好久。他历历在目地想起彼得堡的一个黄昏。娜塔莎生气蓬勃、神情兴奋地讲给他听，去年夏天她去采蘑菇，怎样在大树林里迷了路。她颠三倒四地描述着树林深处的景色、她的感受、同她遇见的养蜂人的谈话，同时一再说：“不，我不会讲，我讲得不好；不，您不会明白的。”虽然安德烈公爵一再安慰她说他明白。事实上他的确明白她要说的一切。娜塔莎对自己的话感到不满，她觉得她没能把那天感受到的诗意洋溢的感情表达出来。“那老头儿真是可爱，树林里那么阴暗……他心地真善良……不，我不会讲。”她涨红了脸，激动地说。此刻安德烈公爵快乐地微微一笑，就像当时瞧着她的时候那样。“我了解她，”安德烈公爵想，“不仅了解，而且喜欢她的精神魅力、她的诚恳、她的坦率、

---

① 典出《旧约全书·创世记》第二章第八节至第十七节。

她那同肉体结合在一起的心灵……我爱这心灵，爱得那么强烈，爱得那么快乐……”他突然想到他的爱情是怎样结束的，“他原来根本不需要这个。他根本没看到，也不理解这个。他只看到她是个漂亮鲜艳的姑娘，他不屑把他的命运同她结合在一起。那么我呢？他至今还活着，还活得高高兴兴。”

安德烈公爵仿佛被人烫了一下，霍地跳起来，又在仓房前来回踱步。

26

八月二十五日，鲍罗金诺会战前夜，法国皇宫总督波塞先生和法布维埃上校来到拿破仑在瓦卢耶瓦的行营。前者来自巴黎，后者来自马德里。

波塞先生换上朝服，命人把他带给皇帝的礼物箱抬着走在前面，走进拿破仑行营的前室，一面同包围着他的拿破仑副官交谈，一面打开箱子。

法布维埃没有走进行营，站在门口同认识的将军们谈话。

拿破仑皇帝还没有从卧室出来，正要结束他的梳妆打扮。他哼哼着，清清喉咙，时而转过厚实的脊背，时而挺起毛茸茸的胖胸脯，让近侍用刷子洗刷。另一个近侍用手指按住香水瓶，在皇帝保养得很好的身上洒香水，他那副神气则表示，只有他一人知道应该洒多少香水，洒在什么地方。拿破仑的短头发湿漉漉的，纠结在前额上。他的脸虽然又黄又肿，却露出得意的神色。“再刷，使劲点儿……”他耸耸肩膀，清清喉咙，不断对替他擦背的近侍说。一个副官走进卧室，向皇帝报告昨天战斗中抓了多少俘虏，报告完毕就站在门口，等着允许他出去。拿破仑皱起眉头，对副官瞟了一眼。

“没有俘虏，”他重复副官的话说，“他们迫使我们把他们打死。这样对俄军更糟。喂，再刷，使劲点儿！”他说，拱起背，把肥胖的肩膀凑上去。

“好！让波塞进来，法布维埃也进来！”他点点头对副官说。

“遵命，陛下！”副官说着，走出行营。

两名近侍连忙替陛下穿好衣服。拿破仑穿上近卫军蓝军服，步履坚定而迅速地走进接待室。

波塞手忙脚乱地把从皇后那儿带来的礼物摆在近门的两把椅子上。但皇帝穿好衣服很快就出来，使他来不及把礼品都陈列好。

拿破仑立刻发现他们在做的事情，知道他们还没有布置好。他不想扫波塞的兴，就假装没有看见波塞先生，把法布维埃叫到跟前。拿破仑皱起眉头，默默地听法布维埃报告，他在欧洲另一端萨拉曼卡①作战的军队如何勇敢和忠诚，他们竭力不辜负皇上的信托，唯恐皇上不高兴。拿破仑在法布维埃讲话时嘲讽地说，他不在那里，也不可能有别的结果。

"这局面我应该在莫斯科加以补救。"拿破仑说。"再见！"他添加说，把波塞唤来。波塞这时已把礼品摆在椅子上，上面还盖上一块布。

波塞按照只有波旁王朝老臣才懂得的礼节，深深地鞠了一躬，走过去，呈上一封信。

拿破仑高兴地同他说话，扯扯他的耳朵。

"你赶到了，我很高兴。那么，巴黎方面说些什么？"他说，原来严厉的表情变得十分和蔼可亲了。

"陛下，全巴黎都在想念您。"波塞得体地回答。尽管拿破仑知道波塞应该说类似的话，尽管在他头脑清醒的时候知道这是假话，他还是喜欢从波塞嘴里听到这样的话。他又摸摸他的耳朵。

"让您走这么远的路，我很过意不去！"他说。

"陛下，我早就料到会在莫斯科城门口见到您。"波塞说。

拿破仑微微一笑，心不在焉地抬起头，向右边看了一眼。副官拿着金鼻烟壶，步履轻盈地走过来，把金鼻烟壶递给他。拿破仑接过金鼻烟壶。

"是的，您运气好，"他把打开的鼻烟壶举到鼻子前，说，"您爱好旅游，再过三天您就能看到莫斯科了。您一定没想到会看见那个亚洲部分的首都吧。您将有一次愉快的旅行。"

波塞鞠了一躬，感谢皇帝关心他对旅游的嗜好，虽然他自己直到此

① 西班牙中西部城市，1818 年 7 月 22 日法军在这里打了败仗。

刻才知道有这种嗜好。

“哦！这是什么？”拿破仑发现朝臣们都望着用布盖住的东西，说。波塞以朝臣的灵活姿态，不背过身去，侧着身子后退两步，立刻扯去那块布，说：

“皇后娘娘送给陛下的礼物。”

这是一幅由席拉尔画的色彩鲜艳的男孩肖像。这个男孩是拿破仑同奥国公主所生，不知怎的被称为罗马王。[①]

这是一个相貌俊美的鬈发男孩，眼神有点像西斯廷圣母[②]中基督的眼神，他正在玩木棒接球游戏。球代表地球，另一只手里的棒代表帝王权杖。

画家画罗马王用棒捅地球究竟想表示什么，虽然没有说明，但他的寓意，不论对巴黎所有看到这幅画的人，还是对拿破仑，都是不言而喻的，而且拿破仑特别喜欢它。

“罗马王，”他姿势优美地指指画像说，“好极了！”他凭着意大利人善于改变脸部表情的天赋，走近画像，装出温柔的沉思神态。他觉得他此刻的言行将写入历史。他认为，此刻他能做的最好的事，就是凭着他的伟大，他的儿子可以玩弄整个地球，但他要显示最淳朴的父爱，以衬托他的伟大。他的眼睛模糊了，他向前挪了挪，回头看看椅子（椅子跟到他后面），他在画像前坐下。他做了一个手势，大家都踮着脚尖走出去，让他单独陶醉在自己的伟大中。

他坐了一会儿，自己也不知道为什么，摸摸粗糙的画，站起来，又唤来波塞和值日官。他下令把画像拿到营帐外，以便行营外的老近卫军也有一睹罗马王风采的福气，因为罗马王就是他们所崇拜的皇帝的太子和继承人。

不出他所料，在他恩赐波塞先生一起进早餐的时候，行营前传出跑来看画的老近卫军官兵的热烈喝彩声。

“皇帝万岁！罗马王万岁！”腾起了一片欢呼声。

---

① 弗朗苏瓦·席拉尔（1770—1837），肖像画家，接近法国宫廷。曾为拿破仑儿子约瑟夫·弗朗苏瓦·沙尔里（1811—1832）画像，后者出生后即获得罗马王称号。

② 拉斐尔（1483—1520）的名画，作于1515—1519年。

早餐后，拿破仑当着波塞的面口授他给军队的命令。

“简明有力！”拿破仑一口气读完他那不加修改的公告，自己夸奖说。公告如下：

> 战士们！你们等待已久的会战开始了。胜利全靠你们。我们需要胜利，胜利会向我们提供一切：舒适的住房和不久后的胜利回国。像你们在奥斯特里茨、弗里德兰、维切布斯克和斯摩棱斯克那样英勇战斗吧！让遥远的后代自豪地记起你们今天的奇迹。让你们个个都被人提到：他参加过伟大的莫斯科战役！

“莫斯科战役！”拿破仑又说了一遍，接着邀请爱好旅游的波塞一起骑马出游。他出了行营，向备好鞍的马走去。

“陛下皇恩浩荡！”波塞回答皇帝的邀请说。其实他很想睡觉，而且害怕骑马。

但拿破仑对这位旅游爱好者点点头，波塞只得上马。拿破仑走出行营，近卫军面对皇太子画像的欢呼声更热烈了。拿破仑皱起眉头。

“拿掉它吧！”拿破仑又洒脱又威严地指指画像说，“参观战场他为时还早。”

波塞闭上眼睛，低下头，深深地叹了口气，表示他很理解和欣赏皇帝的话。

27

史学家说，八月二十五日一整天拿破仑都在骑马观察地形，考虑元帅们送呈的作战方案，并亲自向将军们发布命令。

俄军原来沿柯洛察河设置的防线被冲破了，部分战线，也就是俄军的左翼，由于二十四日舍瓦尔季诺多面堡失守，被迫后撤。这部分战线没有设防，也没有河流掩护，前面是一大片开阔地。不论军人还是非军人，谁都十分清楚，法军一定会攻击这部分战线。作出这个判断不需要深思熟虑，不劳皇帝和他的元帅们到处奔走，更不需要所谓天才——人们爱加在拿破仑身上的赞辞。但后来的史学家，当时拿破仑周围的人，以及拿破仑本人，却有不同的看法。

拿破仑巡视战场，深思熟虑地观察地形，独自点头表示赞成或者怀疑，但并没有把他的思路告诉将军们，只是以命令的形式向他们发布最后决定。听了达武（所谓埃克米尔亲王）包抄俄军左翼的建议后，拿破仑只说不必这样做，但没有说明原因。对孔朋（他负责攻击尖顶堡）提出的带他的一个师人马穿过树林的建议，拿破仑表示同意，虽然奈伊（所谓埃尔欣根公爵）大胆指出走树林有危险，可能使全师陷于混乱。

观察过舍瓦尔季诺多面堡前的地形之后，拿破仑默默考虑了一会儿，指定了安置在天亮前攻打俄军工事的两个炮台的地点，以及旁边安排野战炮的地方。

下了这些命令和其他命令后，他回到行营，又口授了会战的部署。

这个部署使后来的法国史学家赞叹不已，也使其他国家的史学家深为钦佩，全文如下：

> 夜间在埃克米尔亲王据守的平原上设置两座新炮台，天亮时向对面的两个敌军炮兵阵地开火。
>
> 同时，第一军炮兵司令贝内蒂将军统率孔朋师的三十门炮，以及德赛和弗里安两师的全部榴弹炮向前推进，开火猛轰敌军的炮兵阵地，参加炮击的包括：
>
> 近卫军炮兵的炮二十四门，
>
> 孔朋师的炮三十门，
>
> 弗里安和德赛两师的炮八门，
>
> 总计用炮六十二门。
>
> 第三军炮兵司令富歇将军统率第三军和第八军的全部榴弹炮，共计十六门，安置在攻打敌军左翼工事的炮垒两侧，总计用炮四十门。
>
> 索尔比埃将军应时刻准备，一接到命令立刻出动近卫军全部榴弹炮，攻打敌方任何一个工事。
>
> 在炮击过程中，波尼亚托夫斯基公爵向村庄和树林进军，包抄敌军阵地。

孔朋将军通过树林占领第一个工事。

如此开战后将根据敌人行动发布命令。

一听到右翼炮声，左翼立即开始炮击。莫朗师和副王[①]师狙击兵一见右翼开始进攻，立即猛烈开火。

副王占领村庄[②]后，要从三座桥上过河，协同受他指挥的莫朗师和席拉尔师进攻多面堡，与其他部队会合。

这些行动要顺序进行，尽量保留预备部队。

一八一二年九月六日，于莫扎依斯克御营

这个部署写得极其含糊不清（只要不迷信拿破仑的天才），内容包括四点，也就是四项命令。这四项命令没有一项能实现，事实上也没有实现。

第一项命令是：**在拿破仑选定的地点，各炮台连同贝内蒂和富歇的炮，共计一百〇二门，开火轰击俄军尖顶堡和多面堡。**这是办不到的，因为从拿破仑指定的地点，炮弹打不到俄军工事。这一百〇二门炮都将打空炮，除非最近的指挥官违反拿破仑的命令，擅自把炮向前移动。

第二项命令是：**波尼亚托夫斯基向林中村庄推进，包抄俄军左翼。**这也是办不到的，也没有办到，因为波尼亚托夫斯基向林中村庄推进，他会在那里遇到杜契科夫拦住他的去路，他也就不可能包抄俄军阵地，事实上也没有包抄。

第三项命令是：**孔朋将军向树林推进，占领第一个工事。**孔朋师没有占领第一个工事，而是被击退了，因为该师出树林时被迫在霰弹下整理队列，这是拿破仑所没有料到的。

第四项命令是：**副王要占领村庄**（鲍罗金诺），**经由三座桥过河，协同莫朗师和弗里安师**（但没有指出他们该在何时何地推进）**在同一高地推进，后两个师在他统率下进攻多面堡，并同其他部队会合。**

就常理而论（与其说是根据这句莫名其妙的话，不如说是通过副王执行所奉命令的意图来看），他应该经过鲍罗金诺从左边向多面堡推进，

---

① 副王指缪拉，当时缪拉已被封为那不勒斯王。

② 指鲍罗金诺。

而莫朗师和弗里安师则应同时从前线推进。

这一项，也像其他命令一样，没有执行，也不可能执行。通过鲍罗金诺后，副王在柯洛察河边被击退，无法前进；莫朗师和弗里安师没有攻克多面堡，而被击退了；多面堡是在战斗结束时被骑兵占领的（这事拿破仑大概没有预料到，事后也没有听说）。由此可见，部署的命令没有一项被实现，也不可能被实现。不过，在这一部署中曾说，在开战后将根据敌军行动发布新的命令，因此可能有人认为，拿破仑将在战斗中作出必要的部署；事实上并没有这样做，也不可能这样做，因为在会战过程中，拿破仑离战场很远，他无法知道会战的实际情况（这一点后来得到证实），因此他的命令没有一项在战斗中被执行。

28

许多史学家说，法军没有在鲍罗金诺战役中取胜，因为拿破仑伤风了，要是他没有伤风，那么他在战斗前和战斗中发布的命令一定会更加天才横溢，俄国就会灭亡，*世界面貌就会改观*。有些史学家认为，俄国的建立是靠一个人——彼得大帝——的意志，而法国由共和变为帝国、法军开进俄国，也是靠一个人——拿破仑——的意志，他们认为俄国之所以能成为强国，是因为八月二十六日拿破仑得了重伤风。这些史学家作出这样的论断是必然的。

如果鲍罗金诺一战的发生与否是由拿破仑的意志决定的，如果发布这项或那项命令也是由他的意志决定的，那么，是影响他意志的伤风拯救了俄国，而那个在八月二十四日忘记把防水靴拿给拿破仑的近侍则是俄国的救星。按照这种逻辑，这样的论断无疑是正确的，就像伏尔泰开玩笑所说的（他自己也不知道对什么而发），巴托罗缪的屠杀[①]是查理九世发胃病所致。然而，有人不信俄国的形成是靠彼得大帝一人的意志，法兰西帝国的形成和对俄国开战是靠拿破仑一人的意志，他们认为这种论断不仅荒谬绝伦，而且违反人类实际生活。至于历史事件的原因问题，

① 指 1572 年 8 月 23 日夜间巴黎新教徒所遭受的大屠杀。

他们另有解释，那就是人间万事都是由上帝注定，也取决于参与其事的所有人的意志，而拿破仑对这些事件的影响只是表面的，虚假的。

假设巴托罗缪之夜的屠杀并非出于发布命令的查理九世的意志（尽管命令是他发的），他只是发布了命令而已，这种假设看来是荒谬的；同样，假设鲍罗金诺八万人的屠杀不是出于拿破仑的意志（尽管他发了开战和指挥战斗的命令），他只是发布了命令而已，这种假设看来也是荒谬的。虽然如此，但是作为人的自尊心告诉我们，我们每一个人即使不比伟大的拿破仑更伟大，也绝不比他渺小，而历史的研究则充分证实了这一点。

在鲍罗金诺会战中，拿破仑没有向谁开过枪，也没有打死过一个人。这一切都是士兵做的，因此杀人的不是他。

在鲍罗金诺会战中，法国兵杀俄国兵不是由于拿破仑的命令，而是出于他们自己的愿望。全体军人：法国人、意大利人、德国人、波兰人，由于长年征战，全都衣衫褴褛，又饥又乏，一看见有军队挡住他们去莫斯科的道路，觉得“*酒瓶既已打开，就得一饮而尽*”。现在要是拿破仑禁止他们同俄国人打仗，他们就会先把他打死，然后再同俄国人打，因为他们非打不可。

他们听到拿破仑在命令中提到，后代将会记得他们参加过莫斯科战役，以此来安慰他们所遭受的伤亡，他们就大声呼喊“*皇帝万岁*”，就像他们看见画上拿棒捅地球的男孩时高呼“*皇帝万岁*”一样，也像他们不论听到什么就高呼“*皇帝万岁*”一样。他们除了喊着“*皇帝万岁*”前去打仗，以便用莫斯科征服者的身份去获得食物和休息，就再也没有事可做了。因此，他们残杀同类并非由于拿破仑的命令。

指挥整个会战的也不是拿破仑，因为他的部署完全没有被执行，而且在战斗过程中他也完全不知道前面的情况。因此，这些人互相残杀，并不是遵照拿破仑的意志，而是根据几十万参加共同战斗的人的意志。**只有**拿破仑**一个人认为**，一切都是由他的意志决定的。因此拿破仑有没有得伤风，并不比一个辎重兵有没有得伤风更有历史意义。

有些作者说，由于拿破仑得了伤风，他的部署和命令就不像他以前的部署和命令那样好，这完全是胡扯，因此拿破仑八月二十六日的伤风就更无关紧要了。

前面抄录的作战部署一点也不比以前打胜仗的部署差，甚至更好些。战斗中所臆想的命令也不比以前的差，而是同以前的一样好。这些部署和命令之所以显得比以前的差，只因为鲍罗金诺战役是拿破仑第一次没有取胜的战役。所有最出色的、经过深思熟虑的部署和命令，如果执行的结果没有取得战斗胜利，军事专家就会像煞有介事地加以批评，认为这些部署和命令很糟。所有最糟糕的部署和命令，如果执行的结果打了胜仗，态度严肃的作者就会连篇累牍地指出它们的优点而大加赞扬。

威罗特在奥斯特里茨战役中的部署就是这类作品的典范，但还是有人批评它，不过只是批评它过于烦琐。

拿破仑在鲍罗金诺战役中执行政权代表的任务，就同他在其他战役中一样出色，甚至更出色。他没有做过任何有害于战斗的事；他听取最合理的意见；他没有糊涂，没有自相矛盾，没有惊慌失措，没有逃离战场，却发挥他丰富的作战经验和才能，镇定自若地扮演了他貌似统帅的角色。

29

拿破仑第二次仔细视察战线回来，说：

"棋子摆好，明天要开局了。"

他吩咐给他斟混合香酒，又把波塞召来。他同波塞谈巴黎，谈他想在皇后宫中作些变动，他对宫中微小细节的记忆使皇宫总监感到惊讶。

他关心琐碎小事，嘲笑波塞的旅游癖，随便闲谈，好像一个经验丰富、信心十足的外科名医卷起袖子，穿上大褂，而病人却被绑在手术台上："这事一清二楚，我有把握。该什么时候动手，我就什么时候动手，而且一定干得比谁都好。现在我可以说说笑话，我越说笑话，越镇静，你们越可以放心，对我的天才会越钦佩。"

喝完第二杯混合香酒后拿破仑去休息，因为明天还有一件大事要做。

他十分关心面临的大事，睡不着觉。尽管夜晚的潮气加重了他的伤风，他还是在夜里三点钟大声擤着鼻涕，走到行营的大房间。他问俄军有没有撤退。有人回答他说，敌人的火光仍在原地。他得意地点点头。

值班副官走进行营。

“喂，拉普，你看今天我们能打胜仗吗？”拿破仑问。

“毫无疑问，陛下！”拉普回答。

拿破仑对他望了望。

“陛下还记得您在斯摩棱斯克对我说过的话吗？”拉普说，“酒瓶既已打开，就得一饮而尽。”

拿破仑皱起眉头，把头靠在手上，默默地坐了好一阵。

“可怜的军队！斯摩棱斯克一战减员不少。命运真像个女人，朝三暮四，拉普。我一向这么说，现在可体会到了。那么，拉普，近卫军……近卫军还好吗？”他问。

“还好，陛下！”拉普回答。

拿破仑拿起一片药放进嘴里，看了看表。他不想睡觉，但离天亮还早，又不能再发发命令来消磨时间，因为命令都已发出，现在正在执行。

“给近卫军发了干粮和大米没有？”拿破仑严厉地问。

“发了，陛下。”

“大米呢？”

拉普回答说，他已传达了皇帝赐发大米的命令，但拿破仑不高兴地摇摇头，仿佛不相信他的命令已被执行。侍从拿着混合香酒进来。拿破仑吩咐给拉普也斟一杯，自己默默地喝酒。

“我没有味觉，也没有嗅觉，”他闻闻酒杯说，“这伤风真讨厌。他们谈论医药，可是他们连伤风都治不好，还谈什么医药？科维扎尔[1]给了我这些药片，可是毫无用处。它们能治什么病？什么病也不能治。我们的身体是一架生命的机器。用它来维持生命。别去干扰生命，让生命自己保护自己，拿药品去干扰它，不如让它自力更生。我们的身体好像钟表，它能走一定时间；钟表匠打不开这表，他们只会瞎摸，随意摆弄。我们的身体是一架生命的机器。就是这么一回事。”拿破仑爱

① 科维扎尔（1775—1821），法国名医，曾任拿破仑御医。

下定义，此刻他又出其不意地下了一个新定义。“拉普，您知道什么叫军事艺术吗？”他问，“就是在一定时间里战胜敌人的艺术。就是这么一回事。”

拉普什么也没有回答。

“明天我们要同库图佐夫交手了！”拿破仑说，“我们要瞧瞧！您记得吗，他在布劳瑙指挥军队，三星期没有视察过一次工事？我们要瞧瞧！”

他看了看表。才四点钟。他不想睡，混合香酒喝光了，还是无事可做。他站起来，来回踱步，穿上暖和的外套，戴上帽子，走出行营。夜又黑又潮，水珠从空中落下。近处，法国近卫军的营火朦胧燃烧；远处，俄国前线的营火在烟雾中闪闪发亮。周围一片寂静，只听见向阵地调动的法军的沙沙声和脚步声。

拿破仑在行营前走来走去，望望营火，听听脚步声，从一个站岗的戴皮帽高个子卫兵旁边走过。那卫兵一看见皇帝，身子挺直得像一根黑柱子。拿破仑在他面前站住。

“你哪年入伍？”他对士兵说话总是装腔作势，用的是军人又亲切又粗鲁的口吻。那卫兵回答了他。

“噢，也是个老兵了！你们团领到大米没有？”

“领到了，陛下。”

拿破仑点点头，走开了。

五点半，拿破仑骑马向舍瓦尔季诺村跑去。

天蒙蒙亮，天空渐渐明朗，只有东方浮着一片乌云。被遗弃的营火在熹微的晨光中熄灭。

右边传出一下深沉的炮声，在万籁俱寂中渐渐消失。过了几分钟，响起第二下、第三下炮声，把空气都震动了，第四下、第五下又在右方近处庄严地响起来。

第一批炮声还没有消失，后面的炮又打响，接二连三，汇成一片。

拿破仑带着随从跑近舍瓦尔季诺多面堡，下了马。战斗开始了。

30

皮埃尔从安德烈公爵那里回到果尔基，吩咐马夫备好马，一早叫醒他，接着就在保里斯留给他的隔板后面角落里睡着了。

皮埃尔第二天早晨醒来，屋里已没有人。小窗子的玻璃琅琅作响，马夫站在旁边摇他。

“老爷！老爷！老爷！”马夫不断地摇他的肩膀，反复叫道，眼睛不看他，显然已不指望能弄醒他。

“什么事？开始了？时候到了？”皮埃尔醒来，问。

“您听听炮声，”当马夫的退伍兵说，“老爷们都走了，总司令也早过去了。”

皮埃尔连忙穿好衣服，跑到台阶上。户外晴朗，空气清新，露珠遍地，一片生机勃勃的景象。太阳刚从乌云后面露出来，一半仍被乌云遮断的阳光，从街对面房子的屋顶上照到沾满露珠的土路上、房屋的墙上、窗上和拴在屋外的皮埃尔的马上。炮声在户外听得格外清楚。一个副官带着哥萨克骑马从街上跑过。

“该走了，伯爵，该走了！”副官嚷道。

皮埃尔吩咐马夫牵马跟在他后面，沿街走向昨天他观察战场的土岗。土岗上有一群军人，可以听到参谋人员在那里用法语谈话，还可以看见库图佐夫头戴红箍白帽，白发苍苍，后脑勺缩在肩膀里。库图佐夫用单筒望远镜望着前面的大路。

皮埃尔拾级走上土岗，向前眺望了一下，一派美丽的景色使他陶醉。这就是他昨天从土岗上欣赏过的广阔画面，如今这地方已布满军队，弥漫着大炮的硝烟，明亮的太阳从皮埃尔左后方冉冉升起，斜射的阳光透过早晨明净的空气，向大地投下金黄和玫瑰红的光线以及长长的阴影。远方的树林仿佛用黄绿宝石雕成，黑黝黝的树梢错落有致地呈现在地平线上。在树林中间，瓦卢耶瓦后面，蜿蜒着斯摩棱斯克大道，大道上都是军队。近处是金黄的田野和树丛。前后左右到处都是军队。这一切都生气勃勃，庄严雄伟，出人意料。但最使皮埃尔惊讶的却是战场本身、鲍罗金诺村和柯洛察河两岸的洼地。

在柯洛察河上，在鲍罗金诺村和村庄两边，特别是左边，在伏依纳河从沼泽的两岸流入柯洛察河的地方，弥漫着一片迷雾。迷雾渐渐扩散，融化，在灿烂的阳光中，把万物渲染得五彩缤纷，光怪陆离。大炮的硝烟同迷雾混合在一起，在这片烟雾中到处都闪耀着早晨的阳光：时而在河面上，时而在露珠上，时而在河两岸和鲍罗金诺军队的刺刀上。在薄雾中可以看见一座白色的教堂、鲍罗金诺农舍的屋顶、一群群士兵，以及绿色的弹药箱和大炮。这一切都在移动，或者像在移动，因为烟雾在这个空间里不停地飘浮荡漾。就像鲍罗金诺附近洼地上笼罩着迷雾那样，在村庄外面，在高空，特别是在全线的左边，在树林里，在田野上，在洼地上，在高地上，不断地升起硝烟，有时一团，有时几团，有时稀落，有时密集。硝烟膨胀，扩散，缭绕，融合，布满了整个空间。

说来奇怪，这些硝烟和炮声竟形成一道迷人的景观。

“噗——噗！”突然出现了一团浓烟，颜色由紫变灰，由灰变乳白，一秒钟后发出了“嘭——嘭！”的响声。

皮埃尔回头看看原是一个圆球的第一团硝烟，发现那里已出现好几团硝烟，正向一边飘去，接着又是“噗……噗噗……”出现了三四团硝烟，然后又隔开一定时间传来悦耳、清晰和准确的“嘭——嘭——嘭”声。这些硝烟时而飘动，时而停留，树林、田野和闪亮的刺刀仿佛就在它们旁边奔跑。左边田野和树丛上不断出现一团团大的硝烟，接着发出庄严的响声；近处洼地和树林上冒出一个个小的步枪硝烟，它们还没有形成球，但接着也发出低低的响声。“嗒啦——嗒啦——嗒啦”，传来步枪的响声，虽然频繁，但比起炮声来则显得杂乱而微弱。

皮埃尔想到那有硝烟、刺刀闪光、大炮、活动和响声的地方去。他回头看看库图佐夫和他的随从，以便拿自己对他的印象和别人对他的印象作一番比较。大家都像他一样眺望着战场，而且怀着同他一样的感情。现在人人脸上都洋溢着爱国的**潜热**，这种情绪皮埃尔昨天就注意到了，但是领悟却是在他同安德烈公爵谈话之后。

“去吧，去吧，好人，基督与你同在！”库图佐夫对站在他旁边的将军说，眼睛没离开战场。

这个将军听到命令走下山去，从皮埃尔身边走过。

“去渡口！”将军严厉地冷冷回答一个参谋官。

“我也去，我也去。”皮埃尔想，便跟着将军走去。

将军骑上哥萨克给他牵来的马。皮埃尔走到牵着几匹马的马夫跟前。皮埃尔问哪一匹最驯顺，然后骑上给他指定的那匹马。他抓住马鬃，脚尖朝外，脚跟夹住马肚子。他感到眼镜在滑下去，但又不能放掉马鬃和缰绳。他跟着将军奔驰起来，引得从土岗上观望他的参谋官都笑了起来。

31

皮埃尔追随的那位将军下了山，陡然向左拐。皮埃尔看不见他，就冲进前面步兵的队伍。他忽左忽右想从他们中间穿过去，但到处都是神色紧张的士兵，他们正忙着一项看不见但显然很重要的事。大家都用愤慨而疑问的目光望着这个头戴白帽的胖子，不知他为什么要骑马冲撞他们。

“怎么骑马跑到队伍中来了！”有人对他喝道。另一个拿枪托推开他的马。皮埃尔伏在鞍鞯上，勉强控制着受惊的马，跑到士兵们前面空旷的地方。

他前面有一座桥，桥边另有一些士兵在射击。皮埃尔走到他们跟前。他不知不觉来到横跨柯洛察河的桥旁。这座桥在果尔基和鲍罗金诺之间，法军在占领鲍罗金诺后首先向它进攻。皮埃尔看见前面有一座桥，桥两头和草地上，在他昨天看见的一捆捆干草里，士兵们在硝烟里干着什么；但尽管这里射击声不断，他却怎么也没有想到这里就是战场。他没有听见枪弹在四方呼啸，炮弹从头上飞过，没有看见河对面的敌人，好久没有看见人员伤亡，尽管有许多人在离他不远处倒下来。他一直脸带笑容，向四周环顾。

“你这家伙怎么在前线骑马？”又有人对他吆喝道。

“向右走，向右走！”有人对他嚷道。

皮埃尔向右走，无意中遇到他认识的拉耶夫斯基将军的一个副官。

这个副官怒气冲冲地对皮埃尔瞪了一眼，显然也要向他吆喝，但一认出是他，就向他点点头。

“您怎么到这里来了？”他说着，向前跑去。

皮埃尔觉得自己来得不是地方，又无事可做，还怕妨碍人家，就跟着副官跑去。

“这里是怎么一回事？我可以跟您一起走吗？”他问。

“等一下，等一下！”副官回答，他跑到一个站在草地上的胖上校跟前，向他传达了什么，然后同皮埃尔说话。

“您怎么到这儿来了，伯爵？”他笑眯眯地对皮埃尔说，“您还是那么好奇吗？”

“是的，是的！”皮埃尔说。但副官拨转马头，继续向前跑去。

“感谢上帝，这里还好，”副官说，“但左翼巴格拉基昂那里打得可厉害了。”

“真的吗？”皮埃尔问，“这是在哪里呀？”

“您跟我到小山上去，那里看得清楚。我们的炮兵阵地还支持得住，”副官说，“您去吗？”

“好，我跟您去。”皮埃尔说，环顾周围，找寻着自己的马夫。直到这时皮埃尔才看见伤员，有的蹒跚地步行，有的躺在担架上。就在他昨天骑马经过、上面摆着一捆捆芳香干草的草地上，僵卧着一个士兵，不自然地歪着头，军帽掉在一边。“为什么不把这个兵抬走？”皮埃尔想问，但一看见副官也在朝着那边望，神色严厉，就不作声了。

皮埃尔没有找到他的马夫，就跟着副官沿洼地向拉耶夫斯基所在的土岗跑去。皮埃尔的马跟不上副官，有节奏地颠簸着。

“您大概骑不惯吧，伯爵？”副官问。

“不，没什么，但马颠得厉害。”皮埃尔困惑不解地说。

“哦！……它负伤了，”副官说，“伤在右前腿，膝盖以上的地方。大概被子弹打中了。恭喜您，伯爵，受了火的洗礼。”

他们经过炮兵后面硝烟弥漫的第六军，走近一座小树林。炮兵已移到前面，正开着炮，发出震耳欲聋的响声。树林里清凉、幽静，一片秋意。皮埃尔和副官下了马，向山上走去。

“将军在这里吗？”副官走近土岗问。

“刚才还在这里，现在到那边去了。”有人向右边指指，回答。

副官回头看了皮埃尔一眼，仿佛不知道现在该拿他怎么办。

“您不用费心，”皮埃尔说，“我到土岗上去，行吗？”

“去吧，去吧，那里可以看到一切，也不那么危险。回头我来接您。”

皮埃尔向炮台走去，副官继续往前走。从此他们再没见面。好久以后皮埃尔才知道，副官当天就有一条手臂被打断了。

皮埃尔上去的那个土岗是个著名的地方（后来俄国人叫它土岗炮台或者拉耶夫斯基炮台，法国人则叫它大多面堡、致命的多面堡、中央多面堡），在它周围死了几万人，它被法国人看作整个阵地存亡的关键。

这个多面堡利用土岗修成，三面挖了壕沟。壕沟里摆着十门大炮，炮口从土墙孔里伸出来。

土岗两边还排列着一门门大炮，也在不断地射击。大炮后面站着步兵。皮埃尔走上土岗，怎么也没有想到，这个挖有几条壕沟、上面有几门炮在射击的地方，竟是那次会战中最重要的地方。

相反，皮埃尔还以为在战斗中这是一个无足轻重的地方，因此安然站在上面。

皮埃尔走上土岗，坐在围绕炮位的壕沟的一端，情不自禁地露出快乐的笑容，瞧着周围发生的一切。他偶尔站起来，仍旧带着那样的笑容，在炮位上踱来踱去，竭力不妨碍装炮弹、开炮、拿着弹药袋和炮弹从他旁边跑过的士兵。这个炮位上的炮接二连三地发射，隆隆的炮声震耳欲聋，整个地区硝烟弥漫。

这里同掩体里步兵心惊肉跳的感觉相反，在这个炮位上，有一小群人同其他壕沟隔离，都忙于干活，这里有一种人人平等、亲如一家的活泼气氛。

皮埃尔那副头戴白帽的非军人样子起初使他们感到惊讶和不满。从他旁边经过的士兵惊奇甚至恐惧地瞟着他的身子。一个麻脸、长腿的高个子炮兵校官，仿佛要看看边上那门炮的射击情况，走到皮埃尔面前，好奇地对他瞧瞧。

一个圆脸的年轻军官，还是个半大孩子，显然刚从中等武备学校毕业出来，非常卖力地指挥着两门交托给他的大炮，一本正经地对皮埃尔说：

“先生，请您让开一点，待在这里不行。”

士兵们瞧着皮埃尔，不以为然地摇摇头。但后来他们相信，这个头戴白帽的人没做什么坏事，而是安静地坐在土堤上，或者带着羞涩的微笑恭敬地避让士兵们，若无其事地在炮位上走来走去，就像在林荫道上散步一样。这时，对他不信任的敌对情绪就转变为戏谑和蔼的同情，就像对待随军的狗、鸡和羊一样。如今士兵们已把皮埃尔当作自己人，还给他起了绰号。他们叫他“我们的老爷”，亲切地取笑他。

一颗炮弹在离皮埃尔两步远的地方爆炸。他拂去溅在身上的泥，笑眯眯地环顾着。

“老爷，您怎么不怕呀，真是的！”一个红脸宽肩的士兵露出雪白的大板牙，对皮埃尔说。

“难道你怕吗？”皮埃尔问。

“哪能不怕？”那兵回答，“炮弹是不留情的。砰的一声，肠子出膛。不能不怕呀！”他笑着说。

有几个兵笑嘻嘻地站在皮埃尔旁边。他们仿佛没有想到他说话也像大家一样，这一发现使他们都乐了。

“这是我们大兵干的活。可是您老爷也来，真是奇怪，老爷真行！”

“各就各位！”年轻的军官对聚集在皮埃尔周围的士兵喝道。这位年轻的军官显然是初次执行职务，因此对士兵和上级都很认真。

整个战场上隆隆的炮声和嘘嘘的枪声越来越激烈了，特别是在巴格拉基昂多面堡左边，但皮埃尔所在的地方，由于硝烟弥漫，什么也看不见。再说，皮埃尔的全部注意力都集中在炮位里亲如一家而同外界隔离的官兵身上。起初，战场的景象和声音在他身上引起一种情不自禁的兴奋，在看到单独躺在草地上的士兵后，他的心情就起了变化。此刻他坐在壕沟的斜坡上，观察着周围的一张张脸。

还不到十点钟，已经有二十来个人从炮位上被抬走；两门炮被打坏，落在炮位上的炮弹越来越多，子弹嘘嘘地在远处呼啸。但炮位里的人都若无其事，四处是一片欢乐的笑语声。

“好炮弹！”一个兵对嗖嗖飞来的榴弹叫道，“不要飞到这里来！飞到步兵那里去！”另一个兵发现榴弹从头上飞过，落在掩护部队里，哈哈笑着说。

“怎么，是相好吗？”另一个兵看到炮弹飞过时有个人蹲下来，嘲笑说。

几个兵聚集在土垒旁，张望前面发生的事。

“他们撤了散兵线，瞧，往回走了。”他们指指土垒外面，说。

“管自己的事，”一个老军士对他们喝道，“他们往回走，说明那边有事。”老军士抓住一个兵的肩膀，用膝盖撞撞他。阵地上发出了一片哄笑声。

“拉到五号炮那里去！”有人从一边喊道。

“大家一齐来，像拉纤一样，齐心协力。”拉炮的士兵快乐地叫道。

“哦，差点儿把我们老爷的帽子打掉了。”爱开玩笑的红脸兵露出牙齿嘲笑皮埃尔。“哼，丑娘们！”一颗炮弹打在炮轮和人腿上，他责骂道。

“哈，你们这些狐狸！”另一个兵取笑弯着身子到炮位来抬伤员的民兵说。

“这饭不好吃吧？哼，你们这些乌鸦，害怕了！”他们对站在断腿伤员面前迟疑不决的民兵嚷道。

“哎哟，哎哟，这家伙！”他们模仿农民民兵说。“他们可不喜欢了。”

皮埃尔发现，炮弹越落越多，伤亡越来越大，但大家的情绪却越来越高。

就像暴风雨临近那样，人人脸上越来越频繁、越来越明亮地焕发着潜藏的怒火，仿佛在对抗当前发生的事态。

皮埃尔不再看前面的战场，不再关心那边发生的事，他专心望着那越烧越旺的火，觉得心里也燃烧着同样的火。

十点钟，炮位前灌木丛中和卡明加河岸上的步兵撤退了。从炮位上可以看见，他们用枪抬着伤员往回跑。一个将军带着随从走上土岗，对上校说了几句话，怒气冲冲地瞧了瞧皮埃尔，命令站在炮位后的掩护步兵卧倒以减少伤亡，自己又走下土岗。接着在步兵队伍里，在炮位右方，传出鼓声和口令声，从炮位上看得见步兵在向前推进。

皮埃尔从土垒后面朝外望。有一个人特别引起他的注意。这是一个青年军官，他脸色苍白，拖着佩剑，一面倒退，一面不安地环顾着。

步兵的队伍在硝烟里消失了，只听见他们拖长的叫声和密集的枪声。几分钟后，就有一批批伤员和抬担架的人从那里走过来。落在炮位上的炮弹越来越多了。有几个倒下的人没有被抬走。大炮周围的士兵更忙碌了。谁也不再注意皮埃尔。他有两次因为挡路而受到怒喝。上士皱着眉头，迈着大步，急急地在几门大炮之间跑来跑去。那个青年军官脸涨得更红，更卖力地指挥着士兵。士兵们传递炮弹，转动身体，装上炮弹，干得更紧张更漂亮了。他们像在弹簧上似的来回跳动。

暴风雨逼近了，人人脸上都泛出皮埃尔看到的心灵的火焰。他站在一个年长的军官旁边。一个年轻的军官手举到帽边，向年长的军官跑来。

“报告，上校先生，炮弹只剩下八发了，还继续放吗？”他问。

“霰弹！”年长的军官望着土垒外喊道，没有回答他的问题。

突然出了一件事：年轻的军官大叫一声在地上坐下来，就像一只中弹的飞鸟。在皮埃尔的眼里，一切都变得古怪、模糊和阴暗了。

炮弹接二连三地呼啸着，有的打中土垒，有的打中士兵，有的打中大炮。皮埃尔以前没有留心这声音，现在只听见这种声音。在炮位右边，皮埃尔觉得喊着“乌拉”的士兵不是在往前跑，而是在往后退。

一颗炮弹打在皮埃尔站着的土垒一边，泥土纷纷撒落下来，他眼前掠过一个大黑球，立刻撞在什么东西上。正向炮位走的民兵纷纷往后退。

“老是打霰弹！”军官叫道。

年轻的军官跑到年长的军官面前，怯生生地低声说，炮弹没有了，那模样就像管家报告主人他要的酒没有了。

“混账东西，怎么搞的！”年长的军官嚷道，一面转身对着皮埃尔。年长的军官涨红脸，满头大汗，皱紧眉头，眼睛发亮。“到后备队去，搬弹药箱！”他嚷道，愤怒地扫了皮埃尔一眼，转身对着他的士兵。

“我去！”皮埃尔说。军官没有理他，大步向另一边走去。

“不要放……等一下！”他喊道。

奉命去搬弹药的兵撞在皮埃尔身上。

“哦，老爷，这里不是你待的地方。”他说着往下跑。皮埃尔跟着那个兵跑过，绕过青年军官坐着的地方。

炮弹接二连三地从他头上飞过，落在他的前面、后面、旁边。皮埃尔往下跑。“我这是往哪儿跑啊？”他突然省悟过来，已经接近绿色的弹药箱。他停下脚步，决不定应该前进还是后退。突然，一股惊人的力量把他往后推倒在地。就在这一刹那，一个巨大的火光把他照亮，也就在这一刹那，他听到了震耳欲聋的轰隆声、爆裂声和呼啸声。

皮埃尔清醒过来，用双手支撑着坐在地上。他旁边那只弹药箱不见了，只有几块燃烧过的绿色木板和布片散落在烧焦的草地上；一匹马拖着断车辕跑开去，另一匹马也像皮埃尔一样倒在地上，发出长长的刺耳的叫声。

32

皮埃尔吓得魂不附体，霍地跳起来，跑回炮台，仿佛那是逃避一切恐怖的唯一场所。

皮埃尔走进堑壕，发现炮台里已听不见炮声，但有人在那里做着什么。这是些什么人，皮埃尔还没明白过来。他看见一个老上校背对他趴在土垒上，仿佛在往下察看什么东西；他看到一个面熟的士兵，嘴里喊着“弟兄们”，竭力要挣脱捉住他手臂的人往前冲；他还看见一些奇怪的事。

但他还没有想到，那个上校已被打死，那个喊着“弟兄们！”的兵已成了俘虏，另一个兵背上挨了一刺刀。他刚跑进堑壕，就有一个穿蓝制服、面黄肌瘦、满头大汗的人，嘴里喊着什么，拿着长剑向他冲来。皮埃尔同他撞了个满怀，本能地进行自卫，一手抓住这人的肩膀，一手掐住他的喉咙。原来这是个法国军官。法国军官丢下长剑，抓住皮埃尔的领子。

一连几秒钟他们两人恐惧地瞧着对方陌生的脸，两人都弄不懂他们在做什么，应该做什么。“是我被俘虏了，还是他被我俘虏了？”他们都这样想。不过，法国军官显然更多地以为自己被俘了，因为皮埃尔由于不由自主的恐惧，他那只有力的手越来越紧地掐着对方的喉咙。法国人想说什么，但突然有颗炮弹惊心动魄地从他们头上低低飞过，法国军官猛地低下头，以致皮埃尔觉得他的脑袋仿佛被打掉了。

皮埃尔也低下头，垂下双手。他们不再想是谁俘虏了谁，法国人跑回炮台，皮埃尔则跑下山去，在死伤者的身上磕绊着，觉得他们在抓他的脚。但没等他跑下山，就遇见一大群迎面跑来的俄国兵。他们磕磕绊绊，大声叫喊，欢天喜地地向炮台跑来。（叶尔莫洛夫①把这次冲锋记在自己的功劳簿上，宣称全靠他的勇敢和运气才取得这一功绩，而且把他口袋里所有的圣乔治十字章都扔在土岗上，奖赏给最先到达的士兵。）

占领炮台的法国人逃跑了。我们的军队口喊“乌拉”追赶法军，追到离炮台很远的地方，因此难以阻止他们。

俘虏从炮台上被带下来。其中包括一个负伤的法国将军。法国将军被军官们围住了。一群群伤员，有的皮埃尔认识，有的皮埃尔不认识，有法国人，有俄国人，脸上都现出痛苦的神色，从炮台上有的走下来，有的爬下来，有的被担架抬下来。皮埃尔又走上他度过一个多小时的土岗，原来把他当作一家人接待的那些人，如今一个也找不到了。许多死人是他不认识的。但有几个他认了出来。年轻的军官仍旧弯着身子，坐在土垒旁的血泊中。红脸的士兵还在抽搐，却没有被抬走。

皮埃尔往山下跑去。

“哦，现在他们该住手了！现在他们该对他们的行为感到害怕了！”皮埃尔想，漫无目的地跟着一群从战场上抬下担架的人走去。

但被硝烟遮住的太阳还高悬在天空，在前方，特别是谢苗诺夫村左边，硝烟中双方正在激战，枪炮声不但没有减弱，反而激烈到极点，就像一个人在垂死挣扎和呼喊。

---

① 叶尔莫洛夫（1777—1861），俄国步兵上将（1818），曾参加1805—1807年俄法战争，1812年任第一集团军参谋长。著有《笔记》。

33

鲍罗金诺会战的主要战斗发生在鲍罗金诺和巴格拉基昂多面堡之间一千俄丈[①]的地区。在这个地区以外，一边有乌瓦罗夫俄国骑兵的佯攻，另一边，在乌基察后边，有波尼亚托夫斯基同杜契科夫进行的接触，但这同中心战场的战斗比起来只是两场小小的单独战斗。在鲍罗金诺和尖顶堡之间的田野上，在树林旁边，这天的主要战斗发生在两边都看得见的旷地上，而且用的是最简单朴素的方式。

双方各用几百门炮互相轰击，展开战斗。

后来，整个战场硝烟弥漫，在硝烟中，德赛和孔朋的两个师就从右边（从法军方面看）向尖顶堡移动，而副王的部队则从左边向鲍罗金诺进攻。

这些尖顶堡离拿破仑所在的舍瓦尔季诺多面堡只有一俄里，但离鲍罗金诺有两俄里以上，因此拿破仑看不到那里发生的事，再加上硝烟混合着迷雾，把整个地区都遮蔽了。德赛师的士兵直到走下尖顶堡前的峡谷才能被人看见。他们一到峡谷，尖顶堡上枪炮的硝烟十分浓密，遮蔽了峡谷那边的整个山坡。硝烟中有时掠过一些黑魆魆的影子，大概是人，有时则掠过刺刀的闪光。但他们是在行动还是站在那里，是法国人还是俄国人，从舍瓦尔季诺多面堡都看不清。

太阳灿烂地升起，阳光斜射在拿破仑脸上，拿破仑手搭凉棚眺望尖顶堡。尖顶堡前硝烟扩散开来，一会儿好像是硝烟在动，一会儿好像是军队在动。有时在枪炮的射击声间歇中可以听见人的呐喊，但不能判断他们在那里做什么。

拿破仑站在土岗上，用单筒望远镜瞭望着。他从望远镜的小筒里看见烟和人，有时是自己人，有时是俄国人；但当他再用肉眼看时，他不知道刚才看见的东西在哪里。

他走下土岗，在土岗前来回踱步。

不仅从下面他站立的地方，不仅从他的将军们现在站立的土岗上，

① 等于2134米。

而且从尖顶堡上也看不清这里所发生的事。在尖顶堡上，俄国兵，法国兵，阵亡的，负伤的，活着的，受惊的，发疯的，轮流出现，混成一片。一连几小时，在这个地方，在连续不断的枪炮声中，时而出现俄国兵，时而出现法国兵，时而出现步兵，时而出现骑兵；他们出现，倒下，射击，搏斗，呐喊，后退，不知该拿对方怎么办。

拿破仑派出的副官和他那些元帅的传令官骑马跑来向他报告军情，但所有这些报告都是靠不住的，因为在激战中无法说清当时的情况，因为许多副官根本没有跑到战斗现场，而只是转告从别人口里听来的消息，还因为副官们跑了两三俄里来到拿破仑那里，情况已发生了变化，他们带来的消息已过时了。例如一个副官从副王那里骑马跑来，报告鲍罗金诺已被占领，柯洛察河上的桥已落到法军手里。副官问拿破仑要不要命令军队过桥，拿破仑下令军队在对岸列队待命，其实不仅在拿破仑发这道命令的时候，甚至在副官刚离开鲍罗金诺的时候，也就是在皮埃尔于会战开始时参加的那场搏斗中，桥已被俄军夺回，并且被烧掉了。

副官吓得面无人色，从尖顶堡骑马跑来向拿破仑报告说，他们的进攻已被打退，孔朋负伤，达武阵亡，然而就在副官得知法军被打退的时候，尖顶堡已被另一部分法军占领，达武并没有死，只是受了点轻伤。拿破仑就凭这些极不可靠的报告发布命令。这些命令不是在发出之前已被执行，就是根本无法执行，因此也就没有被执行。

离战场较近的元帅们和将军们，像拿破仑一样，也没有直接参加战斗，只偶尔来到步枪射程之内，不请示拿破仑，擅自作出部署，命令从哪里往哪里射击，骑兵往哪里跑，步兵往哪里冲。但就连他们的命令也像拿破仑的命令一样，难得被执行，而且执行得很差。发生的情况多半同他们的命令相反。奉命前进的士兵，一遇到霰弹就往回跑；奉命坚守阵地的士兵，突然发现前面有俄国人，有时向后跑，有时往前冲，而骑兵没有等到命令就去追击逃跑的俄国人。这样，两个骑兵团跑过谢苗诺夫峡谷，刚要上山，就拨转马头全速往回跑。步兵也这样行动，有时他们完全违反命令，任意乱跑。大炮何时移动，向何处移动，步兵何时出动射击，骑兵何时追逐俄国步兵，一切命令都是由就近的部队长官擅自作出的，不仅不请示拿破仑，甚至不请示奈伊、达武和缪拉。他们并不害怕不执行命令或擅自发布命令，因为在战斗中关系最重大的是人的生命，有时觉得往后跑安全，有时觉得往前跑安全，而处在战斗中心的人就根据自己的心情行动。其实这种前进或后退并不能减轻或改变部队的情况。他们相互追逐和冲突不会造成什么损害，而造成损害、死亡和残废的，却是他们在旷野上奔跑时遇到的子弹和炮弹。这些人一离开炮弹和子弹横飞的旷野，站在后面的指挥官立刻把他们整编，整顿他们的纪律，并依靠纪律把他们赶回火线，而到了火线，他们在死的恐惧下又丧失纪律，凭着一时的冲动东奔西跑。

34

拿破仑手下的将军达武、奈伊和缪拉离这里的火线很近，有时甚至骑马进入火线，一次次把大量整齐的队伍调到这里。但与历次战役相反，他们没有获得预期的敌人逃跑的消息，而整齐的队伍**从那里**回来，总是惊惶失色，溃不成军。他们重新整编，但人数却越来越少。中午，缪拉派副官向拿破仑求援。

拿破仑坐在土岗下喝混合香酒，这时缪拉的副官骑马跑来，信心十足地说，只要陛下再拨一个师，俄军准会被打垮。

“增援？”拿破仑严厉地说，望着披一头长长的黑色鬈发（像缪拉一样）的俊美青年副官，仿佛不明白他的话。“增援！”拿破仑想，“他们手里有一半军队，用来对付没有设防的软弱的俄军侧翼，还要增援做什么！”

“告诉那不勒斯王，”拿破仑严厉地说，“现在还不到中午，我还看不清楚棋盘。去吧……”

蓄长发的俊美青年副官一直举着手敬礼，长叹一声，又跑回厮杀的地方。

拿破仑站起身，唤来科兰古和贝蒂埃，同他们谈与战争无关的事。

在拿破仑感兴趣的谈话中途，贝蒂埃从眼角看到一个带随从的将军骑一匹汗沫满身的马向土岗跑来。原来是裴里亚。他跳下马，快步向皇帝走来，大胆地高声要求增援。他发誓说，皇上要是再派一个师，俄军就将灭亡。

拿破仑耸耸肩膀，什么也没有回答，继续踱步。裴里亚兴奋地同围住他的随从将军们大声说话。

“你这火暴性子，裴里亚，”拿破仑走到跑来的将军跟前说，“火气大，容易犯错误。你先回去看看，然后再来找我。”

不等裴里亚的影子消失，从战场另一边又有一个使者骑马跑来。

“哼，又有什么事？”拿破仑说，显然被一再打扰激怒了。

“陛下，公爵……”副官刚开口说。

“要求增援吗？”拿破仑生气地做着手势说。副官肯定地点点头，开始报告；但皇帝转过身去，走了两步又站住，回过来叫贝蒂埃。“得派后备队了。”他轻轻地摊开双手说。“您看派谁去？”他对贝蒂埃说，后来他在谈到贝蒂埃时说：“我把小鹅训练成鹰了。”

“陛下，派克拉帕雷德师去怎么样？”贝蒂埃回答说，他把所有的师、团和营都记得一清二楚。

拿破仑赞同地点点头。

副官骑马向克拉帕雷德师跑去。过了几分钟，驻扎在土岗后面的年轻近卫军开走了。拿破仑默默地望着那个方向。

“不！”他突然对贝蒂埃说，“我不能派克拉帕雷德师去。派弗里安师去吧！”他说。

虽然派弗里安师代替克拉帕雷德师没有任何好处，而且现在留下克拉帕雷德而派遣弗里安显然会耽误时间，圣旨还是被严格执行了。拿破仑没有看到，他现在对待军队就像一个乱投药石的庸医，尽管他很懂得这种医生的作用，并加以谴责。

弗里安师也像其他部队一样，隐没在战场的硝烟中。四面八方不断有副官跑来，大家好像商量好一样，说的都是同一件事。大家都要求增援，大家都说俄军坚守阵地，发出疯狂的炮火，使法军迅速瓦解。

拿破仑坐在折椅上沉思。

爱好旅行的波塞先生从早晨起一直饿着肚子，这时走到皇帝面前，斗胆恭请陛下进膳。

“我想现在就可以向陛下祝贺胜利了。”他说。

拿破仑默默地摇摇头。波塞先生以为皇帝摇头是指胜利而不是指进膳，就又俏皮又恭敬地说，可以吃饭的时候，就是天塌下来也要吃。

“走开……”拿破仑突然恼怒地说，转过身去。波塞先生脸上浮起歉疚、悔恨和欣喜交错的怡然微笑，悄悄地溜到别的将军那儿去了。

拿破仑此刻心情沉重，好像一个一向走运的赌徒，随便下注总是赢钱，可是他突然考虑起赌运来，这才发现，他越精心研究赌局，越觉得必输无疑。

军队还是那些军队，将军还是那些将军，准备还是那样的准备，部署还是那样的部署，公告依旧那样简短有力，他还是原来的他，这一层他是知道的。他也知道他现在比以前更有经验，更加精明，甚至知道敌人还是同奥斯特里茨和弗里德兰战役时一样，可是他那震撼天地的巨臂却像中了魔法，变得软弱无力了。

炮兵集中到一点，后备队突破敌人阵线，铁骑进行攻击，所有这些以前必胜的方法都已用上，可是不仅没有取得胜利，而且四面八方都送来同样的消息：将军们伤亡，要求增援，俄军无法击退，法军溃败。

从前，他只要发布两三道命令，说两三句话，元帅和副官就会满面春风地赶来祝贺，报告俘获大批俘虏、成捆敌方军旗和鹰旗、大炮、辎重车，缪拉只要求让骑兵去收集辎重车。在洛迪、马仑戈、阿尔科尔、耶纳、奥斯特里茨、瓦格拉姆[①]等地，情况都是这样。如今他的军队仿佛出了怪事。

虽然传来占领尖顶堡的消息，但拿破仑知道目前的形势同他以往的历次战役不同，完全不同。他知道，他周围有战斗经验的人，此刻的感受同他一样。个个都愁眉不展，彼此避开目光。只有波塞一人不能理解当前形势的严重性。拿破仑凭他长期作战的经验十分清楚，攻方连续八小时作战，经过一切努力仍不能取胜，这意味着什么。他知道，这几乎是败局已定，现在，在这生死关头，只要有一点小小的差错，他和他的军队就会全军覆没。

他回顾这次古怪的对俄战争，他没有打过一次胜仗，两个月来没有

① 这些是拿破仑取得几次重要胜利的地方。

俘获过一面军旗、一门大炮、一个军团。他看到周围人们忧心忡忡的神色，听着俄军坚守阵地的报告，他心中充满了一种类似噩梦的恐怖，他的头脑里浮现出各种可能使他毁灭的不幸事故。俄军可能攻击他的左翼，可能突破他的中央，一颗流弹就可能把他打死。这一切都有可能。以前作战时，他只考虑各种胜利的可能，可现在却有无数不幸的事故摆在他面前，他在等着它们的出现。是的，这好像噩梦，一个人梦见暴徒向他袭击，他在梦中挥动手臂，使劲向暴徒打去，以为准能把暴徒打倒，可是发觉自己的手臂软弱无力，像抹布一样耷拉下来。于是这个束手无策的人恐怖地感到末日来临。

俄军攻打法军左翼的消息在拿破仑心里引起这种恐惧。他垂下头，臂肘支着膝盖，默默地坐在土岗前的折椅上。贝蒂埃走到他面前，建议他视察战线，以弄明战局。

"什么？您在说什么？"拿破仑问，"好，把我的马牵来。"

他骑上马，向谢苗诺夫村跑去。

拿破仑骑马经过的阵地上，硝烟慢慢扩散，人和马匹，有的单独，有的成堆，躺在血泊中。在这样一小块地方死了那么多人，这种可怕的景象拿破仑没有见过，他的将军也都没有见过。隆隆的炮声连续响了十小时，震得人耳朵嗡嗡作响，也使这景象增添一种特殊的意味，就像活动画片配上了音乐。拿破仑骑马登上谢苗诺夫村高地，透过硝烟看见一列列穿陌生军服的人。这是俄国兵。

俄军密集的队伍集结在谢苗诺夫村和土岗后面，他们的炮不停地轰鸣，他们的战线上硝烟弥漫。战斗已经结束。只有持续不断的屠杀，这对俄国人和法国人都没有好处。拿破仑勒住马，又陷入一度被贝蒂埃打断的沉思中。他不能制止当前的事，这事被认为是受他领导和由他决定的，而由于失败，他第一次觉得这件事是多余的，可怕的。

一个将军骑马走到拿破仑面前，大胆提议调老近卫军参战。奈伊和贝蒂埃站在拿破仑身边，交换了一下眼色，对这个将军的无聊建议轻蔑地冷笑了一下。

拿破仑垂下头，沉默了好一阵。

"我不能在离家几千里外的地方毁掉我的近卫军。"他说完拨转马头往舍瓦尔季诺走去。

35

库图佐夫仍在皮埃尔早晨看见他的那个地方，垂下白发苍苍的头，放松笨重的身体，坐在铺毯子的长凳上。他没有发布任何命令，只是对别人的建议表示赞成或者不赞成。

“好，好，就这么办吧！”他回答他们的建议说。“行，行，去吧，好孩子，去瞧瞧！”他时而对这个时而对那个说；或者说：“不，不用，还是等一等！”他听取给他送来的报告，下属请求指示，他就作指示，但他在听取报告时似乎并不关心人家说的意思，却注意人家的脸部表情和说话腔调。他凭多年的作战经验和老人的真知灼见懂得，领导几十万人进行生死搏斗不是一个人所能胜任的；他知道，决定胜负的不是总司令的命令，不是军队所处的地理位置，不是大炮的数量和杀人的数目，而是一种叫作士气的不可捉摸的力量。他留意这种力量，并竭力加以引导。

库图佐夫整个脸部表情是凝神、镇定而又紧张，他勉强忍受着衰老身体的疲劳。

上午十一时他接到消息，被法国人占领的尖顶堡又被夺回来，但巴格拉基昂公爵负伤了。库图佐夫长叹一声，摇摇头。

“去巴格拉基昂公爵那儿，详细了解情况。”他对一个副官说，接着就对站在他后面的符腾堡亲王说：

“能不能请殿下指挥第一军？”

亲王走后不久，可能还没到达谢苗诺夫村，亲王的副官就回来对总司令说，亲王要求增加军队。

库图佐夫皱了皱眉，下令陶赫杜罗夫去指挥第一军，他又请亲王回来，说在这重要时刻他不能没有亲王。当缪拉被俘的消息传来时，参谋官们向库图佐夫祝贺，他微微笑了笑。

“等一下，诸位！”他说，“仗打胜了，但俘虏缪拉并没什么了不起。最好还是慢一点高兴。”不过，他还是派了一个副官向全军通报这消息。

谢尔比宁从左翼送来法军占领尖顶堡和谢苗诺夫村的消息，库图佐夫从战场上的声音和谢尔比宁的脸色上看出，消息是不好的，就站起来，像是要伸伸腿，挽住谢尔比宁的手臂，把他领到一边。

“你去一下，老弟，”他对叶尔莫洛夫说，“去瞧瞧能不能做些什么。”

库图佐夫在果尔基，在俄军阵地的中心。拿破仑对我方左翼的几次进攻都被打退了。在中央，法军没有从鲍罗金诺前进一步。乌瓦罗夫的骑兵迫使法军从左翼逃跑。

三点钟不到，法军的进攻停止了。库图佐夫看到，从前线回来的人和站在周围的人个个脸色极度紧张。库图佐夫对超过期望的胜利感到满意。但老人的体力不支。他的头几次低低垂下，像要跌倒似的。他打起瞌睡来。有人给他送来了午餐。

侍从武官伏尔佐根在午餐时来到库图佐夫跟前。他就是走过安德烈公爵旁边时说战斗应该移到旷野[①]的人，也是巴格拉基昂所憎恨的人。伏尔佐根从巴克莱·德·托里那里跑来，报告左翼的情况。精明能干的巴克莱·德·托里看到伤兵成批后撤，后卫混乱，断定打了败仗，就派亲信来向总司令报告。

库图佐夫费力地嚼着炸鸡，眯细眼睛愉快地瞧了一下伏尔佐根。

伏尔佐根漫不经心地伸伸腿，嘴唇上略带嘲笑，走到库图佐夫跟前，举手碰了碰帽檐。

伏尔佐根装出满不在乎的样子，目的是要表示他是个受过高等教育的军人，让俄国人去把这老废物当作神明吧，他可是知道在同谁打交道。“老先生（德国人私下都这样称呼库图佐夫）倒过得挺自在！”[②]伏尔佐根想。他狠狠地瞧了一眼库图佐夫面前的几道菜，就照巴克莱的吩咐，加上自己的见闻和理解，向老先生报告左翼的情况。

“我方阵地所有据点都落到敌人手里，由于没有军队，无法把他们击退；士兵逃跑，无法阻止。”伏尔佐根报告说。

库图佐夫停止咀嚼，惊奇地盯着伏尔佐根，仿佛听不懂他说的话。

---

①② 原文是德语。

伏尔佐根发现老先生[1]的激动，含笑说：

“我不能对总座隐瞒我目睹的事……军队分崩瓦解……”

“您看见了？您看见了？……”库图佐夫皱紧眉头嚷道，很快地站起来，向伏尔佐根走去，“您怎么……您怎么敢！……”他双手颤抖，做出威胁的姿势，上气不接下气，嚷道：“您怎么敢跟我说这种话，阁下。您什么也不知道。您替我转告巴克莱将军，他的情报是不确实的，战斗的真实情况我总司令比他清楚。”

伏尔佐根想争辩，但库图佐夫打断他的话。

“敌人左翼被打退，右翼被打败。阁下您要是看不清，那就别说您不知道的事。请您回到巴克莱将军那里，告诉他，我决定明天向敌人进攻。”库图佐夫严厉地说。大家都不作声，只听见老将军在呼哧呼哧地喘气。“敌人各方面都被打退，为此我感谢上帝和我们勇敢的军队。敌人被打败了，明天我们就要把他们赶出神圣的俄国土地！”库图佐夫画着十字说，接着流出眼泪，抽噎了一下。伏尔佐根耸耸肩，撇撇嘴，默默地走开去，对老先生的刚愎自用[2]感到惊讶。

“哦，他来了，我的英雄。”库图佐夫对一位走上土岗的魁伟英俊的黑头发将军说。原来是拉耶夫斯基，他在鲍罗金诺战场的主要据点上待了一整天。

拉耶夫斯基报告说，部队坚守阵地，法军不敢再进犯了。

库图佐夫听了他的话，用法语说：

“那么，您不像**别人**那样认为我们应该撤退吗？”

“正好相反，总座，在胜负未定的时候，总是强者胜，”拉耶夫斯基回答，“我认为……”

“凯萨罗夫！”库图佐夫叫他的副官，“坐下，写明天的命令。你呢，”他对另一个副官说，“去前线宣布，明天我们进攻。”

库图佐夫正在同拉耶夫斯基谈话，同时口授命令，伏尔佐根从巴克莱那里回来，报告说，巴克莱·德·托里将军希望得到总司令下发的书面命令。

---

①② 原文为德语。

库图佐夫眼睛没看伏尔佐根，吩咐写出书面命令。前任总司令千方百计想弄到这份书面命令以推卸责任。

全军的情绪，也就是所谓士气，照库图佐夫的话来说，就是战争的主要神经，靠的是一种神秘的联系。库图佐夫颁发的明天作战的命令，就是通过这种联系同时传遍全军队的每个角落。

库图佐夫的话，他的命令，传到这种联系的最后一环时已经走了样。传到各个角落的命令甚至同库图佐夫的原话毫无共同之处；但是他说的意思却已传遍各处，因为库图佐夫说这话不是出于狡猾的考虑，而是出于真挚的感情。这种感情潜藏在总司令心里，也潜藏在每个俄国人心里。

听说明天就要向敌人进攻，又从军队上级证实了他们愿意相信的事，身体疲劳、情绪动摇的官兵们又都得到了安慰和鼓励。

36

安德烈公爵的团是后备队。这些后备队部署在谢苗诺夫后面，经受着猛烈炮火的攻击，直到一点多钟还没有参加战斗。将近两点钟，这个团已损失两百多人，向前推进到谢苗诺夫村和土岗炮台之间被践踏的燕麦田里。这一天，这里已死了几千人，而在两点之前，敌人的几百门大炮又集中火力向这里猛轰。

这个团没有离开这地方，也没有放过一枪，却又损失了三分之一的人员。从前方，特别是从右方，大炮在浓重不散的硝烟中隆隆轰鸣；从前面弥漫整个地区的神秘烟云中不断飞出急促的咝咝响的炮弹和速度较慢的呼啸着的榴弹。有时，整整一刻钟，所有的炮弹和榴弹都从他们头上飞过，仿佛让他们休息一下；但有时在一分钟里就要失去几个人，打死的人不断被拖开，负伤的人不断被抬走。

炮击连续不断，对那些还没有被打死的人来说，生存的机会越来越少。团分为几个营纵队，纵队之间的距离是三百步，虽然如此，大家的心情却是相同的。团里人人都默不作声，愁眉不展。队伍中难得有说话声，只要一听到炮弹落地和叫“担架”声，谈话就立刻停止，大部分时间团里的人都奉命坐在地上。有人摘下帽子，舒展开皱褶，又折起来；有人用手掌搓碎干土，拿来擦刺刀；有人揉揉皮带，拉拉佩刀带的带扣；有人小心地解开包脚布，重新包上，再穿上靴子。有人用田里的草土盖棚子，有人用麦草编小篮子。大家仿佛都一心一意干着活。有人负伤，有人阵亡，有时担架抬过，有时我军后退，有时透过硝烟看到大批敌人，但对这一切谁也不加注意。但当我们的炮兵、骑兵前进时，当看到我们的步兵调动时，就从四面八方发出一片赞许声。但最引人注意的却是一些同战斗毫无关系的事，仿佛这些精神上疲惫不堪的人在生活琐事上获得了休息。一个炮兵连从团的前面走过。一匹拉边套的马在炮兵弹药车的挽索上绊了一下。"哦，那匹拉边套的马！……把腿伸出来！它会跌倒的……唉，他们没有看见！……"全团各排异口同声地嚷道。一会儿，一条棕色小狗竖起尾巴不知从哪里跳出来，吸引了大家的注意。小狗慌张地从队列前面跑过，突然附近落下一颗炮弹，小狗就夹紧尾巴奔到一边。全团爆发出一片笑声和叫声。不过，这一类消遣只延续几分钟，而那些人没有东西吃，没有事做，处在死亡的恐惧中，已经八个多小时。他们苍白和忧郁的脸变得更苍白更忧郁了。

安德烈公爵跟全团所有的人一样，脸色苍白，神情忧郁，低着头，背着手，在燕麦田旁的草地上两条田界之间来回踱步。他没有事要做，也没有命令要发。一切都自动进行着。打死的人从前线被拖开，负伤的人被抬走，队伍并拢来。士兵要是跑开，立刻又赶回来。起初安德烈公爵认为，鼓舞士气，以身作则，这是自己的责任，但后来明白，他不需要也不可能教诲他们。他也像每个士兵一样，全部心力就是避不思考处境的危险。他拖着双脚，飒飒地踩着青草，在草地上走着，察看着落在靴子上的尘土；有时他迈着大步，竭力踩着割草人留在草地上的足迹；有时数着脚步，计算着从这边田界到那边田界要来回走几次才是一俄里，有时他采下田界下的苦艾花，拿起来在手心里搓搓，闻闻那种刺鼻的苦涩香气。昨天的思想已影踪全无。他什么也不想。他用疲倦的耳朵倾听着同样的声音，辨别着炮弹的呼啸声和爆炸声，观察着一营士兵的脸色，等待着。"嘿，又来了……又打到我们这里来了！"他倾听着从硝烟中逼近的啸声，想，"一个，两个！又是一个！打中了……"他站住，看看队伍，“不，飞过去了。哦，这个被打中了。”他又踱起步来，竭力迈着大步，想用十六步走到那边田界。

一阵啸声，紧接着是一声爆炸。离他五步远的地方，一颗炮弹溅起干土，消失了。他的脊背上不由得起了一阵寒战。他又望望队伍。大概打中了好多人；一大批人聚集在二营那里。

“副官先生，”他喊道，“叫他们别挤在一起。”

副官执行了命令，向安德烈公爵走来。营长骑马从另一边走来。

“当心！”响起一个士兵惊慌失措的声音。紧接着就有一颗榴弹像一只飞鸟带着啸声突然落在地上，离安德烈公爵只有两步，就在营长的坐骑旁边。那马不管可不可以表示恐惧，首先打了一个响鼻，竖起前蹄，差点儿把营长抛下来，接着往一边跑去。马的恐惧传给了人。

“卧倒！”伏在地上的副官叫道。安德烈公爵站着犹豫不决。在耕地和草地边上一丛苦艾旁边，在安德烈公爵和卧倒的副官之间，榴弹冒着烟，像陀螺似的旋转着。

“难道这就是死吗？”安德烈公爵想，用从未有过的羡慕目光望着青草、苦艾和旋转的黑球冒出的一缕浓烟，“我不能死，我不想死，我爱生活，我爱这草、这土地、这空气……”他想，同时想起大家都在望着他。

“可耻，军官先生！”他对副官说，“多么……”他没有把话说完。就在这一刹那，发出一声爆炸，弹片像打碎的窗玻璃似的飞溅开来，传来一股令人窒息的火药味。安德烈公爵踉跄了一下，举起一只手，扑倒在地上。

几个军官跑到他跟前。鲜血从他的右腹部流出来，染红了一大片草地。

抬担架的民兵应召来到军官的后面。安德烈公爵伏在地上，脸贴着青草，困难地喘着气。

“喂，还站着干什么，过来！”

几个农民走上来，抓住他的肩膀和腿，但他痛苦地呻吟着。农民们交换了一下眼色，又把他放下。

“当心，抬起来，总归要把他抬走！”有人喝道。他们又把他抬起来，放到担架上。

“哦，天哪！天哪！这是怎么一回事？……肚子！这下子可完了！天哪！”军官中有几个说。“弹片从我耳朵根的头发旁嗖的一下飞过。”副官说。农民们抬起担架，连忙沿着他们踏出的小路向救护站跑去。

“合上步子……喂！……庄稼汉！”一个军官喝道，抓住那些步子错乱的抬担架的农民的肩膀。

“合上步子，喂，赫维多尔，赫维多尔！”领头的农民说。

“对了，好神气！”后面那个合上步子，快乐地说。

“是大人？呃？是公爵？”基莫兴跑过来，望望担架，用发颤的声音说。

安德烈公爵的头深埋在担架里。他睁开眼睛，望望说话的人，又合上眼皮。

民兵把安德烈公爵抬到树林里，那里停着辎重车，设立了救护站。救护站由三座卷起帐篷边的帐篷组成，搭在桦树林边上。桦树林里停着辎重车和马匹。马从车下燕麦口袋里吃着燕麦，麻雀飞来啄食落下的麦粒。乌鸦闻到血腥味，迫不及待地在桦树林上飞来飞去，嘎嘎啼叫。帐篷周围，在两俄亩[①]大小的地方，浑身血迹的人们穿着各种服装，有的卧，有的坐，有的站在那里。伤员周围站着一堆堆抬担架的民兵，他们神色沮丧而又关切。维持秩序的军官们想把他们从这里赶走，但是没有用。他们不理军官们，靠着担架站在那里，凝视眼前发生的事，仿佛想理解这难以理解的景象。帐篷里时而传出愤怒的号叫，时而传出悲惨的呻吟。助医偶尔跑出来取水，指明把哪些伤员抬进去。伤员在帐篷外等待着，他们呼喊着，呻吟着，哭泣着，叫嚷着，咒骂着，还讨酒喝。有些在说胡话。民兵们跨过没有包扎的伤员，把团长安德烈公爵抬到帐篷旁边，等待命令。安德烈公爵睁开眼睛，好半天弄不懂周围是怎么一回事。他记起了草地、苦艾、耕地、旋转的黑球和他对生活的热爱。离他两步的地方站着一个高大俊美的黑发士官，头上裹着绷带，手里拄着一根树枝。他的头和腿都被子弹打伤。他大声说话，引起大家的注意。

① 1俄亩等于1.09公顷。

一群伤员和抬担架的人围着他，出神地听他讲。

“我们往那里一冲，他们就把什么都扔下跑掉，我们把王爷都抓到了！”一个士兵闪亮热情的黑眼睛，环顾周围，大声说，“要是当时后备队赶到，他们就全完蛋了，我老实对你说……”

安德烈公爵像周围的人一样，目光炯炯地看着他，心里感到一种安慰。“如今还不都一样，”他想，“那里会怎么样？这里又有什么呢？为什么我那么舍不得放弃生命？生命里有些东西我过去不理解，现在还是不理解。”

37

一个医生系着血迹斑斑的围裙，一双不大的手沾满鲜血，一只手的拇指和小指夹着雪茄（免得弄脏），走出帐篷。这个医生昂起头，没看伤员，而往两边张望。显然，他想稍微休息一下。他把头向左右两边转了一阵，叹了一口气，垂下眼睛。

“好，马上就来。”助医指指安德烈公爵，医生回答，并吩咐把他抬到帐篷里。

等待治疗的伤员发出一阵怨言。

安德烈公爵被抬进去，放在一张刚由助医洗干净的桌上。安德烈公爵看不清帐篷里的景象。四面八方传出的悲惨呻吟，大腿、腹部和背上的剧痛分散了他的注意。他所看见的周围的一切汇成一个总的印象：赤裸裸、血淋淋的人体充塞低矮的帐篷，就像几星期前，在炎热的八月的一天，这样的人体填满斯摩棱斯克大道旁肮脏的池塘。是的，就是那些人体，就是那些炮灰，当时就使他感到恐怖，仿佛预告着今天这样的局面。

帐篷里有三张桌子。两张已有人，安德烈公爵被放在第三张桌上。好一阵没有人理他，他不由自主地看到了另外两张桌上发生的事。旁边一张桌上坐着一个鞑靼人，从扔在旁边的军服上看，大概是个哥萨克。有四个士兵把他捉住。医生戴着眼镜，在他褐色的肌肉发达的背上割着什么。

“哦哟哟，哦哟哟，哦哟哟！……”鞑靼人像杀猪一样号叫。他突然抬起高颧骨、狮子鼻的黑脸，龇着雪白的牙齿，挣扎、抽搐、拖长声音尖叫。另一张桌子围满了人，上面仰天躺着一个胖大的人，他的头向后仰着（安德烈公爵觉得他的鬈发、鬈发的颜色和头形十分熟识）。几个助医压在他的胸上，把他按住。一条又白又胖的大腿不停地抽搐，颤动。这个人痉挛地号啕大哭，喘不过气来。两个医生在他的另一条发红的大腿上做着什么。其中一个医生脸色苍白，身子哆嗦。戴眼镜的医生处理好鞑靼人，在他身上盖了一件军大衣，擦擦手，走到安德烈公爵身旁。

他瞧了瞧安德烈公爵的脸，连忙转过身去。

“把衣服脱了！站着干什么？”他生气地对助医们喝道。

当助医匆匆卷起袖子，解开他的纽扣，脱去他的衣服时，安德烈公爵想起了遥远的童年。医生对伤口俯下身子，摸了摸，深深地叹了一口气。然后他向谁做了个手势。腹部一阵剧痛使安德烈公爵失去知觉。他醒来时，大腿的碎骨已被取出，破碎的肌肉已被割去，伤口已包扎好了。有人在他脸上喷了水。安德烈公爵一睁开眼睛，医生就弯下腰，默默地吻了吻他的嘴唇，匆匆走了。

在经历了这番痛苦以后，安德烈公爵体验到好久没有体验到的幸福。他想起一生中最幸福的美好时光，特别是那遥远的童年，当时他被脱去衣服放到小床上，保姆在他旁边哼着催眠曲，他把头埋在枕头里，领略着生的幸福。此情此景在他的头脑里仿佛不是往事，而是现实。

医生们在一个伤员旁边忙碌着，安德烈公爵觉得那个伤员的头形很熟。他们把他扶起来，竭力安慰他。

“让我瞧瞧……哦，哦，哦！哦，哦，哦！”他断断续续地呜咽着，因恐惧而不住呻吟。安德烈公爵听到这呻吟，直想哭。是因为他没有获得荣誉就死呢，还是因为他舍不得离开人世；是因为对那一去不返的童年的回忆，还是因为他在受苦，别人也在受苦，还是因为那人在他面前呻吟得那么伤心。总之，他直想流泪——那是天真、善良而近乎快乐的泪。

他们给那个伤员看他那条截下的依旧穿着靴子带着血的断腿。

“哦！哦哦哦！”他像女人似的痛哭起来。医生站在伤员前面，挡住他的脸，这时走开了。

“天哪！这是怎么一回事？他怎么在这里？”安德烈公爵自言自语。

他认出这个刚被截去腿、失声痛哭、极其虚弱的不幸的人是阿纳托里。他们扶着阿纳托里，给他一杯水，但他肿起的嘴唇颤抖着，碰不到杯边。阿纳托里悲伤地呜咽着。“对，就是他；对，这个人同我有过什么密切而痛苦的关系，”安德烈公爵想，还没弄清眼前的事。“这个人同我的童年、同我的生活有过什么关系？”他自问，但是得不到解答。突然，安德烈公爵想起了纯洁可爱的童年世界。他想起了娜塔莎，就像一八一〇年第一次在舞会上看到她那样：细细的脖子，小小的手，又惊又喜、经常处于兴奋状态的脸。他对她的眷恋和柔情在他心里空前强烈地觉醒了。现在，他终于想起这个眼睛浮肿、泪水盈眶的人，想起了他同他的关系。安德烈公爵想起了一切，感到幸福，心里充满了对这个人的怜悯和友爱。

安德烈公爵再也忍不住，他为别人、为自己、为别人和自己的迷误流出了同情和爱的泪水。

“同情、博爱、恋爱、对恨我们的人的爱、对敌人的爱，对了，这就是上帝在世界上宣扬的爱，就是玛丽雅教给我的爱，可是我一直不理解；对了，就是因为这个缘故我爱惜生命。要是我还能活下去，这就是我心中剩下的唯一的感情。但现在已经晚了，这一点我知道！”

38

战场上尸横遍野、伤员累累的惨象，自己头脑里沉重的感觉，二十名熟识将军伤亡的消息，以及自己原来强有力的手臂变得软弱无力的意识，这一切对拿破仑起了意料不到的作用。拿破仑一向爱看伤亡的景象，以为这可以考验自己的意志。这天战场上的可怕景象却压倒了他的精神力量，他自以为具有这种力量，因而高人一等。他匆匆骑马离开战场，回到舍瓦尔季诺土岗。他脸色枯黄、浮肿、阴郁，眼睛模糊，鼻子发红，声音嘶哑，坐在折椅上，情不自禁地听着炮轰，没有抬起眼睛。他怀着病态的忧郁指望结束这场由他挑起而无法制止的战争。人类感情刹那间胜过了他长期追求的生活幻象。他亲身体验到他在战场上看到的苦难和死亡。他头脑沉重，精神压抑，想到他也可能遭到这样的痛苦和死亡。在这一刹那，他既不要莫斯科，也不再要胜利和荣誉。他还需要什么荣誉呢？他现在唯一的希望就是休息、安静和自由。不过，当他来到谢苗诺夫高地时，炮兵指挥官要求他再调几个炮兵连到高地，以加强火力对付聚集在克尼亚兹科伏的俄军。他同意了，并命令向他报告这些炮兵连发挥了什么作用。

副官骑马跑来说，奉皇帝圣旨，调来两百门炮轰击俄军，但俄军仍坚守阵地。

“我们向他们开排炮，但他们仍没有动。”副官说。

“他们还嫌不够！……”拿破仑哑着嗓子说。

“陛下，您是说？……”副官没有听清楚，问道。

“他们还嫌不够，”拿破仑皱起眉头，声嘶力竭地说，“那就再给他们一些。”

他想做的事，没有他的命令就在做了。他之所以发布命令，是因为他以为大家在等他的命令。他又回到原来妄自尊大的幻想世界，又驯服地扮演他那命定的残忍、悲伤、痛苦的灭绝人性的角色，好像一匹马拉着磨盘转，还自以为是在替自己干活。

这个人应负的责任比谁都多。他的理智和良心不仅在这一天、这一小时变得暗淡无光，直到生命的末日，他永远无法理解真、善、美，无法理解自己倒行逆施、灭绝人性的行为的意义。他不能放弃自己受半个世界歌功颂德的行为，因此他也就不得不放弃真和善，放弃一切合乎人性的东西。

不仅这一天，他骑马巡视尸横遍野、伤员成堆的战场，他知道这是由他的意志造成的。他瞧着这些伤亡的官兵，计算着几个俄国人抵一个法国人。他自欺欺人，认为一个法国人要抵五个俄国人，并因此而陶醉。不仅这一天，他写信到巴黎，说战场十分壮观，因为上面横着五万具尸体。但后来在圣赫勒拿岛上，在与世隔离的宁静中，他说他要利用空暇来叙述他做过的伟大事业，他写道：

对俄战争是当代最得人心的战争：这是一场明智和有益的战争，是保障人类平静和安全的战争，这场战争完全是爱好和平的、保守的。

这场战争是为了实现伟大目的，结束意外事件，开创太平局面。新的天地、新的工作就可以开展，大家就能丰衣足食，幸福安康。新的欧洲秩序就能确立，只要加以组织就行。

只要这些重大问题得到解决，到处都安定下来，那么，我也就有自己的**国会**和自己的**神圣同盟**。这些思想他们是从我这里盗用的。在这次各国伟大君主的聚会上，我们可以像一家人那样讨论我们的利益，并像账房向东家交账那样向人民交账。

这样，欧洲很快就能成为一个统一的民族，不论谁到哪里旅行，都会觉得像在共同的祖国。

我愿宣布，所有的河流都对一切人开放，海洋是公有的，庞大的常备军要缩编成为各国君王的近卫军，等等。

我要是回到法国，回到我那伟大、强盛、壮丽、太平、光荣的祖国，我将宣布它的国界永不变更，未来的任何战争都是**防御性的**，一切扩张都是反民族的，我要率领我的儿子一起管理帝国，我的**独裁**要宣告结束，宪政将要开始……

巴黎将成为世界的京都，法国人将为各国人民所羡慕！……

然后，我将在皇后帮助下，在我儿子受皇室教育时期，利用闲暇和晚年，像一对乡村夫妇那样，悠闲地巡视全国各地，接受诉状，平反冤狱，在各处兴建大厦，造福民众。

他命定要担任各国人民刽子手的可悲角色，却自欺欺人地说，他行动的目的是为各国人民谋福利，他能支配千百万人的命运，并能依靠权力造福于民！

他接着叙述对俄战争道：

在跨过维斯拉河的四十万人中，有一半是奥地利人、普鲁士人、撒克逊人、波兰人、巴伐利亚人、符腾堡人、梅克伦堡人、西班牙人、意大利人和那不勒斯人。严格地说，皇军有三分之一是荷兰人、比利时人、莱茵河两岸居民、皮埃蒙特人、瑞士人、日内瓦人、托斯卡纳人、罗马人、三十二师①、不来梅人、汉堡人等，其中说法语的至多十四万人。

远征俄国其实使法国损失不到五万人；俄军自维尔诺退至莫斯科，在各次会战中损失四倍于法军；莫斯科大火使俄国损失十万人，都是死于树林中的寒冷和饥饿；最后，俄军从莫斯科反攻到奥德河也因天气严寒而损失惨重；俄军在抵达维尔诺时只有五万人，而到卡利什时已不足一万八千人。

他认为，对俄战争是凭他的意志发动的，但可怕的结局并未使他胆战心惊。他勇敢地承担这事的全部责任，而他那丧失理智的头脑还在替自己辩解，说什么几十万阵亡的人中，法国人少于黑森人和巴伐利亚人。

39

几万具尸体穿着各种军服，以各种姿势躺在属于达维多夫家和官府农奴的田野和草地上。几百年来，鲍罗金诺、果尔基、舍瓦尔季诺和谢苗诺夫村的农民在这片田地上收割庄稼，放牧牲口。在急救站周围一俄亩的地方，青草和泥土都浸透了鲜血。各兵种负伤的和没有负伤的士兵，脸色惊慌不安，有的退向莫扎依斯克，有的退向瓦卢耶瓦。另有一些士兵，又饥又乏，由长官带领前进。还有一些士兵留在阵地上继续射击。

整个田野，原来在早晨的阳光照耀下刺刀闪闪，硝烟弥漫，是那么壮丽，如今却是一片愁云惨雾，散发出酸涩的硝烟和血腥味。乌云密布，雨稀稀拉拉地落在死者和伤者的身上，落在惊惶困乏、疑虑重重的人们身上，仿佛说："够了，够了，人们。停止吧……清醒清醒吧。你们这是在干什么呀？"

双方忍饥挨饿、精疲力竭的士兵都开始怀疑，是否应该继续互相残

---

① 达武元帅属下的师，大部分是从汉堡和不来梅地区征集来的。

杀。人人脸上都现出犹豫，个个心里都产生这样的问题：“为了什么，为了谁，我必须杀人和被杀？你们要杀就杀吧，你们高兴怎么干就怎么干吧，我可不干了！”傍晚，这种思想在人人心里都成熟了。他们随时都会对他们的行为感到恐怖，都会抛下一切而撒腿逃跑。

虽然在会战将近结束时，人们已感觉到他们的行为十分可怕，虽然他们乐意罢手，但是，一种神秘的力量继续引导着他们。于是，这些汗流浃背的炮兵，虽只剩下三分之一人员，却仍在硝烟和鲜血中磕磕绊绊，气喘吁吁，搬运弹药，装上炮弹，瞄准，点火；炮弹仍旧那么迅速而残酷地飞来飞去，炸碎人的身体，不是出于人们的意志，而是出于统治人类和世界的上帝的意志，要把那可怕的事继续干下去。

凡是看到俄军后方混乱局面的人都会说，法国人只要稍微再加把劲，俄军就会毁灭；凡是看到法军后方混乱局面的人都会说，俄国人只要稍微再加把劲，法军就会毁灭。但法国人没有那么办，俄国人也没有那么办，于是战火就慢慢地熄灭下去。

俄国人没有那样努力，因为不是他们向法国人进攻。会战开始时，他们只是坚守通往莫斯科的大道，拦截法国人，会战结束后，他们仍守在那里，同开始时一样。但即使俄军的目的是要打退法军，他们也无法做出这最后的努力，因为俄国部队全都被击溃，没有剩下一支完整的队伍，俄军虽坚守阵地，但已损失一半人马。

法国人呢，他们记得十五年来他们所取得的胜利，相信拿破仑常胜不败，知道他们已占领了一部分战场，他们只损失了四分之一人马，他们还有两万完整无损的近卫军，他们是很容易加那么一把劲的。法军攻击俄军，目的是要把他们赶出阵地。他们应该努力，因为只要俄军像以前那样挡住去莫斯科的道路，法国人的目的就没有达到，他们的全部努力和损失都是白费。但法国人没有做出这种努力。有些史学家说，拿破仑只要动用他那完整的老近卫军，这一仗就会打赢。说拿破仑要是出动老近卫军将会有什么结果，就如同说，春天要是能变成秋天将会有什么结果一样。这是不可能的。拿破仑没有出动老近卫军，并非他不想这样做，而是做不到。法军所有的将军、军官、士兵都知道，这是办不到的，因为低落的士气不允许这样做。

不仅拿破仑一个人有类似做噩梦的感觉，觉得他那强健有力的手臂变得软弱无力，而且法国全体将军，参战和未参战的士兵，在经历过历次战斗（只要付出十分之一的力量就能迫使敌人逃跑）之后，面临当前的敌人也有类似的感觉，因为这敌人损失了**半数**人马，在战斗末尾仍像战斗开始时那样屹立不动。而作为进攻一方的法军，士气已经消磨殆尽。俄军在鲍罗金诺的胜利，不决定于夺获多少杆布片（军旗），部队坚守过和坚守着多少阵地，而决定于士气，也就是他们的精神力量超过敌人，并使敌人意识到自己无能为力。法国侵略者好像一头狂怒的野兽，在逃跑中得了致命伤，它感觉到自己的末日来临，却不能停下来，就像力量削弱一半的俄军不能退让一样。法军在受了打击之后仍能拖到莫斯科，但到了莫斯科，即使俄国人不做新的努力，它也会因在鲍罗金诺受了致命伤，流血不止而灭亡。鲍罗金诺会战的直接后果是拿破仑无缘无故从莫斯科逃跑，沿着斯摩棱斯克故道退却；是五十万侵略军的覆灭和拿破仑法国的崩溃。在鲍罗金诺，法国第一次受到士气超过它的敌人的沉重打击。

第三部

1

运动的绝对连续性是人类智慧所无法理解的。人类只有从运动中任意撷取一些片断加以观察，才能理解这种运动的规律。不过，把连续的运动分割成不连续的片断，这是造成人类大部分错误的原因。

有一个众所周知的古代诡辩术：阿喀琉斯[①]永远追不上前面的乌龟，虽然阿喀琉斯比乌龟走得快十倍。因为当阿喀琉斯走完他同乌龟之间的距离时，乌龟又走了这距离的十分之一；阿喀琉斯走完这十分之一的距离时，乌龟又走了百分之一的距离，以此类推，永无止境。这个问题古人无法解决，并因此产生阿喀琉斯永远追不上乌龟的荒唐答案。这是把运动任意分割成不连续的片断造成的，但阿喀琉斯和乌龟的运动却是连续不断的。

采用越来越小的运动单位，我们只能接近而不能获得问题的答案。只有承认无穷小和由此而产生的十分之一的级数，并取得这一几何级数的总和，我们才能获得问题的答案。数学的一个新分支已能处理无穷小的问题，在其他更复杂的运动问题上，现在也已能解决过去所无法解决的问题。

这个古人所不知道的数学新分支，在研究运动问题时，承认无穷小的存在，也就是恢复运动的主要条件（绝对连续性），因而纠正了人类研究运动的个别片断而不研究运动连续性所犯的不可避免的错误。

探索历史运动规律，情况完全相同。

---

① 希腊神话中的英雄。

人类的运动，是人类无数意志积累的结果，是连续不断的。

掌握这个运动的规律是历史学的目的。但为了掌握人类意志总和的不断运动的规律，人的智慧就拿意志的不连续的片断来加以研究。历史学的第一种研究方法是，撷取一系列意志的连续性事件孤立地加以研究，其实任何事件都不可能有一个开端，因为一件事总是连续地从另一件事产生的。第二种方法是把一个人（皇帝、统帅）的个人行为看作众人意志的总和，其实众人的总和从不表现在一个历史人物的行动中。

历史学在本身的发展中不断拿越来越小的片断进行研究，想以此接近真理。但不论历史学研究的片断多小，我们认为，承认与其他事情无关的孤立片断，承认任何现象的**开端**，承认众人的意志可以表现在一个历史人物的行动中，都是完全错误的。

任何历史结论，不需评论界费一点力气，就会被彻底推翻，化为乌有，就因为评论界总是拿或大或小的孤立片断来进行研究；评论界总是有权这样做，因为历史片断总是任意选取的。

只有承认无穷小的单位——历史的微分（就是人的个人倾向）——而进行观察，并掌握求积分的方法，我们才有希望认识历史的规律。

十九世纪最初十五年，欧洲发生了几百万人的非常的运动。人们放弃自己惯常的活动，从欧洲这一边跑到那一边，到处抢劫，互相残杀，欢庆胜利，灰心丧气，整个生活在几年里发生变化，出现了剧烈的运动，起初不断发展，后来逐步衰落。人的智慧问：这个运动的原因是什么？它是按照什么规律进行的？

史学家回答这个问题，向我们介绍巴黎一座大厦里几十个人的言行，并把这些言行称作“革命”；然后介绍拿破仑和他的拥护者与反对者的详细经历，叙述他们中一部分人对另一部分人的影响，并且说这就是发生运动的原因，这就是运动的规律。

但人的智慧不仅不相信这种解释，而且直率地说，这种解释方法是错误的，因为按照这种解释，极其微小的现象可能被当作极其重大事件的原因。人们意志的总和造就了革命和拿破仑，也是这些意志的总和容忍了他们，又把他们消灭。

“但每次征服都有征服者；每次国家发生革命都有伟大人物。”历史这样说。人的智慧回答说：不错，每当出现征服者的时候就有战争，但这并不证明，征服者就是战争的原因，也不证明从一个人的个人行为中可以找到战争规律。我每次看表，时针指到“十”，我就听见附近教堂钟声当当，但我不能因此得出结论说，每当指针指到“十”，教堂响起钟声，时针的位置就是打钟的原因。

每次我看见火车头开动，就听见汽笛声，看见阀门打开，车轮转动；但我不能因此得出结论说，汽笛鸣响和车轮转动是火车头开动的原因。

农民说，暮春刮寒风，是因为栎树抽芽。的确，每年栎树抽芽的时候，总要刮寒冷的春风。虽然，我不知道栎树抽芽时刮寒风的原因，但我不能同意农民认定栎树抽芽是刮寒风的原因的说法，因为风力不受抽芽的影响。我只看见生活现象中某些条件的偶合，并且知道，不论怎样长久仔细观察表的指针、机车阀门和车轮以及栎树的抽芽，我都不能知道出现钟声、机车开动和刮春风的原因。为了这个缘故，我应该彻底改变我的观点，研究蒸汽运动、钟鸣和刮风的规律。对历史也应该这样做。这方面的尝试已经有人做过了。

要研究历史规律，我们应该完全改变观察的对象，抛开帝王将相，而着眼研究支配群众的同类无穷小的因素。没有人说得出，这样研究历史规律，人们能取得多大成就；但显而易见，只有用这种方法，才有可能发现历史规律，而人的智慧在这方面所做的，还不及史学家描述帝王将相事迹和评论他们行为的百万分之一呢。

2

欧洲十二个民族入侵俄国。俄国军队和俄国人民避免冲突，退到斯摩棱斯克，又从斯摩棱斯克退到鲍罗金诺。法国军队不断加速冲向莫斯科，冲向运动的目标。这种冲力越接近目标就越大，就像物体坠落，越接近地面速度越大一样。背后是几千俄里饥饿敌对的国土，前面离目标还有几十俄里。这一点拿破仑军队的每个士兵都感觉到，而侵略就凭着一股冲力向前推进。

俄军越往后退，仇恨敌人的怒火就烧得越旺；在后退的过程中队伍越加集中，力量越加增强。在鲍罗金诺周围双方发生了冲突。双方军队都没有溃败，但俄国军队在冲突后不得不立刻后退，就像一个球，碰到另一个冲力更大的球，不得不后退一样；那个猛冲的侵略的球，虽然在冲突时失去全部力量，还是要滚一段路。

俄军后退一百二十俄里，退离莫斯科，法军到达莫斯科，在那里停下来。此后五个星期没有打过一仗，法军停住不动。他们仿佛一头负了致命伤、流血不止的野兽，舔着自己的伤口，五个星期一直留在莫斯科，什么事也没做，突然无缘无故往回跑。他们直奔卡卢加大道（在获得胜利之后，因为马洛雅罗斯拉韦茨城下的战场又落到他们手里），没有打过一场大仗，就更快地逃回斯摩棱斯克，过了斯摩棱斯克到维尔诺，又到别列津纳河，一直后退。

八月二十六日晚上，库图佐夫和全体俄军相信，鲍罗金诺一仗打胜了。库图佐夫就这样呈报皇上。库图佐夫下令准备新的战斗，以击溃敌人。他这样做，并非要欺骗什么人，而是因为他知道，敌人被打败了，而这一点，每个参与战斗的人都是知道的。

但就在当天晚上和第二天，传出损失空前惨重、俄军伤亡一半的消息，因此要进行新的会战人力显得不足。

情报尚未收集，伤员没有运走，弹药没有补充，阵亡人数没有统计，补缺的新指挥员没有任命，士兵没有吃饱睡足，**无法**进行新的战斗。

然而，就在会战后的第二天早晨，法军凭着同距离成反比的冲力向俄军推进。第二天库图佐夫想进攻，全体俄军也想进攻，但要进攻光靠愿望是不够的，还要有进攻的可能，而进攻的可能却没有。俄军被迫后退一天的行程，接着第二天又被迫后退一程，第三天又被迫后退一程，最后，到了九月一日，军队接近莫斯科，虽然士气有了提高，但形势却迫使俄军退过莫斯科。然后俄军又退了最后一程，把莫斯科放弃给敌人。

有些人惯于认为，统帅们制订战争和战役计划，就像我们一样，坐在书房里，面对地图，考虑着应该怎样部署作战计划。这些人常常会问：为什么库图佐夫在撤退时不这样做不那样做？为什么他不在到达菲里之前占据阵地？为什么他不立刻退到卡卢加大道，放弃莫斯科？等等。惯于这样思考问题的人，忘记或者不知道任何一个总司令行动时无法避免的条件。我们可以悠闲地坐在书房里，根据双方一定数量的军队，在某一地方，从地图上研究一场战役，并假定从某一时间开始行动。然而统帅的行动根本不是那么一回事。总司令从来不会出现于事件的**开端**，而我们看事往往只看它的**开端**。总司令总是处身在一系列变动着的事件中间，因此他从来不可能考虑当前事件的全部意义。每件事都是不知不觉、一瞬间又一瞬间地逐渐形成的，在事件连续不断形成的每一瞬间，总司令都处在错综复杂的竞争、阴谋、忧虑、依赖、权力、方案、意见、威胁、欺骗之中，必须经常回答向他提出的无数相互矛盾的问题。

军事专家十分严肃地对我们说，库图佐夫在到达菲里之前，早就应该把军队调到卡卢加大道，甚至有人曾向他提过这个方案。但摆在总司令面前的，特别是在困难的时刻，往往不是一个方案，而是几十个方案。这种根据战略和战术制订的方案往往是相互矛盾的。而总司令的任务只是从中选出一个方案来。但就连这一点他也办不到。事情和时间不等人。譬如说，有人建议他在二十八日越过卡卢加大道，但这时有个副官从米洛拉多维奇那里骑马跑来向他请示，立刻同法国人交战还是撤退。他必须立刻发出命令。而撤退的命令就使我们不能拐到卡卢加大道上去。副官走后，军需官来请示，食品往哪儿送；医院院长来请示，伤员往哪儿运；信使从莫斯科送来诏书，不许放弃莫斯科；总司令的对手（这样的人不止一个，而是好几个）暗中陷害他，向他提出同转向卡卢加大道相反的新方案，总司令自己筋疲力尽，需要睡眠和饮食；一个功勋卓著而没有获奖的将军前来叫屈；居民要求保护；一个奉命去察看地形的军官，带回来的报告同前一个奉派的军官的报告正好相反；一名探子、一个俘虏和一位奉命侦察的将军的敌情报告个个不同。一些惯于不了解或忘记一位总司令采取行动所必要的条件的人，例如向我们介绍菲里两军的形势，并认为总司令可以在九月一日自由决定放弃还是保卫莫斯科的问题。事实上当时俄军离莫斯科还有五俄里，不可能产生这样的问题。那么，这个问题是什么时候决定的呢？是在德里萨城下，在斯摩棱斯克城下，尤其明显是二十四日在舍瓦尔季诺，二十六日在鲍罗金诺，在从鲍罗金诺向菲里撤退的每一天、每一小时、每一分钟里作出决定的。

3

俄军从鲍罗金诺撤退，驻扎在菲里。叶尔莫洛夫奉命视察阵地后，回到陆军元帅那里。

“在这个阵地上作战是不可能的。”他说。库图佐夫惊奇地对他瞧瞧，要他再说一遍。等他说完，库图佐夫向他伸出手去。

“把手伸出来，”库图佐夫说，翻过他的手，摸摸他的脉搏说，“你有病，老弟。你想想，你说的是什么话。”

库图佐夫在离陶罗戈米洛夫门六俄里的波克朗山下了车，坐在路边凳子上。一大批将军围着他。拉斯托普庆伯爵从莫斯科来，也和他们待在一起。这些显要人物三五成群，各自谈论着阵地的利弊、军队的状况、提出的计划、莫斯科的局势和一般的军事问题。大家都觉得这是一次军事会议，虽然他们不是奉命来开会的，也没有人说这是开会。大家谈的都是公事。即使有人谈到或问到个人私事，也总是悄悄说几句，很快又回到公事上来。没有人说笑话，没有人发笑，就连笑容都看不到。大家显然都想保持严肃庄重的神色。每一群人谈话时都竭力想离总司令近一些（他的凳子成了几群人的中心），并且说得使他能听见。总司令听着，有时请他们把话重复一遍，但他自己并不参加谈话，也不发表意见。他听了一群人的谈话，往往现出失望的神情（仿佛他们所说的，绝不是他希望听到的），并且转过身去。有人谈到选定的阵地，他们所批评的与其说是阵地，不如说是选定阵地的人的智力。有人说，错误早就犯了，仗应该前天打的。有人讲到萨拉曼卡战役，那是刚来不久的穿西班牙军服的法国人克罗萨尔介绍的。（这个法国人同一个在俄军服役的德国亲王研究了萨拉戈萨的被围[①]后，认为可以用同样方式保卫莫斯科。）拉斯托普庆伯爵在第四群里说，他同莫斯科民兵准备在京城城墙下为国捐躯，但他仍因当时不了解情况而感到遗憾，要是他早知道情况，局面就会不同了……第五群人炫耀他们深奥的战略思想，谈到军队应该选择的

---

① 萨拉戈萨是西班牙城市，1808—1809 年两度被法军围困，1809 年 2 月经过两个月英勇抵抗后沦陷。

方向。第六群人谈的完全是废话。库图佐夫的脸色变得越发焦虑和悲伤了。从所有这些谈话中库图佐夫明白一件事：保卫莫斯科是**绝对不可能**的，要是有个疯狂的总司令发出作战命令，那就会出现一片混乱，而仗还是打不起来。仗之所以打不起来，是因为高级指挥官不仅认为无法守住阵地，而且他们所讨论的只是阵地必然弃守后的局面。既然司令官们认为无法守住阵地，他们又怎能带领军队上战场呢？下级军官，甚至包括士兵（他们也在议论），也认为阵地无法守住，他们既然认为必败无疑，当然也就无法作战。如果说别尼生仍坚持守住这个阵地，别人也还在进行讨论，那么，这问题本身并没有什么意义，只是争论和阴谋的借口罢了。这一层库图佐夫是明白的。

别尼生选择了阵地，表现出热烈的俄罗斯爱国感情，坚持保卫莫斯科。库图佐夫听到他的话，不能不皱眉头。库图佐夫对别尼生的用心了如指掌：如果保卫失败，就把责任推到库图佐夫身上，因为他不战而退，一直退到麻雀山；如果胜利，那就归功于自己；如果他的建议遭到拒绝，那就可以推卸放弃莫斯科的罪责。但现在老人家并不关心这个阴谋。他关心的是一个可怕的问题。而那个问题的答案他没有从任何人的嘴里听到过。现在他关心的问题只是："难道真是我让拿破仑来到莫斯科的吗？我什么时候这样做的？这是什么时候决定的？是昨天我命令普拉托夫撤退时，还是前天晚上我打了瞌睡，吩咐别尼生下的命令？还是更早一些？……但这件可怕的事是在什么时候，什么时候决定的？莫斯科不得不放弃。军队不得不撤退。那样的命令非下不可。"他觉得发这样可怕的命令，等于交出军队的指挥权。不仅如此，他爱好权力，惯于当权（他在土耳其普罗卓罗夫斯基公爵手下任过职，普罗卓罗夫斯基公爵得到的荣誉使他愤愤不平），他自信他命里注定要做俄国的救星，因此违反皇帝圣旨，遵从民意，当选为总司令。他相信，只有他一个人能在如此困难的条件下统率全军，全世界只有他一个人敢于对抗常胜不败的拿破仑。他想到他不得不发的命令，不禁毛骨悚然。但他必须作出决定，必须制止周围过于自由的谈话。

他把几位高级将领召到跟前。

"不论我的头脑是好是坏，我可不能再依靠谁了。"他说着从凳子上站起来，骑马到菲里去，那里停着他的马车。

4

下午二时，在农民萨伏斯季扬诺夫家较好的宽敞的正房里举行军事会议。一家老少只好都挤在后房。只有萨伏斯季扬诺夫的六岁小孙女玛拉莎留在正房的炕上。总司令喜欢她，喝茶时还给了她一块糖。玛拉莎又胆怯又高兴地从炕上瞧着将军们的脸、军服和十字勋章。这些将军一个接着一个走进屋里，分坐在圣像下的宽大凳子上。“爷爷”（玛拉莎心里这样称呼库图佐夫）自己单独坐在炕后的黑暗角落里。他身子深陷在折椅里，不断清着喉咙，拉着军服领子，领子没有扣上，但仍卡着他的脖子。进来的人一个个走到总司令面前。总司令同有些人握手，向有些人点头。副官凯萨罗夫想拉开库图佐夫对面的窗帘，但库图佐夫生气地对他摆摆手。凯萨罗夫明白，总司令不愿让人家看见他的脸。

农家的杉木桌上摆着地图、作战计划、铅笔和纸，四周聚集了那么多人，勤务兵只得又搬进一条长凳放在桌旁。叶尔莫洛夫、凯萨罗夫和托里就坐在这张长凳上。在圣像下的首席上坐着巴克莱·德·托里，他前额很高，秃头，脸色苍白，满脸病容，脖子上挂着圣乔治勋章。他发烧已有两天，此刻浑身发冷酸痛。他旁边坐着乌瓦罗夫。乌瓦罗夫迅速地做着手势，向巴克莱低声（人人说话都是这样）报告着什么。矮小圆脸的陶霍杜罗夫扬起眉毛，双臂交叠在肚子上，留神地听着。另一边坐着奥斯吉尔曼－托尔斯泰伯爵。他一手托着宽阔的大脑袋，眼睛炯炯有神，仿佛在想心事。拉耶夫斯基现出不耐烦的神情，习惯成自然地卷着两鬓上的黑发，时而瞧瞧库图佐夫，时而望望房门。柯诺夫尼岑刚毅、俊美而和善的脸上浮起亲切而调皮的微笑。他遇见玛拉莎的目光，向她挤挤眼，引得女孩忍不住笑了。

大家都在等待别尼生。他借口重新视察阵地，其实在吃他那顿美味的午餐。大家在等他，从四点等到六点。在这段时间，大家没有讨论，只有低声闲谈着。

直到别尼生走进屋里，库图佐夫才从角落里出来，坐到桌子旁边，但没有让烛光照到脸上。

别尼生在会议一开始就问："不战而放弃俄国神圣的古都呢，还是保卫它？"大家沉默了好一阵。个个脸色阴沉。在一片肃静中只听见库图佐夫愤怒的喘息和干咳声。一双双眼睛都望着他。玛拉莎也望着"爷爷"。她最靠近他，看见他皱着眉头，好像要哭的样子。但这个局面没有持续多久。

"**俄国神圣的古都**！"库图佐夫突然说，愤怒地重复别尼生的话，借此引起大家注意他的虚伪腔调。"对不起，阁下，这话对俄国人可毫无意义。"库图佐夫笨重的身子向前倾，"这样的问题不该提出，这样的问题毫无意义。我请各位来讨论的是军事问题，具体地说：拯救俄国要靠军队。是冒损失军队和莫斯科的危险而应战呢，还是不战而放弃莫斯科？我想知道你们对这个问题的高见。"他往椅子背上一靠。

讨论开始了。别尼生还不肯认输。他同意巴克莱等人认为不可能在菲里城下进行保卫战的意见，但他充满俄国式爱国感情和对莫斯科的热爱，提出夜间把军队从右翼调到左翼，第二天进攻法军右翼。意见分歧，对他的建议有的赞成，有的反对。叶尔莫洛夫、陶霍杜罗夫和拉耶夫斯基赞成别尼生的意见。这几位将军不知是出于保卫京城的自我牺牲精神呢，还是出于其他考虑，但他们仿佛不懂，这次会议不可能改变事态的发展，莫斯科实际上已经放弃了。其余几位将军懂得这一点，放下莫斯科问题，谈论军队撤退时应取的方向。玛拉莎目不转睛地望着眼前的事，对这次会议有她的想法。她觉得事情就在于"爷爷"同"长袍"两人之间的争论（她管别尼生叫"长袍"）。她看到他们谈话时相互发脾气，她在心里偏袒"爷爷"。在谈话中间，她发现"爷爷"调皮地向别尼生瞟了一眼，接着她高兴地看到，"爷爷"对"长袍"说了些什么，说得"长袍"哑口无言。别尼生突然脸红起来，怒气冲冲地在屋里走来走去。使别尼生激动的原因是，库图佐夫不慌不忙低声分析了别尼生建议（夜间把军队从右翼调到左翼以攻击法军右翼）的利弊。

"诸位！"库图佐夫说，"我不能赞成伯爵的计划。在敌人鼻子底下调动军队总是危险的，军事历史可以证明这一点。例如……"库图佐夫似乎在思索，找寻例子，他那明亮天真的目光瞧着别尼生，"哦，就拿弗里德兰战役[1]来说吧，我想，伯爵一定记得很清楚……不很顺利，就因为我们在离战场太近的地方重新部署军队……”

接着是暂时的沉默，但大家都觉得沉默了很久。

讨论又恢复了，但常常中断，因为大家觉得没有更多的话要说。

在一次间歇时，库图佐夫长叹一声，仿佛有话要说。大家都向他转过头去。

“诸位，看来我得为打碎的瓦罐付出代价了！”他说，接着他缓缓地站起来，走到桌子旁边。“诸位，你们的意见我听到了。有几位可能不赞成我的意见。但我，”他停了停，“凭皇上和祖国授予我的权力，我命令撤退。”

接着将军们庄严而沉默地散去了，就像丧礼结束那样。

有几个将军低声向总司令说了些什么，语调同在会上说话时完全不一样。

玛拉莎从高板床上小心地爬下来，光脚板踩着上炕的台阶，在将军们的腿脚之间磕绊着，溜出门去。家里人早就在等她吃晚饭了。

库图佐夫把将军们打发走了，双肘搁在桌上，坐了好一阵，一直想着那个可怕的问题：“放弃莫斯科究竟是什么时候决定的？这问题究竟是什么时候定下的？谁应负这个责任？”

“这事我没有想到，”他对深夜进来的副官施耐德说，“这事我没有想到！这事我没有想到！”

“您该休息了，大人！”施耐德说。

“不行！他们将像土耳其人那样吃马肉！”库图佐夫没有理他，却大声吆喝，用浮肿的拳头敲着桌子，“他们也要吃马肉，只要……”

5

当时，比不战而退更重大的事是放弃和焚毁莫斯科，而拉斯托普庆被认为是领导这件事的人。不过，拉斯托普庆的行动与库图佐夫完

---

① 1807年在东普鲁士的弗里德兰，别尼生指挥的俄普联军被拿破仑打得大败。

全不同。

放弃和焚毁莫斯科是不可避免的，就像在鲍罗金诺战役后不战而退出莫斯科一样。

每一个俄国人，不是根据推理而是根据深藏在我们和父辈心中的感情，都能料到这一点。

从斯摩棱斯克起，在俄国所有的城市和乡村里，没有拉斯托普庆伯爵的参与和他的传单，都发生过同莫斯科一样的事。人民若无其事地等待着敌人，不闹事，不骚动，不把什么人撕碎，却镇定地等待着自己的命运，自信能在最困难的时刻有力量做自己应该做的事。等到敌人一迫近，有钱人留下财产走了；穷人则留在城里，焚毁遗留下来的东西。

俄国人心里一直觉得非如此不可。莫斯科将沦陷，一八一二年莫斯科公众心里都有这种预感。早在七月和八月初离开莫斯科的人，就料到会发生这种情况。有些人带上能带走的东西，留下房屋和一半财产，凭着潜藏在心里的爱国热情行动。这种爱国热情不靠豪言壮语，不靠为拯救祖国而献出自己的孩子等不自然行为，而是自然地悄悄表现出来，因而总能产生最有力的效果。

有人对他们说："逃避危险是可耻的，只有懦夫才逃离莫斯科。"拉斯托普庆在传单里告诫他们，离开莫斯科是可耻的。他们羞于被人称为懦夫，羞于出走，但他们还是走了，知道非走不可。他们为什么要走？并不是拉斯托普庆用拿破仑在占领区的恐怖行为把他们吓跑的。首先出走的是有钱的、受过教育的人，他们十分清楚，维也纳和柏林在拿破仑占领时期没有遭到破坏，居民同迷人的法国人过得很愉快，而当时的俄国人，特别是俄国上层妇女非常喜欢这些迷人的法国人。

他们离开京城，因为对俄国人来说，在法国人统治下的莫斯科生活无好坏可言。在法国人统治下根本无法生活，没有比这更糟的了。早在鲍罗金诺战役之前，俄国人就走了，而在鲍罗金诺战役之后走得更快，他们不理会保卫城市的号召，也不理会莫斯科卫戍司令要抬着伊维尔教堂的圣母像作战的宣言，以及要放气球来消灭法国人的打算，也不理会拉斯托普庆公告里的一派胡言乱语。他们知道打仗是军队的事，如果军队不能打仗，那么，带着太太、小姐和家奴是不可能到三山区去打拿破仑的，他们非走不可，虽然很舍不得丢下财产。他们离开莫斯科，根本没想到这座被居民所放弃和焚毁（一座用木头筑成的城市不免要被烧成焦土）的广大富裕的京城的意义。他们离开莫斯科，人人都是为了自己，但也正由于他们走了，才完成俄国人民流芳百世的庄严事业。那个贵夫人模糊地意识到她不做拿破仑的奴隶，又唯恐被拉斯托普庆伯爵下令留下，早在六月间就带着她的黑奴和小丑，从莫斯科逃难到萨拉托夫乡下。她这一行动倒确实是参与了拯救俄国的伟大事业。拉斯托普庆伯爵呢，他时而辱骂离开莫斯科的人；时而撤走政府机关；时而把毫无用处的旧武器发给喝醉酒的乌合之众；时而抬出圣像游行；时而禁止奥古斯丁神父搬走圣骨和圣像；时而夺取莫斯科所有的私人马车；时而派一百三十六辆马车搬运雷比赫所造的气球；时而暗示他要烧掉莫斯科；时而说他怎么烧掉自己的房子；时而给法国人写声明，严词谴责他们焚毁孤儿院；时而把焚毁莫斯科的功劳归于自己，时而又推卸责任；时而命令民众把间谍都逮捕起来交给他；时而因此责备民众；时而把所有的法国侨民赶出莫斯科；时而扣留莫斯科全体法国侨民的中心人物奥倍尔－舍尔玛太太，又无缘无故逮捕和放逐德高望重的邮政总监克留恰列夫；时而在三山区召集民众打击法国人；时而为了摆脱民众，叫他们去枪杀一个人，自己则从后门溜掉；时而说他要与莫斯科共存亡；时而在纪念册里写法语诗，歌颂自己参与其事的功绩[①]——他这个人根本不懂所发生的事件的意义，只想一鸣惊人，做出一点爱国的英雄行为来，像孩子一般玩弄放弃和焚毁莫斯科这一无可避免的伟大事件，竭力用他的小手时而鼓励时而阻挡把他卷走的民众的洪流。

6

海伦随着宫廷从维尔诺回到彼得堡，发现自己陷入困境。

---

① 原诗如下：我生为鞑靼人，
我愿做罗马人，
法国人叫我野蛮人，
俄国人叫我乔治·丹东。

在彼得堡，她受到一位政府要员的特殊庇护。在维尔诺，她曾同一位年轻的外国亲王过往密切。海伦回到彼得堡，亲王和这位政府要员都在彼得堡，两人都表示对她享有特殊权利。这样，海伦就遇到一个她生活中的新课题：同两人都保持亲密关系而又不得罪任何一个。

对别的女人来说是困难甚至办不到的事，却从没使海伦感到为难，难怪她被称为最聪明的女人。如果她隐瞒自己的行为，玩弄手段来摆脱困境，承认自己有罪，反而会坏事；但海伦确是个无所不能的了不起人物，她确信自己永远正确，而别人都罪责难逃。

当年轻的外国亲王第一次责备她时，她傲然昂起美丽的头，侧身对着他，口气强硬地说：

"嗐，男人就是自私自利，冷酷无情！我对他们根本不抱什么希望。一个女人为你们不惜牺牲自己，吃尽苦头，得到的就是这样的报答。殿下，您有什么权利来过问我的爱情和友谊？这个人对我来说比父亲还亲。"

亲王想说什么，但被海伦打断了。

"不错，他对我的感情也许是超出父亲的感情，但我不能因此请他吃闭门羹。我不是男人，不会忘恩负义。殿下，您要明白，关于我的内心感情，我只向上帝和自己的良心坦白。"她说完，把一只手放在她那高高隆起的美丽胸脯上，抬头仰望着天空。

"看在上帝分上，您听我说。"

"您同我结婚，我将做您的奴隶。"

"但这是办不到的。"

"您不肯屈尊娶我，您……"海伦哭着说。

亲王开始安慰她。海伦边哭边说（仿佛情不自禁），什么也不能阻止她结婚，这种例子是有的（当时这种事例还很少，但她举出拿破仑和其他几个要人），她从来不是自己丈夫的妻子，她是个牺牲品。

"但是法律、宗教……"亲王说，已经软下来了。

"法律、宗教……要是它们不能处理这类事，那还有什么用！"海伦说。

亲王感到惊讶，这样简单的道理他却没有想到。于是他去请教同他关系密切的耶稣会会友。

几天后，海伦在她的石岛别墅举行了一次迷人的宴会。有人给她介绍了一位上了年纪、白发如霜、眼睛乌亮、风度翩翩的耶稣会教士若贝尔先生。在花园里灯光和音乐声中，他同海伦长谈对上帝、对基督、对圣心的爱，谈着唯一的真天主教在今世和来世给人的安慰。海伦受了感动，她的眼睛和若贝尔先生的眼睛里都含着泪水，说话声音发抖。舞伴来请海伦跳舞，把她同她未来的良心导师的谈话打断了；但第二天黄昏若贝尔先生又单独来看海伦，从此以后就常常来到她家。

有一天，他把伯爵夫人带到天主教堂。海伦被领到祭坛前跪下。这位上了年纪而风度翩翩的法国人把手放在她的头上。她后来说，她当时觉得仿佛有一阵清风吹进她的心灵。人家向她解释，这就是神恩。

后来，一位穿法衣的神父被领到她那里，他听了她的忏悔，赦免了她的罪孽。第二天给她送来一盒圣餐，供她在家里领取。过了几天，海伦高兴地知道她已加入真正的天主教，教皇最近将批准她入教，并发给她证书。

现在，她周围所发生的各种事，她自己所遇到的各种事，那么多聪明的男人以那么愉快巧妙的方式所表达的对她的关怀，她自身像鸽子一般的纯洁（最近她一直穿白衣服，系白缎带）——这一切都使她十分得意；尽管十分得意，她却一分钟也没忘记自己的目的。在耍弄诡计上，愚人往往胜过聪明人，海伦懂得，费那么多口舌，忙那么多事情，目的主要是使她皈依天主教，从她身上为耶稣会弄点钱（已有人向她作过暗示），但海伦在出钱以前坚持要替她办好摆脱丈夫的必要手续。她认为，任何宗教的宗旨就是既满足人类的欲望，又遵守一定的仪式。她怀着这个目的，一次在同忏悔神父谈话时坚决要他回答：她的婚姻关系对她有多大约束力。

他们坐在客厅窗口。天色已暗下来。窗外飘进来阵阵花香。海伦穿着一件肩头和胸部透明的白色连衣裙。保养得很好的神父，胖胖的脸刮得很光洁，嘴巴刚毅可爱，一双白净的手合放在膝上。他坐得靠海伦很近，嘴唇上挂着一丝笑意，偶尔带着欣赏她的美丽的眼神望望她的脸，对他们谈论的问题发表他的意见。海伦不安地微笑着，瞧着他的鬈发、刮得光光的浅黑的胖脸颊，随时都准备听他谈新的话题。不过，神父虽然很欣赏对方的美丽和亲切，还是很注意干自己这一行的技巧。

“良心导师”的推论是这样的：“您不了解您的行为的意义，您宣誓对男人遵守妇道，可是那男人不相信结婚的宗教意义而结了婚，犯了亵渎神明罪。这婚姻就缺乏应有的对双方的约束力。虽然如此，您的誓言却约束了您。您违背了誓言。您犯了什么罪呢？是可赦的罪还是死罪？是可赦的罪，因为您犯罪没有恶意。您现在要是为了有孩子而再婚，您的罪是可以赦免的。但问题又分两方面：第一……”

“但我想，”海伦听得不耐烦，突然带着迷人的微笑说，“既然我已入了真正的宗教，我就不能再受虚伪的宗教的约束。”

“良心导师”没想到这问题像哥伦布竖鸡蛋[①]那样简单而大为惊讶。他很称赞他这个女学生的机智，但他不能放弃自己好不容易建立的论证。

“让我们来探讨探讨这个问题，伯爵夫人！”他笑眯眯地说，开始反驳教女的道理。

7

海伦明白，这事从宗教观点来看很简单，很好办，她的导师们感到为难，就因为他们担心世俗势力对这事会有什么看法。

因此海伦决定在社会舆论方面做些工作。她挑起那个上了年纪的政府要员的妒意，像对第一个追求者那样说（也就是提出要求），要得到她的唯一办法就是娶她。这个上了年纪的要员听到她要离开丈夫再嫁的建议，也像年轻的外国亲王一样吃惊，但海伦却认为这事像姑娘出嫁一样简单自然，她那不可动摇的信心也就影响了他。如果海伦身上有丝毫迟疑、羞愧或掩饰的迹象，她的事情无疑会失败；但这样的迹象不仅没有，而且相反，她还坦率天真、若无其事地告诉她的好朋友（这样的朋友几乎遍布全彼得堡），亲王和要员都向她求婚，她两人都爱，不愿让

---

① 哥伦布发现美洲，有人认为很容易。哥伦布请他把一个鸡蛋竖起来。那人竖了很久竖不起来。哥伦布把鸡蛋一头敲碎，鸡蛋就竖起来了。哥伦布说：“别人做的事都是容易的。”

任何一个忍受痛苦。

彼得堡立刻闹得满城风雨，不是说海伦要同丈夫离婚（如果传布这样的消息，许多人都会起来反对这种非法的意图），而是可怜而又可爱的海伦犹豫不决，她该嫁给两人中的哪一个。问题已不在于有多大可能，而是找哪一个配偶更有利，以及皇室怎样看待这件事。确实有一些顽固分子，他们不能理解这样的问题，认为这事亵渎婚姻的神圣；但这种人不多，他们也保持沉默，多数人只关心海伦的幸福，考虑她选择哪一个更有利。至于丈夫活着再嫁是好是坏，这问题谁也不谈，因为“比你我聪明的人”显然已解决了这个问题，而怀疑这事是否正确，就有暴露自己愚昧无知和不识时务的危险。

只有阿赫罗西莫娃那年夏天来彼得堡探望儿子，敢于公然表示与众不同的意见。阿赫罗西莫娃在舞会上遇见海伦，在客厅中央把她拦住，在一片沉默中粗声粗气地对她说：

“丈夫还活着，您又要嫁人了。也许您以为这是什么新花样吧？被人家抢先了，姑奶奶。早就有人想到了。在窑子里都是……这样做的。”阿赫罗西莫娃说着这话，做出习惯性的威胁姿势，卷起袖子，恶狠狠地环顾着，走出客厅。

在彼得堡，大家虽然都怕阿赫罗西莫娃，但把她看作一名丑角，因此只注意她说话中的粗鲁字眼，彼此低声转述，说这是她语言的精华。

华西里公爵近来特别健忘，常常把同一件事反复说上无数遍。他看见女儿，每次都对她说：

“海伦，我有话对你说，”他把女儿领到一边，往下拉拉她的手，说，“我听到一些有关……你知道。哦，我的宝贝孩子，不瞒你说，我做父亲的感到真高兴，因为你……你受了那么多苦……但是，我的宝贝……你就照你的心愿去做吧。这就是我的全部意见。”接着他克制着始终如一的激动，用脸贴了贴女儿的脸，走开了。

比利平不失为一个绝顶聪明的人，又是海伦的一位无私的朋友（在出色的贵妇人身边总有这种永远不可能变为情人的男朋友）。有一次他在知己朋友的小圈子中对海伦讲了他对这事的看法。

“听我说，比利平（海伦对比利平这样的朋友总是直呼其姓），”她用戴戒指的手摸摸他的衣袖，“你就像对自己的妹妹那样告诉我：我该怎么办？两人中选哪一个？”

比利平皱起眉头，嘴唇上挂着微笑，考虑了一下。

“您的问题我并不感到意外，”他说，“我作为您的忠实朋友，反复考虑过您的事。听我说：您要是嫁给亲王，”他弯曲一个手指，“您就永远不可能嫁给另一个，再说，朝廷也会不满意。（要知道这里还牵涉到一个亲属问题。）您要是嫁给老伯爵，您就会使他的晚年幸福。将来……亲王再娶您这位显贵的遗孀，也就不会有失他的身份了。”比利平额上的皱纹舒展开来。

“我忠实的朋友！”海伦满面春风地说，又摸摸比利平的衣袖，“可是你要知道，我两个都爱呀，我不愿让任何一个痛苦。为了他们两人的幸福我愿意贡献我的生命！”她说。

比利平耸耸肩膀，表示对这样的苦恼他也无能为力。

“真是一代尤物！问题提得毫不含糊。她要同时做三个人的妻子。”比利平想。

“那么您倒说说，您丈夫对这事什么看法？”他声誉卓著，敢于提出这样直率的问题，“他会同意吗？”

“哦！他太爱我了！”海伦说，她似乎觉得皮埃尔也是爱她的，“为了我他什么都肯做。”

比利平展开眉头，表示要说俏皮话了。

“甚至于离婚！”他说。

海伦笑起来。

在敢于怀疑拟议中的婚事是否合法的人中有海伦的母亲，华西里公爵夫人。她经常妒忌女儿，如今妒忌的对象又是她公爵夫人的一位知己，她更无法罢休。她请教一位俄国神父，丈夫还在，能不能离婚和再婚。神父告诉她这是不可能的。更使她高兴的是，神父让她看《福音书》里的经文，经文明确指出（神父这样认为）丈夫还在不能再婚。

公爵夫人拿这种无可辩驳的论据作武器，一早乘车到女儿那里，想同她单独谈一谈。

海伦听了母亲的反对意见，温顺而嘲弄地微微一笑。

“经书里说：谁娶离婚女子……”老伯爵夫人说。

“啊，妈妈，您别胡说。您什么也不懂。处在我的地位我有责任。”海伦说，从俄语改用法语，她总觉得用俄语说不清楚。

“可是我的孩子……”

“哦，妈妈，您怎么不明白，圣父有权赦免……”

这时候，住在海伦家的一个陪伴她的太太进来通报说，殿下在客厅里求见。

“不，您对他说，我不愿见他，他不守信，我正生他的气呢。”

“伯爵夫人，一切罪孽都可以赦免。”一个长脸长鼻子、头发浅黄的青年走进来说。

公爵夫人恭恭敬敬地站起来，行了个屈膝礼。进来的青年没有理她。公爵夫人向女儿点点头，悄悄地走了出去。

“不错，她说得对，”公爵夫人想，她的全部信念都因殿下的出现而丧失，“她说得对；可是我们年轻的时候怎么不知道这种简单的道理呢？这道理是多么简单！”公爵夫人坐上马车，想。

八月初，海伦的事完全决定了，她给丈夫（她认为他很爱她）写了一封信，通知他她打算嫁给某某人，而且她信奉唯一真正的宗教，她请求他履行必要的离婚手续，这些手续送信人会告诉他的。

“因此我祷告上帝，让您，我的朋友，得到神圣而强大的庇护。您的朋友海伦。”

这封信送到皮埃尔家时，皮埃尔正在鲍罗金诺战场上。

8

鲍罗金诺战役将近结束的时候，皮埃尔第二次从拉耶夫斯基炮台下来，同一群士兵一起沿山谷向克尼亚兹科伏走去。他走到急救站，看见血，听见叫嚷和呻吟，就混在士兵中间，急急忙忙向前走。

皮埃尔现在一心希望的是，赶快摆脱这一天里所得到的可怕印象，回到惯常的生活环境里，在自己卧室的床上安安稳稳地睡一觉。他觉得只有在惯常的生活环境里，才能理解他自己和他所见闻的一切。可是这种惯常的生活环境哪里也找不到。

虽然炮弹和子弹不在他所走的大道上呼啸，但是周围的景象依旧同战场一样。依旧是一张张痛苦、疲惫、有时又冷漠得可怕的脸，依旧是一片鲜血，依旧是士兵的军大衣，依旧是隆隆的炮声（炮声虽然遥远，但依旧惊心动魄）。此外还有沉闷的空气和飞扬的灰沙。

皮埃尔在莫扎依斯克大道上走了三俄里光景，在路边坐下来。

暮色苍茫，炮声沉寂。皮埃尔枕着臂肘躺了好久，望着黑暗中从他身旁经过的黑影。他一直觉得炮弹仿佛带着可怕的啸声向他飞来；他浑身哆嗦，坐了起来。他不记得他在这里待了多久。半夜里，三个士兵拖来一些树枝，在他旁边坐下，动手生火。

那三个兵瞟了皮埃尔一眼，生起火，上面放了一个锅子，把面包干掰碎放在锅里，再加上一点荤油。油腻的食物香同烟气混合在一起。皮埃尔坐起来，叹了一口气，三个兵一面吃，一面谈话，没理睬皮埃尔。

"你是干什么的？"有个兵突然问皮埃尔，显然是用这问题表示（也正是皮埃尔所想的），"你要是想吃，我们可以给你，但你得说说，你是不是一个规矩人。"

"我吗？我吗？……"皮埃尔说，觉得必须把自己的身份说得低些，以便接近士兵，"我是个民团军官，但我的队伍不在这里，我来打仗，把他们丢了。"

"瞧你这个人！"一个兵说。

另一个兵摇摇头。

"你要是想吃，就吃点面糊吧！"第一个兵说，把一只木匙子舔干净，递给他。

皮埃尔在火堆旁坐下，吃起锅子里的面糊来。他觉得这是他平生吃过的最好吃的东西。他向锅子弯下腰，贪婪地一大勺一大勺吃着，他的脸被火光照亮，几个兵默默地瞧着他。

"你要去哪儿？你说！"其中一个兵问。

"我要去莫扎依斯克。"

"那么，你是老爷吗？"

“是的。”

“你叫什么？”

“皮埃尔伯爵。”

“哦，皮埃尔伯爵，走吧，我们领你去。”

在一片漆黑中，士兵们陪着皮埃尔向莫扎依斯克走去。

当他们走到莫扎依斯克，开始攀登陡峭的城里小山时，公鸡已开始报晓。皮埃尔跟士兵们一起走，完全忘记他的旅店就在山脚下，他已走过头了。要不是他在半山上遇见他的马夫（马夫在城里到处找他，此刻正回旅店去），他还记不起这事来。他心神恍惚到这个地步。马夫是从白帽子上认出皮埃尔来的。

“大人，”马夫说，“我们已经绝望了。您怎么自己走路？您这是上哪儿去！”

“噢，是的！”皮埃尔说。

士兵们站住。

“怎么，找到自己人了？”一个兵问。

“那么再见！皮埃尔伯爵，是吗？再见，皮埃尔伯爵！”另外两个声音说。

“再见！”皮埃尔说，同马夫一起向旅店走去。

“得给他们一点什么！”皮埃尔摸着衣服口袋想。“不，不用了！”另一个声音在他心里说。

旅店客满，所有的客房都住了人。皮埃尔就走进院子，蒙头睡在自己的马车里。

9

皮埃尔的头一靠上枕头就呼呼入睡，但突然像醒着时一般清楚地听见隆隆的炮声、呻吟声、叫嚷声，闻到血腥气和火药味。他魂飞魄散，感到死的恐怖。他惊惶地睁开眼睛，从军大衣上抬起头来。院子里一片寂静。只有一个勤务兵在大门口同店主人谈着话，啪嗒啪嗒地踩着泥地。在皮埃尔头上阴暗的屋檐下，有几只鸽子看到他坐起来，吓得拍动翅膀。

整个院子里充满浓郁的旅店味，也就是干草、马粪和焦油的气味。皮埃尔觉得这时旅店里充满和平与温馨的气氛。在两边黑暗的屋檐中间，可以望见星光灿烂的天空。

“感谢上帝，再不会有这样的事了！”皮埃尔想着，又蒙住头，“哦，情况真可怕，但胆小是可耻的！瞧他们……他们始终坚强，镇定……”他想。皮埃尔心目中的**他们**就是士兵，就是那些待在炮位上，给他东西吃并且向圣像祷告的士兵。**他们**——这些他以前不认识的古怪的人，同其他所有的人截然不同。

“要做一个兵，做一个兵就行！”皮埃尔迷迷糊糊地想，“全心全意参加这种集体生活，体会他们的感情。但怎样摆脱身上多余的可怕负担呢？我一度可以这样做。我可以离开我的父亲。我同陶洛霍夫决斗后本来还可以被送去当兵。”皮埃尔想起在俱乐部晚餐时向陶洛霍夫提出决斗的情景，又想起托尔日克的恩师。接着他又想起共济会庄严的聚餐。这次聚餐是在英国俱乐部举行的。桌子一端坐着他所熟识的一位贵人。原来就是他！就是恩师。“他不是已经死了？”皮埃尔想，“是的，死了，可我不知道他复活了。他死了，我很难过；他复活了，我真高兴！”餐桌一边坐着阿纳托里、陶洛霍夫、聂斯维茨基、杰尼索夫等人（皮埃尔在梦中也把这些人归为一类，就像他把**他们**归为一类那样）。阿纳托里、陶洛霍夫等人大声叫嚷，唱歌；但在他们的叫嚷声中还听得见恩师滔滔不绝的说话声，他的话寓意深刻，而且像战场上的炮声一样连续不断，使人感到欣慰。皮埃尔听不懂恩师的话，但他知道（他在梦中的思维同样很清楚），恩师谈到善，谈到他也可以成为**他们**那样的人。**他们**神色朴素、善良、刚毅，从四面八方围着恩师。但他们虽然善良，却不看皮埃尔，他们不认识他。皮埃尔想引起他们注意，他想说话。他想站起来，但就在这时他的腿觉得冷，原来腿露在外面。

他感到羞愧，用一条手臂盖住腿。军大衣真的从他腿上滑下去了。刹那间，皮埃尔拉上军大衣，睁开眼睛，又看见那屋檐、柱子、院子，但这一切现在都显得灰蓝发亮，并且覆盖着露珠和霜花。

“天亮了，”皮埃尔想，“但我不要天亮。我要听完和理解恩师的话。”他又蒙上大衣，可是共济会的聚餐没有了，恩师也没有了。只有用语言明确表达出来的思想，那些思想是人家告诉他，或者由他自己想出来的。

后来，皮埃尔想起那些由当天印象引起的思想，还以为是谁对他说的。他觉得，在清醒的时候他决不会这样想，这样表达自己的思想。

“战争使人类最难服从上帝的法则，”他内心有个声音说，“纯朴就是服从上帝，而人是离不开上帝的。**他们**是纯朴的。**他们**不说，只做。开口是银，闭口是金。人一怕死，就一无所有。人不怕死，就拥有一切。如果没有痛苦，人就不知道自己的局限性，就不能认识自己。最困难的是，”皮埃尔继续做梦，“在自己心里综合一切事物的意义。综合一切事物吗？”皮埃尔自言自语，“不，不是综合。不能综合思想，只能把所有这些思想**套在一起**，就该这么办！对，**要套在一起，套在一起！**”皮埃尔内心快乐地说，觉得就是这话，也只有这话能表达他要表达的意思，并解决使他苦恼的问题。

“是的，要套车了，该套车了。”

“得套车了，该套车了，大人！大人，得套车了，该套车了……”有个声音反复说。

这是马夫的声音，他在催皮埃尔起身。太阳直射在皮埃尔的脸上。他望了一眼肮脏的旅店，院子中央有几个兵在给他们的瘦马饮水，有几辆大车被赶出大门。皮埃尔嫌恶地转过脸去，闭上眼睛，又躺回车上。“不，我不要这些，不要看见这些，理解这些，我要理解梦中得到的启示。只要再一秒钟，我就能理解一切了。我该怎么办？套在一起，但怎样把一切套在一起？”皮埃尔恐惧地感到，他在梦中所看见和所思考的一切都破灭了。

马夫、车夫和旅店主人告诉皮埃尔，有个军官跑来通知，说法国人正在向莫扎依斯克推进，我们的军队正在撤退。

皮埃尔起身，吩咐车夫套上车赶上，他自己则步行穿过城区。

军队在转移，留下近一万名伤员。这些伤员有的在院子里，有的在房子里，有的挤在街上。街上，从运送伤员的大车旁边传出叫声、骂声和拳击声。皮埃尔请一位认识的负伤将军坐他的马车，一起到莫斯科。皮埃尔在路上听到了自己内弟和安德烈公爵的死讯。

10

八月三十日，皮埃尔回到莫斯科。他在城门附近被拉斯托普庆伯爵的副官撞见。

“我们到处找您，”副官说，“伯爵一定要见您。他有很重要的事，要您立刻到他那里去。”

皮埃尔没有回家，叫了一辆马车，去见卫戍司令。

拉斯托普庆伯爵早晨刚从索科尔尼基市郊别墅回城。伯爵公馆的前厅和接待室里挤满了官员，有的是奉命来的，有的是来请示的。华西里奇科夫和普拉托夫已见过伯爵，向他解释保卫莫斯科是不可能的，莫斯科将被放弃。这消息虽然还瞒着居民，但是文武百官都知道莫斯科将落入敌手。官员们为了推卸责任，都来向卫戍司令请示，他们管辖的部门该怎么办。

皮埃尔走进接待室，军队里来的信使正从拉斯托普庆伯爵屋里出来。

信使对向他提出的各种问题绝望地摆摆手，穿过大厅。

皮埃尔在接待室里等待接见，眼神疲劳地环顾着室内形形色色、老老少少的文武百官。这些官员都显得闷闷不乐，焦虑不安。皮埃尔走近一群官员，其中一个是他认识的。他们同皮埃尔打了招呼，然后继续他们的谈话。

“先把他们赶走，再放他们回来，那倒不要紧，但现在对这种局面我们说什么也不能负责。”

“可是他这样写着。”另一个指指手里一张印刷品，说。

“那可是另一回事了。对老百姓这可是必要的。”第一个官员说。

“这是什么？”皮埃尔问。

“喏，新的公告。”

皮埃尔拿过公告，读了起来：

总司令大人为了同向他开来的部队会师，已穿过莫扎依斯克，驻扎在坚固的阵地，敌人不会向他突然进攻。这里已给他运去四十八门大炮和弹药。总司令大人说，他将保卫莫斯科，直到流尽最后一滴血，甚至准备巷战。弟兄们，大家不要因政府机关关闭而忧虑，我们还要维持秩序，我们的法庭将审理歹徒！必要时，我将召集城乡青年。我将在一两天内发出号召，但现在还无此必要，我暂且保持沉默。用斧子也好，用长矛也好，但最好用三齿大叉：法国佬不比一束黑麦重。明天饭后，我要抬伊维尔教堂的圣母到叶卡捷琳娜医院去看望伤员。我们将在那里洒圣水，使他们早日康复。我现在身体健康。我一只眼睛患过病，但现在已双目明亮。

“可我听军人说，”皮埃尔说，“城里说什么也不能打仗，阵地……”

“是啊，我们也这么说。”第一个官员说。

“‘我一只眼睛患过病，但现在已双目明亮。’这话什么意思？”皮埃尔问。

“伯爵得过麦粒肿，”副官微笑着说，“我对他说，老百姓问他是怎么回事，他很不安。还有，伯爵，”副官突然含笑对皮埃尔说，“我们听说，您家庭有纠纷？您太太伯爵夫人仿佛……”

“我什么也没听说，”皮埃尔若无其事地说，“那您听见什么了？”

“没有，您知道，人们常常凭空瞎说。我也只是道听途说罢了。”

“那么您听见什么了？”

“听说，”副官还是那么笑嘻嘻地说，“您太太伯爵夫人准备出国。多半是胡说八道……”

“可能。”皮埃尔说，心不在焉地环顾周围。“这位是谁？”他指着一个穿干净的蓝色呢外衣、留雪白大胡子和长眉毛、脸色红润的小老头说。

“这位吗？他是个商人，酒店老板，魏列夏金。关于告示的事您也许听说了吧？”

“哦，原来就是魏列夏金！”皮埃尔说，打量着老商人镇定的脸，想在上面看出叛徒的表情。

“那事不是他干的。告示是他儿子写的，”副官说，“那小伙子在吃官司，估计他要吃苦了。”

一个戴星章的小老头和一个挂十字勋章的德国人走到说话的人们跟前。

“说实在的，”副官讲道，“这是一个错综复杂的案件。当时，两个月前出现了这张告示。有人把它送给拉斯托普庆伯爵。他下令调查。加夫里洛·伊凡内奇进行搜查，这张告示已经过六十三双手了。他查问一个人：‘你从谁那里弄来的？’回答说：‘从某人那里。’他再去找那个人：‘你从谁那里弄来的？’一直查问到魏列夏金……一个没有文化的商人，一个做买卖的宝贝！”副官含笑说。“人家问他：‘你这是从谁那里弄来的？’我们知道他是从谁那里弄来的。他是从邮政局局长那里弄来的。不过，他们之间大概有个默契。他说：‘不是从谁那里弄来的，是我自己写的。’他们威胁他，盘问他，他咬定是他自己写的。他们就这样去报告拉斯托普庆伯爵。伯爵下令把他传来。‘你这告示从哪里来的？’——‘自己写的。’嗐，伯爵的性子您是知道的！”副官得意扬扬地笑着说，“他大发雷霆，您想想：这样蛮不讲理，信口开河！……”

“噢，伯爵是要他指出克留恰列夫，我知道！”皮埃尔说。

“绝对不是！”副官害怕地说，“克留恰列夫没有这事就有罪了，所以他被放逐了。但问题是伯爵大发雷霆。伯爵说：‘你自己怎么会写？’他拿起桌上的《汉堡日报》又说：‘你瞧。这不是你写的，是你翻译的，而且翻译得很糟，因为你这笨蛋连法语都不懂。’您想那家伙怎么回答？他说：‘不，我什么报纸也没看，是我自己写的。’伯爵说：‘要是这样，那你就是叛徒，我要把你交给法庭，你会被吊死。说，是从哪里弄来的？’他说：‘我什么也没看，是我自己写的。’案子就这样搁下来。伯爵又把他的父亲传来。他还是坚持他的说法。他被送交法庭，大概被判服苦役。现在父亲来为他求情。但他是个坏小子！哼，他是商人的儿子，花花公子，生活放荡，他在哪里听了演讲，就以为可以无法无天了。瞧，就是这样一个浑小子！他父亲在石桥旁开了一家酒店，酒店里挂着一幅一手握权杖、一手拿金球的大圣像；他把这圣像带回家去有好几天，天知道干了些什么！他找到了一个下流画匠……”

11

这个新鲜的故事讲到一半，皮埃尔被召去见卫戍司令。

皮埃尔走进拉斯托普庆伯爵的办公室。皮埃尔进去时，拉斯托普庆正皱着眉头，用手擦着前额和眼睛。一个矮个子正在说着什么，皮埃尔一进去，他就住了口，走出去。

“哦，您好，伟大的战士！”那人一走，拉斯托普庆就说，“我们听到您的光荣事迹了！但问题不在这里。老弟，这里没有外人，您是不是共济会会员？”拉斯托普庆伯爵声色俱厉地说，仿佛这里出了什么岔子，但他存心宽大处理。皮埃尔不作声。“老弟，我消息灵通。我也知道共济会不止一种，我希望您不属于那种借口拯救人类而要灭亡俄国的那一种。”

“是的，我是共济会会员。”皮埃尔回答。

“您看，老弟。我想您不会不知道，斯佩兰斯基和马格尼茨基两位先生已被送往该去的地方，对克留恰列夫先生也同样办理，对其他借口建设所罗门神庙而竭力毁坏祖国神庙的人也同样办理。您会明白这样做是有理由的，本地邮政局局长如果不是个坏人，我也不会放逐他了。最近我知道您借马车让他离城，还替他保管文件。我喜欢您。不愿让您遭殃。再说，您只有我一半年纪，我作为父辈劝您同这类人断绝来往，尽快离开这里。”

“那么，伯爵，克留恰列夫究竟犯了什么罪？”皮埃尔问。

“这是我的事，您不用管！”拉斯托普庆嚷道。

“如果他被控散发拿破仑的传单，那也还没有证据。”皮埃尔说，眼睛没看拉斯托普庆，“而魏列夏金……”

“就是那么回事，”拉斯托普庆忽然皱起眉头，打断皮埃尔的话，更加大声地嚷道，“魏列夏金是个叛徒和奸细，他将受到应得的惩罚！”拉斯托普庆气愤地说，好像一个受到侮辱的人。“不过我找您来不是要讨论我的事，而是要给您劝告或者命令，如果您愿意的话。我要求您断绝同克留恰列夫先生那类人来往，并离开此地。我要消除一切糊涂思想。”他大概发觉在对无辜的皮埃尔吆喝，就亲切地拉住他的手，添加说：“我们是大难临头，我没有工夫跟来找我的人讲礼节。我的头脑有时发晕。那么，老弟，您自己打算怎么办？”

“没什么。”皮埃尔回答，一直没抬起眼睛，也没改变沉思默想的神情。

拉斯托普庆皱起眉头。

“这是我的忠告，老弟。赶快离开，这就是我要对您说的话。善于听话的人有福了！再见，老弟。喂，还有，”他从门里对皮埃尔大声说，“据说，尊夫人落到耶稣会神父的手里，这是真的吗？”

皮埃尔什么也没回答，他皱起眉头，怒气冲冲地离开拉斯托普庆的办公室。这副神气是他从来没有过的。

皮埃尔回到家里，天色已经入暮。那天晚上有七八个人来见他：委员会秘书、他营里的上校、总管、管家和各种有求于他的人。他们都有事来见皮埃尔，要他解决问题。皮埃尔什么也不明白，对这些事毫无兴趣，回答各种问题，也只是要赶快摆脱这些人。最后剩下他一个人，他才拆开妻子的信来读。

“**他们**——士兵们在炮位上，安德烈公爵阵亡了……老头儿……单纯就是归顺上帝。得受苦……意义是……套车……妻子要嫁人……得忘记……理解……”他走到床边，和衣倒在床上，立刻睡着了。

第二天早晨，他醒来后，管家进来报告说，拉斯托普庆伯爵特派一位警官来打听皮埃尔伯爵有没有走，或者是不是正要动身。

十来个不同身份的人有事在客厅里等着皮埃尔。皮埃尔慌忙穿上衣服，不去客厅，却从后台阶走出大门。

自从那时起，直到莫斯科完全被毁，家里人虽然到处找寻，但是再没有看到皮埃尔，也不知道他的下落。

12

罗斯托夫一家直到敌人进入莫斯科的九月一日之前都留在城里。

自从彼嘉加入奥勃仑斯基哥萨克团，到编队的白采尔科维去后，伯爵夫人一直提心吊胆。她两个儿子都上了前线，两人都脱离她的庇护，他们中间的一个，也可能两个，随时都会被打死，就像她熟人的三个儿子一起牺牲那样——这样的念头今夏第一次活生生地浮上她的脑海。她试图把尼古拉叫回身边，想亲自去找彼嘉，在彼得堡替他谋个差使，但两者都办不到。彼嘉不可能回来，除非随团一起来，或者调到另一个现役团里。尼古拉随军去了什么地方，最后一封信写到同玛丽雅公爵小姐会面的详情，这以后就音讯全无。伯爵夫人晚上睡不着觉，一睡着就梦见两个儿子都被打死。经过多次商量和谈话，伯爵终于想出安慰伯爵夫人的办法。他把彼嘉从奥勃仑斯基团调到在莫斯科城下编队的别祖霍夫团。虽然彼嘉还留在军队里服役，但经过这一调动，伯爵夫人放心了，她至少有一个儿子可以留在身边，她可以设法使彼嘉不再离开她，再也不到可能发生战事的地方去。当尼古拉一人处于危险中时，伯爵夫人觉得她爱长子超过其他孩子，她甚至后悔放尼古拉去从军。不过，当她的幼子，功课不好、在家里老是损坏东西、人人讨厌的小淘气彼嘉，那个塌鼻子、红脸颊、生有一双快乐的黑眼睛、脸上刚出现毫毛的彼嘉也跻身于残忍可怕的大男人中间，参加战斗并从中找到乐趣时，做母亲的就觉得她爱他远远超过其他孩子。彼嘉预定回莫斯科的时候越近，伯爵夫人就越心神不宁。她甚至觉得她再也等不到这样幸福的时刻了。不仅宋尼雅在场，就连心爱的娜塔莎和丈夫在场，伯爵夫人都会发怒。“我要他们做什么，除了彼嘉，我谁也不要！”她暗自想。

八月底，罗斯托夫家收到尼古拉的第二封信。他被派到沃罗涅日省采办马匹，信就是从那里写来的。这封信并没有使伯爵夫人安心。她知道一个儿子离开危险地带，就更为彼嘉担心。

虽然到八月二十日罗斯托夫家所有的熟人几乎都已离开莫斯科，而且人人都劝伯爵夫人尽快走，但在宝贝儿子彼嘉没回来之前，她听不进这一类劝告。八月二十八日，彼嘉回家了。这个十六岁的青年军官却并不喜欢母亲欢迎他的过分热情。虽然母亲隐瞒想把他留在身边的意图，彼嘉却明白她的用心，本能地害怕对母亲过分亲昵，撒娇取宠（他这样暗自思忖）。他待她很冷淡，回避她，在莫斯科逗留期间专门同娜塔莎接近，对她怀有一种特别亲热的手足之情。

伯爵生性无忧无虑，到八月二十八日，动身的准备工作还一点也没有做。从梁赞和莫斯科庄园来搬运财物的大车直到三十日才到。

从八月二十八日至三十一日，莫斯科全市一片忙乱。每天有几千名鲍罗金诺战役中的伤员从陶罗戈米洛夫门运进来，分散到莫斯科全城，又有几千辆大车运载居民和财物从几个门出去。不管拉斯托普庆发了告示（此事或者与告示无关，或者正是由于告示），全市流传着各种互相矛盾和荒诞离奇的消息。有人说，没有命令叫谁离城；有人正好相反，说圣像都已从教堂里抬出来，全体居民被强迫撤离；有人说，鲍罗金诺之后又发生了会战，把法国人打垮了；有人正好相反，说俄军全军覆没；有人说，莫斯科民兵在神父率领下开往三山区；有人悄悄地说，不准奥古斯丁主教离城，已经抓到了叛徒，农民暴动，抢劫出城的人，等等。但这只是传说，事实上，离城的人也好，留下的也好（尽管菲里会议还没有召开，莫斯科是否放弃还没有决定），大家嘴里虽然不说，却都感觉到，莫斯科非放弃不可，应该尽快带着财物逃难。大家都预感到，城里就要发生天翻地覆的大变化，但直到九月一日还毫无动静。就像一个临刑的罪犯，知道自己末日将临，但仍环顾四周，拉正头上的帽子，莫斯科人继续过着惯常的生活，虽然知道末日已到，整个生活秩序将被彻底破坏。

在莫斯科沦陷前三天，罗斯托夫一家仍忙于各种生活琐事。一家之主罗斯托夫伯爵在城里到处奔走，打听各种传说；回到家里，只匆忙作些安排，准备动身。

伯爵夫人督促仆人收拾行李，对什么事都不满意，不断找寻逃避她的彼嘉，妒忌娜塔莎，因为彼嘉老是同她待在一起。只有宋尼雅一人在处理实际事务：包扎东西。不过宋尼雅近来特别忧郁和沉默。尼古拉来信提到玛丽雅公爵小姐，伯爵夫人便当着宋尼雅的面快乐地议论起来，说玛丽雅公爵小姐同尼古拉相逢是出于天意。

“安德烈做娜塔莎的未婚夫，”伯爵夫人说，“我对这事从来就没有高兴过。但我有个预感，尼古拉会娶玛丽雅公爵小姐。那该是多么好哇！”

宋尼雅觉得，这话是对的，挽救罗斯托夫家家业的唯一办法是娶位富家小姐，而玛丽雅公爵小姐就是个合适的对象。但这事使她觉得伤心。尽管她心里很悲伤，但也许正由于心里悲伤，她一心一意指挥着包扎东西和收拾行李的繁重工作，整天忙个不停。伯爵老夫妇俩有什么事要吩咐，就来找她。彼嘉和娜塔莎正好相反，不仅不帮父母的忙，而且常常妨碍别人，惹人讨厌。家里几乎整天就听见他们的奔走声、叫嚷声和无缘无故的笑声。他们欢笑，高兴，绝不是因为有什么事逗得他们发笑，而是因为他们心里快乐，因此不论发生什么事，都能成为他们欢笑的原因。彼嘉心里高兴，因为他离家的时候还是个孩子，可回来已是个小伙子了（人家都这么说他）；他心里高兴，因为他回到家里，因为他离开最近没有希望作战的白采尔科维，来到几天之内即将交战的莫斯科；他心里高兴，主要是因为娜塔莎很快乐，而他的情绪总受她影响。娜塔莎心里高兴，因为她长期闷闷不乐，而现在没有任何事能使她闷闷不乐，她的身体康复了。她心里高兴，还因为有人赞美她（别人的赞美是她这台机器运转所必需的润滑剂），因为彼嘉赞美她。他们心里高兴，主要是因为莫斯科附近发生战事，城门口将要打仗，武器就要分发，大家都在逃难，逃到什么地方去，现在正在发生非常事件，这样的事总是令人高兴的，对年轻人尤其如此。

13

八月三十一日，星期六，罗斯托夫家一切都闹了个底朝天。屋里门户洞开，全部家具都搬到屋外或者移动了位置，镜子和画都摘了下来。每个房间里都摆着箱子，干草、包装纸和绳子狼藉满地。农奴和家奴搬运东西，脚步沉重地在镶木地板上走来走去。院子里挤满农民的大车，有的车已装满扎好，有的车还是空的。

大量家奴和赶大车来的农民的说话声和脚步声在院子里和屋子里此起彼落，互相呼应。伯爵一早就出去了。伯爵夫人由于忙碌和喧闹头痛欲裂，躺在新的起居室里，头上扎着一块浸醋的包布。彼嘉不在家里。他去看一个朋友，他们两人准备由民兵转为现役。宋尼雅在客厅里照料玻璃器皿和瓷器的包装。娜塔莎坐在她那东西搬空的房间地板上，周围散布着衣服、缎带和围巾，眼神呆滞地看着地板，手里拿着一件旧舞衣，款式已经陈旧，也就是她在彼得堡第一次参加舞会时穿过的那一件。

家里人人都很忙碌，娜塔莎什么事也不做，感到惭愧。她从早晨起几次想做点事，但安不下心来。她平时做事总是全力以赴，否则就做不成。她站在宋尼雅旁边看包装瓷器，想帮助他们，但立刻改变主意，回到自己房里去收拾东西。起初，她把一部分衣服和缎带分送给使女，感到很高兴，但后来还得收拾余下的东西，她就觉得厌烦了。

“杜尼雅莎，好姑娘，你来装好不好？好吗？好吗？”

杜尼雅莎高高兴兴地答应替她办好一切，娜塔莎就坐在地板上，拿起那件旧舞衣，陷入与当前现实毫无关系的沉思中。隔壁屋里使女们的说话声和她们从下房到后台阶的匆忙脚步声把娜塔莎从沉思中惊醒。她站起来，向窗外望望。街上停着一长列伤员车。

使女、仆人、管家、保姆、厨师、车夫、马夫、厨师下手都站在大门口，瞧着伤员。

娜塔莎包上一块白头巾，两手拉住头巾梢儿走到街上。

原来的老管家玛芙拉离开大门旁的人群，走到一辆有席篷的马车旁，同一个躺在车上的脸色苍白的青年军官谈话。娜塔莎走了几步，怯生生地站住，双手仍拉着头巾，听老管家说话。

“您是说，您在莫斯科一个亲人也没有吗？”玛芙拉说，“您最好住到哪座房子里去稳当些……住到我们家去也行。老爷们都走了。”

“我不知道人家答应不答应，”那军官声音微弱地说，“哦，长官来了……您问问他吧。”他指指一个经过一排排车子从街上回来的胖少校。

娜塔莎眼神惊惶地瞧了瞧负伤军官的脸，立刻迎着少校走去。

“伤员可以留在我们家吗？”她问。

少校露出笑容，举手敬了个礼。

“您要哪一个，小姐？”他眯细眼睛含笑说。

娜塔莎镇静地又问了一遍。尽管她仍拉住头巾梢头，但她的脸色和神态是那么严肃，少校不由得停止了笑，先想了一想，仿佛在问自己，这事有多大可能，然后给了她肯定的答复。

“嗯，可以，当然可以！”他说。

娜塔莎微微点点头，快步走到玛芙拉跟前。玛芙拉站在军官旁边，满怀怜悯地同他谈话。

“可以，他说可以！”娜塔莎低声说。

军官躺着的马车驶进罗斯托夫家院子。于是几十辆运送伤员的车子就应居民们的邀请拐进各家院子，停在厨师街各户人家的门口。娜塔莎显然很愿意接待这批异乎寻常的新客人。她同玛芙拉一起竭力想在自己家里多收容一些伤员。

“不过，总得向你爸爸报告一下。”玛芙拉说。

“不要紧，不要紧，那没有关系！我们可以搬到客厅里去过一晚。我们可以把一半房子让给他们。”

“哦，小姐，亏您想得出！就是让他们住进厢房和下房，也得问一下。”

“好，我去问。”

娜塔莎跑进屋里，踮着脚尖走进房门半开的起居室。那里散发着醋和霍夫曼滴剂[①]的气味。

“您睡了吗，妈妈？”

“哦，睡得真好！”伯爵夫人刚打了个盹，醒来说。

“妈妈，好人儿！”娜塔莎说，跪在母亲面前，脸贴着母亲的脸。“对不起，我把您弄醒了，以后再也不敢了。是玛芙拉叫我来的，他们把伤员运了来，都是军官，您答应吗？他们没有地方去，我知道您会答应的……”她一口气急急地说。

“什么军官？把谁运来了？我什么也不明白。”伯爵夫人说。

娜塔莎笑起来，伯爵夫人也微微笑着。

“我知道您会答应的……那么我就这样去对他们说。”娜塔莎吻了吻母亲，站起来向门口走去。

她在客厅里遇见父亲。伯爵正带了坏消息回家。

“我们待得太久了！”伯爵不由得懊恼地说，“俱乐部也关门了，警察局也撤走了。”

“爸爸，我把伤员请到家里来，不要紧吧？”娜塔莎对他说。

---

① 霍大曼滴剂由二份硫黄和三份酒精合制而成，当时在俄国用得很普遍。

"当然不要紧，"伯爵漫不经心地说，"但问题不在这里，现在我要你别再忙些无关紧要的事，应该帮助大家收拾行李。走，走，明天就走……"伯爵给了管家和仆人同样的命令。吃饭时，彼嘉回来讲着他听到的消息。

他说，今天老百姓在克里姆林宫领取武器，拉斯托普庆在告示里虽说，他会提前两天发出号召，其实他已下令全体民众明天带着武器去三山区，那里将有一场大战。

彼嘉讲这些消息时，伯爵夫人惶恐地望着儿子神采飞扬的脸。她知道，她如果要求彼嘉不参加这次战斗（她知道他正为参加这场战斗而兴高采烈），那他就会讲些男子汉、荣誉和祖国之类固执的废话，使你无法反驳，这样事情就糟了，因此她希望在开战之前走，并把彼嘉当作保护人随身带走。她对彼嘉只字不提，饭后把伯爵找来，声泪俱下地要求赶快带她走，如果可能的话，当夜就走。她一向表示无所畏惧，但如今出于狡猾的女性爱，竟说如果今晚不走，她会被吓死的。现在她什么都害怕。

14

肖斯夫人看望女儿回来，讲到她在肉铺街一家酒店看见的情景，更增加了伯爵夫人的恐惧。她在街上遇见一群醉汉闹事，走不过来，就雇了一辆马车绕路走小巷回家。车夫告诉她，老百姓奉命砸破酒店里的酒桶。

饭后，罗斯托夫全家急急忙忙收拾东西，准备动身。老伯爵突然管起事来，从院子到屋里不断来回奔走，无缘无故斥责正在忙碌的仆人，催促大家加快收拾。彼嘉在院里指挥。宋尼雅听了伯爵自相矛盾的指挥，张皇失措，不知该怎么办才好。仆人们叫嚷，争吵，喧闹，在屋里和院子里奔走忙碌。娜塔莎生性热情，忽然也行动起来。她参加包装工作，大家都不很放心。大家都认为她会闹笑话，不愿听她指挥；但她固执而激动地要大家服从，人家不听她，她气得几乎掉眼泪，最后终于使大家都信任她。她费力地获得威信的第一项功劳是包装地毯。伯爵家里有名贵的哥白林挂毯[1]和波斯地毯。娜塔莎动手干活的时候，客厅里摆着两只打开的大箱子：一只几乎装满瓷器，另一只装着地毯。瓷器有许多放在桌上，还有不少源源不断地从贮藏室里搬来。还需要一只空箱子，仆人已去搬了。

“宋尼雅，等一下，我们要把所有的东西都装进去。”娜塔莎说。

“不行，小姐，已经试过了。”餐厅侍仆说。

“不，请等一下。”娜塔莎动手把纸包着的盘子和碟子从箱子里取出来。

“盘子放到这里来，装到地毯中间。”她说。

“还有地毯呢，三只箱子装得下就算不错了！”餐厅侍仆说。

“不，请等一下。”娜塔莎开始利落地收拾起来。“这不要了。”她指着基辅盘子说，“这要的，这夹在地毯中间。”她指指萨克森碟子说。

“你歇歇吧，娜塔莎；行了，我们来装吧。”宋尼雅带着责备的口气说。

“哎，小姐！”管家说。但娜塔莎不肯罢休，她把所有的东西都取出来，敏捷地重新装箱，决定不带劣等地毯和多余的瓷器。结果，把不值钱的东西都取出来，所有贵重的东西整整装了两箱。只是装地毯的箱子满得盖不上。还可以取出几件东西，但娜塔莎坚持自己的意见。她装了又装，使劲压，叫餐厅侍仆和被她拉来帮忙的彼嘉一起压箱盖，自己也拿出所有的力气。

“算了，娜塔莎，”宋尼雅对她说，“我知道你的意见是对的，但顶上的一件还得拿掉。”

“我不要！”娜塔莎嚷道，一手拢住落到汗津津脸上的头发，一手压地毯。“使劲压，彼嘉，压！华西里奇，压！”她叫道。地毯压实，箱子盖上了。娜塔莎拍手尖叫，泪水夺眶而出。但这只是一瞬间的事。接着她立刻着手做别的事，大家已充分信任她了。有人对伯爵说，娜塔莎改变他的命令，他并不生气。仆人走来问娜塔莎：行李车要不要捆起来，东西装得够不够？在娜塔莎指挥下事情进行得很顺利：留下没有用

① 法国巴黎产的一种双面挂毯。

的东西，最贵重的东西都紧凑地装起来了。

尽管大家非常卖力，到深夜还是没有把全部东西装好。伯爵夫人睡着了，伯爵把行期推迟到第二天早晨，也去睡了。

宋尼雅、娜塔莎都和衣睡在起居室里。

那天夜里，又有一名伤员被送到厨师街，玛芙拉站在大门口，把他让进罗斯托夫家。玛芙拉断定这个伤员是个很重要的人物。运载他的马车放下车篷，又用帘子遮住。驭座上，车夫旁边坐着一个彬彬有礼的老仆人。后面一辆车上坐着医生和两个士兵。

“请到我们这儿来，请！老爷们就要走了，整座房子都空着。”玛芙拉对老仆人说。

“好吧，”那仆人叹息着回答，“我们恐怕赶不到家了。我们在莫斯科自己也有房子，但远得很，也没有人住。”

“请赏光进来吧，我们老爷家东西应有尽有。”玛芙拉说。“怎么，伤得很厉害吗？”她又问。

仆人摆了摆手。

“怕赶不到家了！得问问医生。”仆人下了车，走到后面一辆马车旁边。

“好的。”医生说。

那仆人又走回主人马车旁，往里面张望了一下，摇摇头，吩咐车夫把车拐进院子里，停在玛芙拉旁边。

“主耶稣基督！”她喃喃地说。

玛芙拉提议把伤员抬到屋里。

“老爷们不会说什么的……”她说。但他们必须避免上楼，因此就把伤员抬到厢房，放在肖斯夫人的房间里。这个伤员就是安德烈公爵。

15

莫斯科的末日到了。这是一个秋高气爽的日子，星期日。就像平时星期日一样，所有的教堂都在做礼拜。谁也不知道莫斯科前途如何。

社会上只有两件事表明莫斯科的处境：一是大批平民涌到，一是物价波动。工人、家奴和农民，加上官吏、学生和贵族，那天一早就去了三山区。他们到了那里，没有等到拉斯托普庆，确信莫斯科将被放弃，就分散到莫斯科各家酒店和饭店。那天的物价也表明了形势。武器、黄金、车辆和马匹都涨了价，纸币和生活用品跌价，运送呢绒等贵重商品的车夫要收一半商品作为酬劳，农民的马每匹索价五百卢布；家具、镜子和青铜器都白白送人。

在庄重而古老的罗斯托夫邸宅里，生活秩序的破坏表现得并不明显。在大量仆役中，夜里只少了三个人，但没有东西失窃；在物品方面，乡下来了三十辆大车，这是许多人羡慕不已的巨大财富，有人愿出高价向罗斯托夫家收买。不仅有人愿出高价收买这些车子，而且从头天晚上到九月一日清晨，罗斯托夫家的院子里来了许多负伤军官的勤务兵和仆人，住在罗斯托夫家和附近几家的伤员也拖着脚走来，他们都要求搭车离开莫斯科。管家面对这些请求，虽然也很同情伤员，但是断然加以拒绝，说他甚至不敢向伯爵报告。剩下的伤员虽很可怜，但要是给一辆车，就没有理由不给第二辆，没有理由不交出所有的车，连自己的轿车也得交出去。三十辆车不能救出全部伤员，在一场浩劫中不能不顾自己，不顾自己的家庭。管家就是这样替自己的老爷着想的。

九月一日早晨，罗斯托夫伯爵悄悄走出卧室，免得惊醒到黎明才睡着的伯爵夫人。他穿着一件紫缎睡袍，走到台阶上。院子里停着扎好的大车。台阶旁停着几辆马车。管家站在大门口，同一个老勤务兵和一个脸色苍白、吊着手臂的青年军官谈话。管家一看见伯爵，就对那军官和勤务兵做了一个严厉的手势，要他们走开。

“那么，一切都舒齐了吗，华西里奇？”伯爵问，擦擦秃头，和蔼可亲地瞧着军官和勤务兵，向他们点点头。伯爵喜欢见到陌生人。

“马上就套车，老爷。”

“太好了，等伯爵夫人一醒就可以动身！您怎么样，先生？”他问军官说，“您住在舍间吗？”军官走近一点，他那苍白的脸唰地涨得通红。

“伯爵，您帮个忙吧，看在上帝分上……让我……搭您的车。我随身什么也没有……我搭行李车……也行……”没等军官把话说完，勤务兵也替主人向伯爵求情。

“哦！行，行，行！”伯爵连忙说，“我很高兴，很高兴！华西里奇，你来安排一下，腾出一两辆车子来……还需要什么……”伯爵含糊其词地吩咐说。不过，就在这一刹那，军官脸上热烈的感激表情使伯爵无法收回他的吩咐。伯爵环顾了一下，在院子里，大门口，厢房窗口，到处可以看见伤员和勤务兵。大家都望着伯爵，向台阶前拥来。

“老爷，请您到画室去一下，那边的画该怎么处理？”管家问。伯爵跟他一起走进屋里，再三嘱咐不要拒绝请求搭车的伤员。

“嗯，好吧，可以卸下一些东西。”他神秘地低声说，仿佛怕被谁偷听到。

伯爵夫人在九点钟醒来。她原来的使女玛特廖娜，现在替她担任类似宪兵司令的职务，走来向她报告说，肖斯夫人很生气，因为她认为不能把小姐们的夏装留在这里。伯爵夫人问，肖斯夫人生什么气，原来所有的车都解开，东西被卸下，装上伤员，她的箱子也从车上被卸下来。这是遵照生性厚道的伯爵的命令办的。伯爵夫人派人去把丈夫找来。

“这是怎么回事，我的朋友，我听说东西又被卸下来了，是吗？”

“是的，*亲爱的*，我要告诉你……*亲爱的*伯爵夫人……有位军官来找我，要求给他们几辆大车运送伤员。那些都是身外之物，但把伤员留下来会有什么后果呢！……不错，他们就在我们的院子里，是我们自己叫他们来的，这里有几位军官……你知道，我想，真的，*亲爱的*，哦，*亲爱的*……就把他们带走吧……忙什么呀！……”伯爵怯生生地说，就像他每次谈到金钱时那样。伯爵夫人已听惯这种语气，知道接下来他就会提出一些损害子女利益的计划，例如盖画廊啦，造温室啦，组织家庭剧团或者乐团啦。伯爵夫人已养成习惯，认为反对丈夫怯生生地说出来的计划是她的责任。

她装出顺从而伤心的模样，对丈夫说：

“听我说，伯爵，你已弄得家里无力添置东西了，如今又要把孩子们的财产都毁掉。你说过，我们家里的东西值十万卢布。我不答应，我的朋友，我不答应。你真随便！伤员有政府照管。这他们知道。你瞧，对面洛普兴家前天就把东西搬空了。瞧人家是怎么办的。只有我们是傻瓜。你不可怜我，也该可怜可怜孩子们哪。”

伯爵摆摆手，什么话也没说，就从屋里走了出去。

“爸爸！您这是怎么啦？”跟着他走进母亲屋里的娜塔莎问。

“没什么！不关你的事！”伯爵怒气冲冲地说。

“不，我听见了，”娜塔莎说，“妈妈为什么不同意？”

“关你什么事？”伯爵嚷道。娜塔莎走到窗口，沉思起来。

“爸爸，别尔格来了。”她望着窗外说。

16

罗斯托夫家的女婿别尔格已升为上校，获得了弗拉季米尔勋章和安娜勋章，仍担任着第二军参谋部第一处副处长的清闲职务。

九月一日他从军队来到莫斯科。

他在莫斯科并没有什么事要做，但他看到部队里大家都要求去莫斯科，并在那里做点什么事，他觉得他也需要休假探亲和料理家务。

别尔格乘一辆讲究的轻便马车，驾着两匹肥壮的黑鬃黄马，像个公爵那样来到岳父家。他留神看看院子里的车辆，走上台阶，取出一条干净的手帕，打了个结。

别尔格从前厅敏捷而轻盈地跑进客厅，拥抱了伯爵，吻了吻娜塔莎和宋尼雅的手，连忙问起岳母的健康情况。

“现在还顾得上健康吗？”伯爵说，“你讲讲，军队怎么样？撤退，还是再打一仗？”

“只有永恒的上帝才能决定祖国的命运，爸爸，”别尔格说，“军队斗志昂扬，上头正在开会商量。结果怎样不得而知。不过我可以告诉您，爸爸，在二十六日战役中俄军所表现的英勇气概，那种真正传统的大无畏精神，是没有适当语言可以表达的……我告诉您，爸爸（他像那个讲这话的将军那样捶捶胸膛，虽然晚了一点，因为应该在说到‘俄军’两字时就捶胸的），我老实告诉您，我们做长官的不仅不需要鼓励士兵，还得劝阻他们去完成传统的英勇业绩，”他急急地说，“巴克莱·德·托里将军处处身先士卒，不惜牺牲。这是真的。我们的军驻扎在山坡上。

您倒想想！”于是别尔格就讲了这一时期他所听到的各种传闻。娜塔莎眼睛一直盯着别尔格，盯得别尔格有点尴尬，她仿佛在他脸上搜寻什么问题的答案。

“总之，俄军所表现的大无畏精神难以想象，值得赞美！”别尔格说，回头望望娜塔莎，仿佛想讨好她，用笑脸来回答她的执着目光……“‘俄国不在莫斯科，它活在儿子们的心中！’爸爸，您说是吗？”别尔格说。

这时，伯爵夫人形容憔悴，心情不佳，从起居室里出来。别尔格慌忙站起来，吻了吻伯爵夫人的手，问了问她的健康，摇摇头表示同情，站在她旁边。

“哦，妈妈，我对您说句实话，现在对每个俄国人来说都是悲伤痛苦的时候。但何必那么焦虑不安呢？你们还来得及走……”

“我不明白底下人在做些什么，”伯爵夫人对丈夫说，“我刚才听说，还什么也没有准备好。总得有个人来料理啊。叫人不由得想起了米嘉。事情真是没个完！”

伯爵想说什么，但显然忍住了。他站起来向门口走去。

别尔格这时像要擤鼻涕，掏出手帕，看了看上面的结，沉思起来，忧伤而感慨地摇摇头。

“爸爸，我对您有个重大要求。”他说。

“嗯？……”伯爵站住说。

“我刚才经过尤苏波娃家，”别尔格笑着说，“我认识的一个总管跑出来问我，要不要买点什么。我出于好奇走进去，结果在那里看到一个小柜和一张梳妆台。您知道，薇拉一直想要这两样东西，我们还为这事吵过嘴呢。（别尔格说到小柜和梳妆台，流露出善于治家的得意语气。）真美！抽屉装有英国锁，您知道吗？薇拉早就想要一个了。我也很想送她一件礼品。我看到您院子里有那么多农民。您给我一个吧，我会多给他点钱的……”

伯爵皱起眉头，清了清嗓子。

“你去问伯爵夫人吧，这事我不管。”

“要是不方便，那就不用了，”别尔格说，“我都是为了薇拉才要的。”

“哦，你们都给我滚，滚，滚！……”老伯爵嚷道，“搞得我晕头转向。”他说着走出房间。

伯爵夫人哭起来。

“是的，是的，妈妈，这日子可不好过啊！”别尔格说。

娜塔莎跟父亲一起出去。她仿佛在苦苦思考什么事，先跟着父亲，然后跑下楼。

彼嘉站在台阶上，向离开莫斯科的仆人分发武器。装好的车子仍停在院子里。有两辆车卸下东西，那个负伤的军官由勤务兵扶着，爬上其中的一辆。

“你知道为了什么吗？”彼嘉问娜塔莎。娜塔莎明白，彼嘉是问他们的父母为什么吵架，但她没有回答。

“为了爸爸要把所有的大车都让给伤员，”彼嘉说，“华西里奇告诉我的。照我看……”

“照我看，”娜塔莎突然怒气冲冲地向彼嘉转过脸去，几乎叫起来，“照我看，这太卑鄙了，太丑恶了，太……我真说不出！我们又不是德国人？……”她的喉咙哽咽得发抖，她唯恐她的怒气减弱或白白发泄掉，就转身急急跑下楼去。别尔格坐在伯爵夫人旁边，又体贴又恭敬地安慰着她。伯爵手里拿着烟斗在屋子里来回踱步，这时娜塔莎气疯了，像一阵风暴似的冲进屋里，快步走到母亲跟前。

“这太卑鄙了！这太丑恶了！”她嚷道，“这不会是您发的命令吧！”

别尔格和伯爵夫人惊疑地望着她。伯爵在窗口站住，听她说。

“妈妈，这样不行；您瞧瞧院子！”她叫道，“他们要被丢下了！……”

“你这是怎么了？他们是谁？你要什么？”

“伤员，就是他们！这样可不行，妈妈，这太不像话了……不，妈妈，好人儿，这不对，妈妈，对不起……哦，妈妈，我们带走那些东西，那有什么要紧，您就瞧瞧院子里……妈妈！……不能这样！……”

伯爵站在窗口，没有回过脸去，只听着娜塔莎说。突然他吸了吸鼻子，把脸凑近窗子。

伯爵夫人瞧了女儿一眼，看见她为母亲而害臊的脸，看出她情绪激动，明白为什么丈夫现在不看她，就惊慌失措地向四周环顾了一下。

“哼，你们要怎么办就怎么办吧！我又没有妨碍谁！”她说，还没有立刻屈服。

“妈妈，好人儿，原谅我吧！”

但伯爵夫人推开女儿，走到伯爵面前。

“亲爱的，该怎么办，你就怎么办吧……这事我确实不知道！”她负疚地垂下眼睛，说。

“蛋……蛋在教训鸡了……”伯爵含着幸福的眼泪说，把妻子搂在怀里。她也乐于把自己害臊的脸藏在他的胸前。

“爸爸，妈妈！能让我去安排吗？行吗？……”娜塔莎问，“我们仍可以把最需要的东西带走……”娜塔莎说。

伯爵向她点点头表示同意，娜塔莎就像玩追人游戏那样穿过客厅跑到前室，又顺着楼梯跑到院子里。

仆人们聚集在娜塔莎周围，不相信她要把全部车辆让给伤员而把箱子都搬到仓库里的奇怪命令，直到伯爵以伯爵夫人的名义证实了这件事。仆人们领会了这命令，就高高兴兴地卖力干起来。他们现在不仅不觉得奇怪，而且认为非这样做不可，就像一刻钟以前他们认为把伤员留下而搬走东西一样无可非议。

一家人仿佛要补救他们没有及早这样做的过错，都起劲地动手把伤员安置到车上。伤员们从房间里蹒跚地走出来，苍白的脸上露出喜气，围住了大车。隔壁几座房子里也听到有大车的消息。伤员们纷纷向罗斯托夫家院子里走来。许多伤员要求不要卸下车上的东西，只要让他们坐在东西上就行。但卸车的工作一开了头，就再也无法停止。全部留下或者留下一半，这已没有什么区别。夜间煞费苦心装上器皿、铜器、图画和镜子的箱子都散乱在院子里，大家还在找寻可以腾出来的车辆。

“还可以带四个人，”总管说，“我把我的车让出来，要不叫他们坐到哪里去呢？”

“把我装衣柜的车腾出来，”伯爵夫人说，“杜尼雅莎可以跟我坐轿车。”

装衣柜的车腾了出来，派到隔开两座房子的人家去运伤员。家里上上下下都很高兴。娜塔莎更是兴高采烈，劲头十足，这在她已是好久没有的事。

“这东西往哪儿搁呢？”仆人把一只箱子绑在马车后面的脚镫上，说，“至少得留下一辆大车啊！”

“这辆车上是什么？”娜塔莎问。

“是伯爵的书。”

“留下。让华西里奇卸下来。这不用带。”

四轮马车上挤满了人，大家不知道让彼嘉坐到哪儿去。

“让他坐驭座。你坐驭座好吗，彼嘉？”娜塔莎大声问。

宋尼雅也忙个不停，但她忙碌的目的同娜塔莎不同。她把留下的东西收拾起来，照伯爵夫人的愿望开一张清单，并尽可能随身多带些东西。

17

下午一点多钟，罗斯托夫家四辆装得满满的轿车停在大门口。运载伤员的大车一辆接一辆从院子里赶出去。

宋尼雅带着一名使女在门口的大轿车里替伯爵夫人安排座位。运载安德烈公爵的马车从台阶旁经过，引起宋尼雅的注意。

“这是谁的马车？”宋尼雅从车窗里探出头来，问。

“您难道不知道吗，小姐？”使女回答，“公爵负伤了，他昨天在我们家过夜，今天也跟我们一起走。”

“那是谁呀？姓什么？”

“就是我们家原来的姑爷，安德烈公爵！”使女叹着气回答，“据说，快死了。”

宋尼雅跳下马车，跑到伯爵夫人跟前。伯爵夫人已穿好旅行装，包上大围巾，戴上帽子，形容憔悴，在客厅里踱步，等待家里人到齐，以便在出发前坐一会儿，祷告一番。娜塔莎不在屋里。

“妈妈，”宋尼雅说，“安德烈公爵在这里，他负了伤，快死了。他跟我们一起走。”

伯爵夫人大吃一惊，睁大眼睛，抓住宋尼雅的手臂往四下里看了一下。

“娜塔莎呢？”她问。

最初一刹那，这消息对宋尼雅和对伯爵夫人都只有一种意义。她们了解娜塔莎，担心娜塔莎知道这个消息会怎么样。这种忧虑压倒了她们对所爱的那个人的同情。

“娜塔莎还不知道，但他跟我们一起走。”宋尼雅说。

“你说，快死了吗？”

宋尼雅点点头。

伯爵夫人抱住宋尼雅，哭起来。

“天道难测啊！”伯爵夫人想，觉得上帝万能的手在冥冥中干预着人间的一切。

“哦，妈妈，一切都准备好了。你们在谈什么呀……”娜塔莎跑进屋子，神采飞扬地问。

“不谈什么，”伯爵夫人说，“都准备好了，那就走吧。”伯爵夫人低下头看她的手提袋，以掩饰悲伤的脸色。宋尼雅抱住娜塔莎，吻了吻她。

娜塔莎疑惑地瞧了她一眼。

“你怎么？出什么事了？”

“没什么……没……”

“是对我很坏的事吧？……什么事？”机灵的娜塔莎问。

宋尼雅叹了一口气，什么也没回答。伯爵、彼嘉、肖斯夫人、玛芙拉、华西里奇走进客厅，关上门，大家坐下来，默默地坐了几秒钟，谁也不看谁。

伯爵首先站起来，大声叹了口气，对着圣像画十字。大家都学他的样。然后，伯爵拥抱将留在莫斯科的玛芙拉和华西里奇，他们则抓住伯爵的手，吻他的肩膀。伯爵拍拍他们的背，含糊不清地说些亲切的安慰话。伯爵夫人走进祈祷室。宋尼雅发现她跪在凌乱地挂在墙上的一些圣像前。（家里最贵重的圣像都随身带走。）

在台阶上和院子里，将要离开的仆人佩着彼嘉分发的短刀和马刀，裤脚塞在靴筒里，束紧裤带和腰带，同留下来的人告别。

就像人们通常出门那样，许多东西忘记带，许多东西放错位置，弄得两个跟班在敞开的车门和踏脚旁站了好半天，伺候伯爵夫人上车，同时，使女们带着靠枕和包裹从屋里跑到马车上，又从马车跑回屋里。

"她们老是忘记东西！"伯爵夫人说，"我可不能一直这样坐着。"杜尼雅莎咬咬牙，没有回答，脸上带着责备的神气，跑上马车，重新安排座位。

"唉，这些用人！"伯爵摇摇头说。

叶斐姆是伯爵夫人唯一信得过的老车夫，高高地坐在驭座上，也不看一眼背后发生的情况。他凭三十年的经验知道，离开说"上帝保佑，走吧！"这句话，还得等些时候，即使说过这句话，还得再停两次，去取忘记的东西，然后还会再次叫他停下，直到伯爵夫人从车窗里探出头来，叮嘱他看在基督分上下坡时务必格外留神才能开车。他知道这一切，因此比他的马更有耐心地等待着——他的马有点不耐烦，特别是左边那匹枣红马飞鹰，跺着蹄子，不断地嚼着衔铁。最后大家都坐好了，踏梯收起来，翻到车上，车门嘭的一声关上，又派人去取一个小匣子，伯爵夫人探出身来，说了该说的话。于是，叶斐姆慢条斯理地摘下帽子，动手画十字。领头马夫和所有的仆人也都画了十字。

"上帝保佑！"叶斐姆戴上帽子，说，"驾！"领头马夫催动了马。右辕马拉起套索，高高的弹簧咯吱发响，车厢动起来。跟班等车开动后跳上驭座。轿车从院子里驶到不平的街上时跳动了一下，后面的车子一辆辆都跳动了一下，整个车队就上了大街。车里的乘客在经过住宅对面的教堂时都画了十字。留在莫斯科的仆人在两边送行。

娜塔莎坐在伯爵夫人身旁，望着从旁边慢慢后退的被遗弃的惊惶不安的莫斯科，心里感到少有的快乐。她偶尔从车窗里探出头去，向前望望一长列运载伤员的车队。她看见安德烈公爵那辆放下车篷的马车走在最前面。她不知道车里载着什么人，但当她看车队时，眼睛总是找寻那辆马车。她知道那辆车在最前面。

从库德林诺街、尼基塔街、普列斯尼亚街、波德诺文斯克街来了几列像罗斯托夫家那样的车队。到了花园街，马车和大车已分成两行。

在绕过苏哈列夫塔楼时，娜塔莎好奇地迅速打量着坐车的人和步行的人，突然又惊又喜地叫道：

“天哪！妈妈，宋尼雅，快瞧，是他！”

“谁？谁？”

“瞧呀，真的，是皮埃尔伯爵！”娜塔莎说，头伸到车窗外，望着一个又高又胖、穿着车夫长袍的男人。从步态和举止上看，这人显然是个老爷。他同一个穿粗毛呢大衣、脸色枯黄、没有胡子的小老头一起走过苏哈列夫塔楼的拱门。

“真的，皮埃尔穿着车夫长袍，带着一个古怪的小老头！真的，”娜塔莎说，“瞧，瞧！”

“不，那不是他。别胡说八道。”

“妈妈，”娜塔莎叫道，“我可以拿脑袋跟您打赌，是他！我向您担保。等一下，等一下！”她对车夫嚷道；但车夫无法停下来，因为从小市民街又来了许多大车和马车，他们对罗斯托夫家人大声叫嚷，要他们向前走，不要挡路。

真的，虽然现在已经离得更远，但罗斯托夫一家人都看见了皮埃尔，或者酷似皮埃尔的人，身穿车夫长袍，低着头，板着脸，同一个模样像跟班、没有胡子的小老头一起走着。这小老头发现车窗里有人探出头来看他们，就恭敬地碰碰皮埃尔的臂肘，指指马车夫，对他说了些什么。皮埃尔显然在想心事，好半天没听懂他说的话。最后，他终于明白了老头儿的话，朝他指的方向看了看，认出是娜塔莎，立刻感情冲动，急急地向马车走去。但走了十来步，他忽然想起什么，站住了。

娜塔莎从车窗里探出来的脸上现出亲切的嘲笑。

“皮埃尔伯爵，过来！我们认出是您！太妙啦！”她向他伸出手来，叫道，“您这是怎么了？怎么弄成这个样子？”

皮埃尔握住她伸出来的手，一面走（马车仍在前进），一面笨拙地吻了吻。

“您这是怎么了，伯爵？”伯爵夫人用惊讶而同情的语气问。

“什么？什么？为什么？您别问我。”皮埃尔说，回头望了望娜塔莎。

她那喜气洋洋的目光（他不用看她就感觉到）使他神迷心醉。

“您怎么，还是留在莫斯科吗？”

皮埃尔沉默了一会儿。

“在莫斯科？”他疑惑不解地说，“是的，在莫斯科。再见。”

“唉，我若是个男人就好了，我一定跟您留下来。哦，这该有多好哇！”娜塔莎说。“妈妈，只要您答应，我一定留下。”皮埃尔漫不经心地对娜塔莎望望，想说什么，但被伯爵夫人拦住：

“我们听说，您上过战场啦？”

“是的，我上过，”皮埃尔回答。“明天又要打仗了……”他刚开始说，就被娜塔莎打断了。

“您这是怎么了，伯爵？您简直不像您了……”

“哦，您别问，别问我。我自己也不知道。明天……不！再见了，再见！”他说，“这日子太可怕了！”他落在马车后面，走上人行道。

娜塔莎好一阵还把头伸到车外，对他露出亲切、嘲弄和快乐的微笑。

18

皮埃尔从家里出走后，在他的亡师巴兹杰耶夫的空房子里住了两天。经过情况是这样的。

皮埃尔回到莫斯科，见过拉斯托普庆伯爵后，第二天醒来，好久弄不懂他在什么地方，他应该做什么。他听说，在接待室里等待他的人中有一个法国人，带来海伦伯爵夫人的一封信，他突然产生了那种容易产生的紊乱和绝望的情绪。他突然觉得一切都完了，一切都搅乱了，一切都破灭了，没有人对，没有人错，前途一片渺茫，看不到任何出路。他尴尬地微笑着，嘴里嘟囔着什么，忽而束手无策地坐到沙发上，忽而站起来，走到门边，从门缝里望望接待室，忽而摆摆手，回来拿起一本书。管家又进来向皮埃尔报告，替伯爵夫人带信来的法国人很想见他，哪怕见一面也好；巴兹杰耶夫的遗孀派人来，请皮埃尔保管她丈夫的书籍，因为她自己下乡去了。

“哦，是的，我马上就来，等一下……哦，不……不，你告诉他们，我马上就来。”皮埃尔对管家说。

但等管家一走，皮埃尔就拿起桌上的帽子，从后门走出书房。走廊里没有人。皮埃尔穿过走廊，走到楼梯口，皱着眉头，双手擦擦前额，走到楼梯转弯处。门房站在大门口。从皮埃尔站着的楼梯口，另有一条楼梯通到后门。他从这座楼梯走到院子里。没有人看见他。但他一出大门，站在马车旁的车夫和看院人就看见老爷，在他面前摘下帽子。皮埃尔感觉到向他投来的目光，他低下头，就像鸵鸟把头藏到灌木丛里免得被人看见那样，加快脚步，沿着大街走去。

那天早晨，在皮埃尔所要处理的事件中，他觉得整理巴兹杰耶夫的书籍是最重要的事。

他雇了他遇到的第一辆马车，吩咐到牧首塘，巴兹杰耶夫的遗孀就住在那里。

皮埃尔不停地环顾离开莫斯科的车辆，竭力使自己肥胖的身体保持平衡，免得从颠簸的破旧马车上滑出去。他好像一个逃学的孩子，心情轻松，同车夫谈着话。

车夫告诉他，今天克里姆林宫正在分发武器，明天要把全体老百姓赶到三山门外，那里要打一场大仗。

皮埃尔来到牧首塘，找寻着巴兹杰耶夫家，因为他有好久没有来了。他走到便门前。盖拉西姆，就是皮埃尔五年前在托尔日克见过，同巴兹杰耶夫在一起的脸色枯黄、没有胡子的小老头，听到敲门声走出来。

“在家吗？”皮埃尔问。

“目前局势不太平，巴兹杰耶夫夫人带了孩子到托尔日克乡下去了，大人。”

“我还是要进来一下，我要来整理图书。”皮埃尔说。

“请，请进，故东家——愿他在天上平安！——的兄弟玛卡尔留在家里，不过您知道，他身体很弱。”老仆人说。

皮埃尔知道，玛卡尔是巴兹杰耶夫的兄弟，是个酗酒成癖的半疯子。

“是的，是的，我知道，我们进去吧，进去吧……”皮埃尔说着走进屋去。一个高个子老头，秃头，红鼻子，身穿睡袍，赤脚穿着套鞋，站在前室里。他一看见皮埃尔，就怒气冲冲地嘀咕着什么，往走廊走去。

“原来是个聪明人，如今可变得糊涂了，”盖拉西姆说，“您要去书房吗？”皮埃尔点点头。“书房门封了，一直没有开过。但女东家关照过，要是您派人来，可以拿书。”

皮埃尔走进恩师在世时他常心惊胆战地进去的那个阴森森的书房。这个书房，自从巴兹杰耶夫去世后就没有人来过，如今满室灰尘，显得越发阴森可怖。

盖拉西姆打开一扇百叶窗，踮着脚尖走出书房。皮埃尔在书房里走了一圈，走到存放抄本的书橱前，取出一度是共济会最神圣的东西。这是苏格兰共济会教律的真本，上面有恩师的批注和解释。他在满是灰尘的写字台旁坐下，把抄本放在面前，打开，然后又合上，推开，用手托着头沉思起来。

盖拉西姆几次小心翼翼地往书房里窥视，看见皮埃尔一直保持这个姿势坐着。过了两个多小时，盖拉西姆大着胆子在门上弄出一点声音，以引起皮埃尔的注意。皮埃尔却没有听见。

“您要打发车夫走吗？”

“哦，是的。”皮埃尔醒悟过来，慌忙站起身说。“你听我说，”他抓住盖拉西姆外衣的一个纽扣，用他那双湿润发亮、喜气洋洋的眼睛自上而下打量着老头儿，说，“你听我说，明天要打一场大仗，你知道吗？……”

“听说了。”盖拉西姆回答。

“请你对谁也别说我是谁。还要照我说的办……”

“是，大人，”盖拉西姆说，“您要吃点什么吗？”

“不要，但我要别的东西。我要一套农民的衣服，一支手枪。”皮埃尔突然脸红起来，说。

“是，大人。”盖拉西姆想了想，说。

那天余下的时间皮埃尔就单独在恩师书房里度过。盖拉西姆听见他不安地从这个角落走到那个角落，嘴里自言自语着。他在替他准备好的床上过了一夜。

盖拉西姆是个见多识广的老仆，怪事见得多了，因此对皮埃尔寄寓他们家并不感到惊讶，似乎还因为有人可以伺候而感到高兴。那天晚上，他甚至不问个为什么，便替皮埃尔弄来一件车夫的长袍和一顶帽子，并且答应第二天给他弄到手枪。那天晚上，玛卡尔穿着套鞋两次啪嗒啪嗒地走到门口站住，讨好似的瞧着皮埃尔。但皮埃尔一向他转过身来，他就羞怯而愤怒地拉拢睡袍，慌忙溜走。皮埃尔穿着盖拉西姆给他弄来并用蒸汽消过毒的车夫长袍，同他一起到苏哈列夫塔楼去买手枪时，他遇见了罗斯托夫一家人。

19

九月一日夜间，库图佐夫下令俄军穿过莫斯科向梁赞大道退却。

第一批部队在夜间开拔。夜间撤退的军队不慌不忙，缓慢而庄重地移动，但到黎明，撤退的军队走近陶罗戈米洛夫桥，看见前面有许多人向桥上拥去，桥那一边，大街小巷都被人潮堵满了，后面也有无数军队开过来。一种莫名其妙的焦急和不安情绪控制了军队。大家都向桥上涌去，涌过桥，涌向浅滩，涌向渡船。库图佐夫自己已绕过后街，来到莫斯科的另一头。

九月二日早晨十时以前，只有后卫队留在陶罗戈米洛夫门外的野地里。大军已在莫斯科的另一头，离开了莫斯科。

就在这同一时刻，九月二日早晨十时，拿破仑站在波克朗山自己的部队中间，眺望着眼前的景象。从八月二十六日到九月二日，从鲍罗金诺会战到法军进入莫斯科，在这惊心动魄的难忘的一周里，一直秋高气爽，太阳比春天还温暖，澄澈的空中一切都亮得耀眼，芬芳的空气吸入胸中，使人神清气爽，精神振奋。这几天连夜晚都是暖和的，而在这种温暖的黑夜里，天上不时落下金色的星星，使人又惊又喜。

九月二日早晨十时也是这样的好天气。晨光富有魅力。从波克朗山起，莫斯科连同它的河流、花园和教堂，宽敞地舒展开来，过着它惯常的生活。教堂的金顶在阳光下熠熠发亮，好像一颗颗星星。

拿破仑看到这个古怪的城市和从未见过的奇特建筑物，不禁产生嫉妒和好奇，就像人们看到陌生的异国生活那样。这个城市显然充满活力。拿破仑根据那些从远处也能辨别出有生命物和无生命物的特征，从波克朗山看到城市生活的搏动，感觉到这个美丽大都市的呼吸。

“这个具有无数教堂的亚洲城市，莫斯科，他们神圣的莫斯科！终于看到这座名城了！是时候了！”拿破仑说着下了马，吩咐摊开莫斯科地图，然后召来翻译雷劳恩·蒂特维尔，“一个被敌人占领的城市就像一个失去贞操的姑娘。”他想（他在斯摩棱斯克对杜奇科夫也这样说过）。他带着这种想法望着面前从未见过的东方美人。他自己也感到奇怪，他原以为难以实现的夙愿终于实现了。在明媚的晨光中，他时而望望城市，时而看看地图，核对着城市的每个细部，而占领这个城市的念头使他又激动又忧虑。

“难道不是这样吗？”他想，“瞧，这座京城就在我脚下，等待着自己的命运。如今亚历山大在哪里？他在想些什么？这是一个奇异、美丽而庄严的城市！这是一个奇异、庄严的时刻！我该怎样向他们露面哪！”他想到自己的军队。“哼，这就是给所有意志薄弱的人的报应！”他环顾着附近的人和开过来的队列，想，“只要我说一句话，只要我一举手，这个沙皇的古都就立即灭亡。但我对战败者总是慈悲为怀。我应该宽宏大量，使自己显得真正伟大。不，说我已在莫斯科，这不是真的，”他忽然想，“但瞧，它明明就在我脚下，它那些圆顶和十字架在阳光下金光闪闪。不过我要饶恕它。我要在野蛮和专制的古碑上刻上正义和仁慈的伟大字句……亚历山大最受不了的就是这个，我知道他的为人。（拿破仑认为当前形势的主要意义就是他同亚历山大之间的个人斗争。）我要从克里姆林宫——是的，这是克里姆林宫，是的——赐给他们公正的法律，我要让他们懂得什么是真正的文明，我要使一代一代的大贵族怀着敬爱之情记住征服者的名字。我要对贵族代表们说，我一向不要战争；我只是同他们王室的荒唐政策作战，我敬爱亚历山大，我愿在莫斯科接受无愧于我和我的人民的和平条件。我不愿利用战争的胜利来污辱可敬的皇帝。我要对大贵族们说，我不要战争，我要我的全体臣民享受和平与幸福。不过，我知道，他们在场能使我感到鼓舞，我要用我惯常的方式对他们说话：明确、庄严而伟大。但是，难道我真的在莫斯科吗？瞧，这就是莫斯科！”

“把大贵族们带到这里来。”他对随从们说。立刻有一位将军带着随从骑马去找大贵族。

过了两小时。拿破仑吃过早饭，又站在波克朗山原地等着代表团。他对大贵族们的演讲已打好腹稿。那篇演讲里充满拿破仑心目中的庄严和伟大。

拿破仑准备在莫斯科采取的宽大政策使他自己也受到感动。他在想象中指定在沙皇宫中集会的日子，届时俄国达官贵人将同法国皇帝手下的达官贵人见面。他在心里指定了一个能赢得民心的总督。他听说莫斯科有许多慈善机构，就决定对这些机构大施恩惠。他想，在非洲要身穿斗篷坐在清真寺里，而在莫斯科则要像沙皇一样大施恩惠。为了彻底打动俄国人的心，他像所有的法国人那样，认为要表示感情，就得提到我亲爱的、慈祥的、可怜的母亲，因此他决定在所有这些建筑物上都用大字刻上献给我亲爱的母亲，或者干脆用我母亲的房子——最后他这样决定。“难道我真的在莫斯科吗？是的，莫斯科就在我面前。可是本市代表们怎么迟迟不来？”他心里琢磨着。

这时候，将军们和元帅们正在皇帝随从后面紧张地低声商量局势。奉命去找代表团的使者回来报告说，莫斯科全城空了，所有的人都走了。商量的人个个脸色苍白，神色慌张。他们害怕的不是居民离开了莫斯科（不管这事有多重要），他们害怕的是怎样向皇帝禀报这件事，怎样告诉陛下城里除了酒鬼没有别的人，他长久地等待大贵族，而结果却一无所获，但又不至于使陛下感到荒唐可笑。有人主张要千方百计拼凑一个代表团，有人反对，认为应该巧妙地使皇帝有思想准备，然后向他宣布真相。

“但总得告诉他……”随从们说，“诸位……”但问题尤其严重的是，皇帝正在考虑自己宽宏大量的计划，耐心地在地图前面来回踱步，偶尔手搭凉棚顺大道望着莫斯科，露出得意的微笑。

“但这样不行……”随从们耸耸肩膀说，不敢说出荒唐可笑这几个字……

这时，皇帝等待得有点累了，又凭他演员般的敏感觉得，庄严的时刻拖得太久就会丧失它的庄严性，于是他做了个手势。接着号炮一声，包围莫斯科的军队就从四面八方向莫斯科，向特维尔门、卡卢加门和陶罗戈米洛夫门进军。军队你追我赶，越跑越快，消失在他们扬起的灰尘中，同时传出震天价响的呐喊声。

拿破仑为眼前的进军所陶醉，自己也骑马随着军队来到陶罗戈米洛夫门，但又在那里停下来，下了马，在财政部土墙旁来回踱步，等待代表团。

20

当时，莫斯科已是一座空城。城里还有一些人，还有五十分之一的居民，但它已是一座空城。这是座空城，好像一个被蜂王遗弃的废蜂窝。

一个被蜂王遗弃的蜂窝是没有生命的，但从表面上看，它仍像其他蜂窝一样具有生命。

在中午热烘烘的阳光下，蜜蜂围绕着没有蜂王的蜂窝快乐地飞舞，就像围绕着有蜂王的蜂窝飞舞一样；没有蜂王的蜂窝照样远远地散发着蜜香，蜜蜂照样飞进飞出。但只要仔细观察一下就能明白，在这个蜂窝里已没有生命。这里的蜜蜂飞进飞出已不像在有蜂王的蜂窝里那样，养蜂人闻到的香味不一样，听到的声音也不一样。养蜂人敲敲没有蜂王的蜂箱板壁，他听到的已不是原来那种几万只蜜蜂缩着肚子、迅速鼓翼发出来的整齐威严的嗡嗡声，而是被弃蜂箱发出的分散的嗡嗡声。从蜂箱口里发出来的，不是原来那种蜜和毒汁的醉人芳香，不是集体团结一致的温暖，而是一种混合着空虚和腐朽的蜜味。蜂箱口再没有翘起肚子、发出警报准备死守蜂窝的蜜蜂。蜂箱里再没有像沸水一般均匀而轻微的颤声，只有杂乱的不和谐的喧闹。盗蜜的长形黑色蜜蜂沾着蜜怯生生地从蜂箱里飞进飞出；它们不蜇人，却自己逃避危险。原来只有带蜜的蜂飞进来，然后空身飞出去，如今只有带着蜜的蜂飞出去。养蜂人打开蜂房下面的板壁，向里面窥视。再没有原来那些挂在底板上相互抓着腿、不断发出嗡嗡的酿蜜声、因劳动而疲劳的身子光泽的黑蜂，有的只是在蜂房底板和墙壁上随便乱爬的萎靡不振的蜜蜂。再没有被蜂翼打扫得干干净净、上面涂胶的底板，只剩下狼藉的蜂蜡、蜂粪、几乎不能动弹的半死蜜蜂和尚未扫除的死蜂。

养蜂人打开蜂箱上面的板壁，观察着蜂房顶部。他看见的不是一排排紧密排列着使幼蜂得到保暖的蜜蜂，而是精巧复杂的蜂房，但不像原来那样整齐清洁。一切都显得荒凉和肮脏。盗蜜的黑蜂敏捷地钻进蜂箱偷蜜，家蜂都瘦小憔悴，仿佛变老了，缓慢地爬动着，不干预别的蜜蜂，没有任何欲望，丧失了生的意识。雄蜂、胡蜂、熊蜂和蝴蝶都盲目地撞击着蜂箱板壁。在留有死幼蜂和蜜的蜂蜡上有时还可以听到愤怒的嗡嗡声；有些地方，两只蜜蜂凭习惯和记忆清除蜂窝，勉强拖走一只死蜂或者胡蜂，自己也不知道为什么要这样做。在另一个角落，另外两只老蜂没精打采地斗着，或者理着翅膀，或者相互喂食，自己也不知道这样做是出于敌意还是出于友谊。在第三个角落，群蜂互相挤压，进攻、殴打和闷死一个牺牲者。于是，那只衰弱或者死去的蜜蜂轻若鸿毛地慢慢落到死尸堆里。养蜂人翻开两个中部底板，察看蜂窝。他看见的不是原来密密麻麻背靠背停在那里护卫崇高而神秘的繁殖活动的几千只蜜蜂，而是几百只萎靡不振、半死不活的蜜蜂。它们几乎全都死了，但自己也没有意识到，却依旧守着其实已不再存在的圣殿。它们身上散发出死亡的腐臭。其中只有几只还能动弹，它们飞起来，落到敌人手里，还没有全死而螫着对方，其余已死的就像鱼鳞一般轻轻撒落下来。养蜂人关上蜂房，用粉笔做上记号，以后再把它拆开，焚毁。

当拿破仑身体疲劳、心神不宁、皱着眉头在财政部土墙旁来回踱步，等待着虽是表面但他认为是必要的礼仪——代表团——时，莫斯科就是这样一座空城。

在莫斯科的各个角落，只有一些无意识地活动着的人，他们只是按老习惯过日子而不明白他们在做些什么。

有人小心翼翼地向拿破仑报告莫斯科已是一座空城，他怒气冲冲地瞧了瞧报告的人，转过身去，继续默默地来回踱步。

“来马车！”他吩咐说。他带着值日副官坐上马车，向城门口驶去。

“*莫斯科是一座空城，真是不可思议！*”他自言自语。

他没有进城，却宿在陶罗戈米洛夫门外一家旅店里。

戏剧的结局并不圆满。

21

俄军从凌晨二时到下午二时穿过莫斯科，带走最后一批撤离的居民和伤员。

军队行军时，最拥挤的地方是石桥、莫斯科桥和亚乌扎桥。

当军队分两路围绕克里姆林宫，拥塞在莫斯科桥和石桥时，大量士兵利用阻塞和拥挤的机会，从桥头回去，一声不响地偷偷溜过圣瓦西里升天大教堂和波洛维茨门，回到小山岗，来到红场，他们凭直觉认为可以毫不费力地随便拿取别人的东西。人群像购买廉价商品那样充塞中心市场的巷道。但这里听不到商人招揽顾客的甜言蜜语，看不见小贩，也没有衣着绚丽的女顾客；这里只有穿军装的士兵，他们没有带枪，空手走进商场，又默默地带着大包小包走出来。商人和伙计（人数很少）丧魂落魄地在士兵中间走来走去，打开自己的铺子又锁上，同伙计一起把商品运走。中心市场旁边的广场上，鼓手们打着集合鼓。但鼓声并不像原先那样使抢劫的士兵集合拢来，相反，却使他们跑得更远。在士兵中间，在商店和街巷里可以看见一些穿灰衣、剃光头的人[①]。有两个军官，一个穿军服，围围巾，骑一匹深灰色瘦马，另一个穿外套，没有骑马，站在伊林卡街角谈话。第三个军官骑马跑到他们面前。

"将军命令立刻把所有的人赶出去。简直太不像话！倒有一半人跑散了。"

"你到哪里去？……你们到哪里去？……"他对三个步兵喝道，这三个步兵没有带枪，提着外套下摆，从他们旁边溜过，"站住，流氓！"

"是啊，得把他们集合起来！"另一个军官回答，"没办法把他们集合起来；趁最后一批还没有散开，得赶快走，就是这样！"

"怎么走法？那边堵住了，都挤在桥上，不能动。要不要设一道哨兵线，不让最后一批人跑散？"

"到那边去！把他们赶出来！"那个高级军官喊道。

围围巾的军官跳下马，叫了声鼓手，同他一起走进拱门。有几个兵

---

① 从监狱里放出来的囚犯。

拔腿就跑。一个鼻翼两旁生有红色粉刺的商人，脸上现出镇定而精明的神情，像煞有介事地摆动两手，走到军官面前。

“大人！”他说，“您开恩保护我们吧。我们决不计较什么小东西，我们是心甘情愿的！您请，我马上拿呢子来，对贵人就是两段呢子也行，我们是心甘情愿的！因为我们觉得这是应该的，可是这算什么呀，简直是抢劫！请吧！最好派巡逻队来，至少也得让我们锁门……”

几个商人把军官围住。

“哼！还嚷嚷什么呀！”其中一个瘦子板着脸说，“脑袋都保不住，还哭头发干什么。喜欢什么就拿什么吧！”他使劲挥了挥手臂，侧过身去对着军官。

“伊凡·西多雷奇，你倒说得漂亮！”第一个商人怒气冲冲地说。“您请吧，大人。”

“有什么好说的！”瘦子嚷道，“我三爿铺子有十万卢布的货。军队走了，你还保得住吗！唉，弟兄们，人抗得过上帝吗！”

“请吧，大人！”第一个商人鞠躬说。军官站在那里不知所措，脸上现出犹豫不决的神色。

“这关我什么事！”他突然嚷道，快步向市场走去。从一家敞开的铺子里传出打架与咒骂声。军官向那里走去，一个穿灰外衣、剃光头的人从里面被推出来。

这人弯下腰，从商人和军官旁边跑过。军官向铺子里的士兵扑去。但这时从莫斯科桥上传来人群可怕的呐喊声，军官就往广场跑去。

“什么事？什么事？”他问，但他的同伴已骑马经过圣瓦西里升天大教堂，向叫喊的地方跑去。军官骑上马，跟着他跑去。他跑到桥堍，看见两门卸下前车的炮、在桥上行走的步兵、几辆翻倒的大车、几个惊惶失措的人和士兵的笑脸。大炮旁边停着一辆双驾马车。马车车轮后面紧跟着四条带颈圈的猎狗。车上的东西装得像山一般高，顶上在一张四脚朝天的童椅旁坐着一个农妇，绝望地尖声痛哭。同伴告诉军官，人群和女人尖叫是因为叶尔莫洛夫将军来到人群中，知道士兵闯进商店，人群把桥梁堵死，就下令解下大炮，做出要向桥上开炮的样子。人群撞翻车辆，互相拥挤，没命地叫喊，把桥梁腾出来，军队就向前移动了。

22

这时城已空了。街上几乎一个人也没有。房屋大门和铺子都已关上；偶尔在酒店附近可以听到一两声叫喊或醉汉哼着小曲的声音。街上没有一辆马车，也难得听到行人的脚步声。厨师街上一片寂静和荒凉。罗斯托夫家的大院子里撒满马匹吃剩的干草和马粪，但不见一个人影。在他们那座留有全部财物的住宅里，只有两个人留在大客厅里。这就是看院子的伊格纳特和哥萨克小鬼米施卡。米施卡是华西里奇的孙子，他跟着爷爷留在莫斯科。米施卡打开古钢琴，用一只手指弹琴。看院子的两手叉腰，高兴地微笑着，站在大镜子前面。

“多好玩！对吗？伊格纳特叔叔！”米施卡说，突然用两手拍着琴键。

“哈，瞧你的！”伊格纳特回答，看到镜子里自己的脸越笑越欢，感到很惊讶。

“真不要脸！是啊，真不要脸！”玛芙拉悄悄走进来，站在他们后面说，“哼，瞧这个胖脸龇牙咧嘴的。是把你们留下来胡闹的！那里什么也没收拾，华西里奇就累坏了。你等着吧！”

伊格纳特紧了紧腰带，收起笑容，顺从地垂下眼睛，走出客厅。

“阿姨，我只是轻轻的。”米施卡说。

“好，我就给你轻轻的。小淘气！”玛芙拉对他挥挥手，吆喝道，“替爷爷烧茶炊去！”

玛芙拉拂去琴上的灰尘，盖上古钢琴，长叹一声，走出客厅，把门锁上。

玛芙拉走到院子里，考虑她下一步该做什么；到厢房里去同华西里奇一起喝茶呢，还是到储藏室去收拾没有收拾好的东西。

沉寂的街上传来急促的脚步声。脚步声在门口停住；门闩被人推得咯咯发响。

玛芙拉走到便门口。

“找谁？”

“找伯爵，罗斯托夫伯爵。”

“您是谁？”

“我是个军官。我要见伯爵。”一个有教养的俄国人愉快地说。

玛芙拉开了便门。一个十八九岁的圆脸军官走进来，他的脸型有点像罗斯托夫家人。

“他们走了，少爷。昨天傍晚走的。”玛芙拉亲切地说。

青年军官站在门口，仿佛决不定进去还是不进去，弹了一下舌头。

“唉，真倒霉！……”他说，“我昨天来就好了……唉，真倒霉！……”

玛芙拉这时同情地仔细打量她所熟识的罗斯托夫家人的脸型，看看他的破外套和旧皮靴。

“您找伯爵有什么事？”她问。

“唉……有什么办法！”军官懊恼地说，抓住便门想走，但又犹豫不决地站住。

“您知道吗？”他突然说，“我是伯爵的亲戚，他待我一向很好。您瞧（他和善而快乐地笑着瞧瞧自己的外套和皮靴），都穿破了，钱又没有，所以我想求伯爵……”

玛芙拉不让他把话说完。

“您等一会儿，少爷。等一会儿。”她说。军官的手从便门上一放下，玛芙拉就转过身子，迅速地迈着老妇人的步子，往后院自己的厢房走去。

当玛芙拉跑回卧室去的时候，军官垂下头，瞧着自己的破靴子，微微地笑着在院子里来回踱步。“我没有找到叔叔，真可惜。可她是个多好的老婆子啊！她跑到哪儿去啦？我又不知道要赶上我们的团走哪条街比较近。我们的团现在该已到达罗戈日门了吧？”青年军官这时想。玛芙拉带着惊惶而果断的神情，手里拿着一块卷起来的格子手帕，从角落里走出来。她离开军官还有几步，就解开手帕，从里面摸出一张白色的二十五卢布钞票，匆匆递给他。

“要是老爷他们在家的话，他们作为亲戚一定会表示一点意思的，也许……可是现在……”玛芙拉害臊了，窘得手足无措。但军官并没有推辞，不慌不忙地接过钞票，向玛芙拉道了谢。“要是伯爵在家就好了。”玛芙拉抱歉地说。“基督保佑您，少爷！上帝保佑您！”玛芙拉说，鞠着躬送他。军官摇摇头，仿佛在嘲笑自己，几乎像跑步一般沿着无人的街道向亚乌扎桥跑去，追赶他的团。

玛芙拉呢，眼泪汪汪地在关上的便门旁站了好半天，若有所思地摇摇头，对这个陌生的青年军官意外地产生了一种母爱和怜悯。

23

华尔华拉街上有一座未完工的房子，房子底层有一家酒店，从那里传出阵阵醉汉的叫声和歌声。在一个肮脏的小房间里，十来个工人分坐在几张桌子旁。他们个个喝得醉醺醺，汗流满面，眼睛浑浊，张大嘴，使劲唱着什么歌。他们各唱各的调，唱得很吃力。显然他们不是为唱歌而唱歌，他们唱歌只是表示他们喝醉了，心里高兴。其中有个浅色头发的高个子，穿一件干净的蓝外套，站在他们旁边。他长着挺拔的鼻子，要不是他两片紧闭的薄嘴唇不断颤动，眼睛显得忧郁呆滞，他的脸倒是很漂亮的。他站在唱歌的人旁边，显然在想什么心事，他把袖子卷到臂肘上，严肃而笨拙地挥动白净的手臂，肮脏的手指不自然地叉开着。他的衣袖不断滑下来。他便竭力用左手把它卷起，仿佛露出那只挥动的筋脉毕露的手臂很重要。在歌声中，可以听见门廊和台阶上有叫嚷和打架的喧闹声。高个子摆了摆手。

"别唱了！"他大声命令道，"打架了，弟兄们！"他依旧卷着袖子走到台阶上。

工人们跟着他走去。这天早晨，在酒店里喝酒的工人在高个子领导下，从厂里带来几张皮子送给老板，因此得到酒喝。附近铁匠铺的铁匠们听到酒店里有饮酒作乐的声音，以为酒店被人砸了，想冲进去。他们就在台阶上打起架来。

酒店老板在门里跟一个铁匠打架，工人们走出酒店时，铁匠从酒店老板手里挣脱出来，却扑倒在人行道上。

另一个铁匠冲进门来，同酒店老板撞了个满怀。

卷起衣袖的小伙子走出来的时候，朝冲进来的铁匠当头给了一拳，疯狂地叫道：

"弟兄们！他们打我们！"

这时，第一个铁匠从地上爬起来，把打伤的脸抓出血，带着哭声叫道：

“救命啊！杀人啦！……杀人啦，弟兄们！……”

“哎哟，老天爷，打死人了，打死人了！”一个女人从隔壁门里跑出来，尖声叫道。人群聚集在血迹斑斑的铁匠周围。

“你敲人家竹杠还不够，还要剥人家的衬衣吗？”有个人对酒店老板说，“你怎么打死人了？强盗！”

高个子站在台阶上，浑浊的眼睛时而望望酒店老板，时而瞧瞧铁匠，仿佛在考虑现在该同谁打架。

“杀人犯！”他突然对酒店老板骂道。“弟兄们，把他捆起来！”

“什么，你要把我这样的人捆起来！”酒店老板嚷道，推开向他扑来的人，摘下帽子，摔在地上。他这一行动仿佛具有神秘的威力，包围他的工人们都迟疑地站住。

“老弟，我可懂得规矩。我要去警察局报告。你以为我不会去吗？现在谁也不许抢劫！”酒店老板拾起帽子，叫道。

“那咱们去吧！咱们去吧！”酒店老板和高个子一唱一和，两人一起往街上走去。血迹斑斑的铁匠走在他们旁边。工人们和闲人们边说边叫，跟着他们走去。

在马罗赛伊卡街角上，二十来个衣服褴褛、形容消瘦、神情沮丧的鞋匠面对一家挂鞋匠招牌的锁着的大房子站着。

“他应该如数付钱！”一个留山羊胡子、皱眉头的瘦工人说，“哼，他吸了我们的血，就算完了。他哄我们，哄了整整一星期。到头来他自己溜了。”

说话的工人看见人群和血迹斑斑的人，不作声了。鞋匠们好奇地跟着人群走去。

“大家到哪儿去啊？”

“当然是去见长官。”

“难道我们真的打不过他们吗？”

“你想怎么样！听听大家怎么说吧。”

有人问话，也有人回答。酒店老板趁人越聚越多，故意落在后面，溜回自己的酒店。

高个子没发觉自己的对手酒店老板已溜掉，挥动光手臂，不断地说话，吸引大家的注意。人群大部分挤在他身边，希望从他那里得到他们所关心的问题的答案。

“让他来维持秩序，保卫法律，当官的就是要管这个！我说得对吗，正教弟兄们？”高个子说，微微地笑着。

“他以为没有长官吗？难道没有长官能行吗？要不抢劫的就不止他们几个了。”

“干吗胡说八道！”人群里有人说，“怎么能就这样放弃莫斯科！人家跟你开玩笑，你就相信了。我们的军队还少吗。就这样放他们进来了！这是长官们的事。听听老百姓怎么说吧！”有人指指高个子说。

在中国城[①]城墙边，另外有一小群人围着一个手拿文件、穿粗呢外套的人。

“命令，在读命令！在读命令！”人群里传出声音。大家向宣读命令的人拥去。

穿粗呢外套的人在读八月三十一日公告。人群包围了他，他仿佛有点窘，但应挤到身边的高个子的要求，他用微微颤动的声音念起公告来。

“我明天一早去见公爵大人，”他念道（高个子皱着眉头，嘴角挂着微笑，像煞有介事地学着他说：“公爵大人！”），“同他商量，行动起来，协助军队消灭暴徒；我们也要干掉他们……”念公告的人停住（高个子得意扬扬地叫道：“听见吗？他要替你解决问题了……”）……“把这些客人送去见鬼；我一定要回来吃饭，我们要动手，要干起来，要把暴徒消灭光。”

最后几句话是在一片肃静中宣读的。高个子忧郁地垂下头。显然，谁也听不懂最后几句话。尤其是“我一定要回来吃饭”这句话使读的人和听的人都感到不快。老百姓情绪高昂，而这些话却太简单了，太明白了；这样的话人人都会说，因此最高当局的命令就不该这么说。

大家都垂头丧气，沉默不语。高个子翕动嘴唇，摆动身子。

① 莫斯科一个区。

“得问问他！……这就是他吗？……当然，得问问他！……为什么不问……是他下的命令……”后排人群里传出这样几句话，大家的注意力都集中在广场上警察局局长的马车上，马车后面跟着两个骑马的龙骑兵。

警察局长这天早晨奉拉斯托普庆伯爵之命烧船，因此口袋里装着刚弄到的一大笔钱。他看见人群向他走来，就命令车夫停车。

“这都是些什么人？”他看见人群三三两两怯生生地向马车走来，就大声问。“这都是些什么人？我问你们？”警察局局长没有得到回答，又问。

“他们，大人，”一个穿粗呢外套的小官吏说，“他们，大人，遵照伯爵大人的公告，不惜牺牲，愿意效劳，绝不是伯爵大人所说的暴徒……”

“伯爵没有走，他在这里，就会对你们发出指示的。”警察局局长说。“走吧！”他对车夫说。人群站住，聚集在听警察局局长说话的人们周围，目送马车离去。

警察局长这时恐惧地回顾了一下，对车夫说了句话，他的马就跑得更快了。

“他骗人，弟兄们！让我们去见伯爵本人！”高个子嚷道。“别让他走，弟兄们！要他回话！抓住他！”有几个人叫道。于是大家就去追马车。

追赶警察局长的人群闹哄哄地向鲁比扬卡街跑去。

“哼，阔人和商人都走了，叫我们等死吗？难道我们都是狗吗！”人群七嘴八舌地说。

24

九月一日晚上，拉斯托普庆伯爵同库图佐夫见面后感到伤心和气愤，因为他没有被邀请参加军事会议，库图佐夫又不理会他要求参加保卫古都的建议，同时他感到惊讶，因为他发现，军营中不仅把古都的安全和爱国情绪看作次要的事，甚至看作无足轻重的事。拉斯托普庆伯爵带着这种伤心、气愤和惊讶的情绪回到莫斯科。他吃过晚饭，和衣躺在长沙发上。半夜十二点过后，专使送来库图佐夫的信，把他叫醒。信里说，军队将从莫斯科背后走梁赞大道撤退，伯爵能否派警官引导军队过城。这消息对拉斯托普庆来说并不是什么新闻。不仅昨天在波克朗山同库图佐夫会面后，而且从鲍罗金诺会战起，他就知道莫斯科将要被放弃，因为当时来到莫斯科的将军都异口同声地说无法再进行会战，而且伯爵亲自准许每天夜里运走公家的财物，居民也有一半撤退了。然而，这个半夜送到、把他从第一觉中惊醒的库图佐夫写在便条上的命令还是使他惊讶和恼怒。

后来，拉斯托普庆伯爵解释他当时的行动，几次在回忆录里写道，他当时有两大目的：维持莫斯科的治安和撤出城里的居民。如果承认这双重目的，那么拉斯托普庆的行动都是无可非议的。为什么不把莫斯科的圣物、武器、弹药、火药和存粮运走？为什么要欺骗千万居民说莫斯科不会被放弃和破坏？拉斯托普庆伯爵回答说，因为要维持古都的安宁。为什么要把成捆官府无用的文件和雷比赫气球等东西运走？拉斯托普庆伯爵回答说，因为要使莫斯科成为空城。只要承认什么东西威胁人民的安宁，那么任何行动都是有理由的。

对恐怖的忧虑只是出于对人民安宁的关心。

那么，一八一二年拉斯托普庆伯爵对莫斯科人民安宁的忧虑又有什么根据呢？有什么理由认为城里将发生暴动？居民正在疏散，撤退的部队充满莫斯科，为什么人民就会起来暴动呢？

不仅在莫斯科，而且在俄国其他各地，敌军入侵时并没发生什么暴动。九月一日、二日，莫斯科还留有一万多人，除了奉卫戍司令之命有人聚集在他的院子里外，什么事情也没有。如果在鲍罗金诺会战以后，放弃莫斯科势在必行，至少是很有可能，如果拉斯托普庆当时不分发武器和贴出公告来鼓动人民，而是采取措施运走圣物、火药、弹药和钱币，并向人民宣布城市将被放弃，那就更不会发生人民的暴动了。

拉斯托普庆是个性子急躁、容易冲动的人，一向周旋于上层官场，虽然怀着爱国感情，但一点也不理解受他管理的人民。自从敌军占领斯摩棱斯克起，他就把自己看作引导人民感情的“俄国之心”。他不仅认为（所有行政官都这样认为）他指挥着莫斯科市民的行动，还认为他通过宣言和公告（都是语言粗劣，被人民所蔑视，而他高高在上，不懂得这一点）引导着市民的情绪。拉斯托普庆是那么喜欢充当人民情绪引导者这一漂亮的角色，他那么惯于扮演这一角色，因此现在要停演这一角色，不说些豪言壮语而放弃莫斯科，他觉得很意外，他脚下的土地忽然塌陷下去，这使他手足无措。他虽然知道莫斯科要放弃，但直到最后一分钟还不完全相信这件事，也没有为此做好任何准备。居民违反他的意愿纷纷离城。政府机关的撤离也完全是由于官员们的要求，他才勉强同意。他只是专心扮演他为自己选定的角色。他像一般富于想象的人那样，早就知道莫斯科将被放弃，但这只是出于理智，他内心并不相信这一点，精神上也没有为这种新形势做好准备。

他全部勤奋顽强的工作（这有多大益处，对老百姓有多大影响，是另一个问题），目的就是在居民中唤起他自己身上已滋长的那种情绪：憎恨法国人的爱国心和增强自信心。

但一旦事态发展到具有真正的历史规模，单凭语言已不足以表达对法国人的仇恨，就连会战都不能表达这种仇恨，而在守卫莫斯科这一问题上自信心已丧失作用，市民不约而同地放弃财物，涌出莫斯科，用这样消极的行动表示自己强烈的民族感情——在这样的时刻，拉斯托普庆所选择的角色就顿时丧失意义。他突然感到自己孤独、软弱和可笑，脚下丧失了立足点。

拉斯托普庆在睡梦中被叫醒，接到库图佐夫冷冷的命令式条子，他越觉得自己不对，心里也越恼火。莫斯科所有的公共财物都交托给他，他应该运走，可是都留着没有动。要运走所有的东西已不可能。

“这究竟是谁的过错？是谁弄到这个地步的？”他想。“当然不是我。我一切都准备好了，我紧紧地守住莫斯科！他们却把事情弄成这个样子！混蛋！叛徒！”他想，但并不明确混蛋和叛徒是谁，只觉得不能不恨这些叛徒，因为他现在落到这种尴尬可笑的境地都是他们造成的。

拉斯托普庆伯爵通宵发布命令，人们从莫斯科各地前来听令。身边的人从来没有看见过伯爵这样愁闷和恼怒。

“大人，领地注册司来人要命令……宗教事务所来人，参政院来人，大学来人，孤儿院来人，副主教派人来……请示……消防队怎么处理？典狱长来……疯人院来人……”通宵不断地有人来向伯爵报告。

对所有这些问题伯爵都怒气冲冲地作了简短的回答，表示他的命令现在没有用了，他煞费苦心所作的安排全被人破坏了，这个人应对现在的局势负全部责任。

“哼，你告诉那个木头人，”他回答领地注册司来人说，“叫他留下来保管文件。你提消防队这种废话干什么？他们有马，就去弗拉基米尔。不要留给法国人。”

“大人，疯人院院长来了，您有什么吩咐吗？”

“我有什么吩咐？放他们走就是了……把疯子从城里放掉。既然我们这儿是由疯子在指挥军队，那么这些疯子也该放出去。”

问到狱中囚犯怎样处理时，伯爵怒气冲冲地对典狱长吆喝道：

“怎么，要给你两队押送兵吗？没有兵，把他们放掉就是了！”

“大人，还有政治犯呢：米施科夫，魏列夏金。”

“魏列夏金！还没有把他吊死吗？”拉斯托普庆嚷道，“把他带到我这儿来。”

25

早晨九点钟之前，军队已通过莫斯科，再没有人来向拉斯托普庆伯爵请示了。凡是能走的都自己走了；那些留下来的人在考虑他们该怎么办。

伯爵吩咐备马去索科尔尼基。他脸色枯黄，眉头紧蹙，一言不发，抱着双臂，坐在书房里。

在太平无事的时候，每个行政长官都认为，他治下的人民全是靠他的力量过日子。这种非我不可的意识也就是他们勤劳工作的主要奖赏。在历史的海洋风平浪静的日子，行政长官乘着自己破旧的小船，用篙子搭在人民群众的大船上缓缓地前进，他还以为是他的力量驾驶着大船前进的。这种想法很自然，但一旦起了风暴，海洋波涛汹涌，大船本身在继续前进，那时就不会产生这样的错觉了。大船靠它自身巨大的力量行进，篙子根本搭不到它。于是行政长官就顿时由统治者和力量的泉源变成无足轻重和无所作为的弱者。

拉斯托普庆感觉到这一点，因此大为恼火。

被人群拦住的警察局长同前来报告车已套好的副官一起来见伯爵。两人都脸色苍白。警察局长报告任务已经完成，又禀报说，伯爵院子里有一大群人求见。

拉斯托普庆一句话也没有回答，站起身，快步走到明亮华丽的客厅，走近阳台门，抓住门把手，接着又放下，走向窗口，从那里可以更清楚地看见整个人群。高个子站在前排，板着脸，挥动一只手，嘴里说着什么。身上血迹斑斑的铁匠脸色阴沉，站在他旁边。隔着关闭的窗子也能听到人群的喧闹。

“马车准备好了吗？”拉斯托普庆离开窗口问。

“准备好了，大人！”副官说。

拉斯托普庆又走到阳台门旁。

“他们想干什么？”他问警察局局长。

“大人，他们说，他们遵照您的命令准备去打法国人，他们还在痛骂叛国行为。不过，大人，他们是一群暴徒。我好不容易才脱身。大人，我斗胆恭请……”

“走开，我自己知道该怎么办！”拉斯托普庆愤怒地嚷道，他站在阳台门旁，望着人群。“哼，他们把俄国搞成了什么样子！他们把我搞成了什么样子！”拉斯托普庆想，觉得心里冒起一股对罪魁祸首难以克制的怒火。就像一般脾气暴躁的人那样，他已满腔怒火，正在找寻发火的对象。“哼，这些小民，这些人民中的败类、贱民！”他望着人群想，“他们头脑糊涂，胡作非为！他们需要一个牺牲者。”他望着挥动手臂的高个子想。他想到这一点，因为他自己也需要一个牺牲者，需要一个发火的对象。

“马车准备好了？”他又问。

“准备好了，大人。关于魏列夏金您有什么吩咐？他在台阶旁等着。”副官回答。

“哦！”拉斯托普庆叫了一声，仿佛因记起一件意外的事而大吃一惊。

他猛地推开门，毅然走到阳台上。谈话立刻停止，各种帽子都摘下来，一双双眼睛都抬起来望着伯爵。

“你们好，弟兄们！”伯爵迅速而响亮地说，“谢谢你们到这里来。我马上就来看你们，但我们首先要处理一个坏蛋。我们要惩办使莫斯科灭亡的坏蛋。你们等我一会儿！”伯爵砰地关上门，又迅速回到屋里。

人群里传出一片赞许的低语。“这么说，他要收拾一切坏蛋了！你说法国人……他要替你解决问题！”人们说，好像在相互责备缺乏信心。

几分钟后，一个军官从前门匆匆走出来，发了一道命令，龙骑兵就排起队来。人群连忙从阳台移向台阶。拉斯托普庆怒气冲冲地大踏步走到台阶上，匆匆向四周环顾了一下，仿佛在找寻什么人。

“他在哪里？”伯爵问，就在这时，他看见一个年轻人被两个龙骑兵架着走出来。这个年轻人脖子细长，剃成阴阳头的头皮上又长出短头发。他身穿原来很讲究的蓝呢面子的狐皮大衣，下穿肮脏的囚裤，裤筒塞在不干净的旧皮靴里。瘦小衰弱的腿上挂着脚镣，使他本来就迟疑的行动更加步履艰难。

“哦！”拉斯托普庆说，慌忙把视线从穿狐皮外套的青年身上移开，指指台阶的最下一级，“把他带到这里来！”年轻人哐啷哐啷地戴着脚镣走到指定的台阶上，用一个手指撑开外套的紧领子，转动两下细长的脖子，叹了一口气，顺从地把两只不劳动的瘦手叠放在肚子上。

年轻人站到台阶上后，一连几秒钟没有人吭声。只有后排的人群往一处挤，那里发出了叹息、呻吟和脚步移动的声音。

拉斯托普庆皱着眉头，用手擦擦脸，等魏列夏金在指定的地方站好。

“弟兄们！”拉斯托普庆用金属一般铿锵的声音说，“就是这个人，魏列夏金，这个坏蛋，把莫斯科给毁了。”

穿狐皮外套的年轻人顺从地站在那里，双手交叠在肚子上，微微弯下腰。他那憔悴的、由于剃阴阳头而显得很难看的脸带着绝望的神情朝着下面。他听了伯爵开头几句话，慢慢抬起头，自下而上瞧了瞧伯爵，仿佛想对他说话，至少想遇见他的目光。但拉斯托普庆并没有对他看。在年轻人细长的脖子上，一条血管像绳子般胀起来，在耳朵后面发青。

他的脸唰地红了。

一双双眼睛都盯着他。他望望人群，仿佛从人们脸上的表情看到了希望，他伤心而胆怯地微微一笑，又垂下头，两脚在台阶上站好。

“他背叛了沙皇和祖国，向拿破仑投降，俄国人中只有他一个辱没了俄国人的身份，莫斯科让他给毁了。”拉斯托普庆声音平稳而尖厉地说；但突然向下望了望依旧顺从地站着的魏列夏金。这景象仿佛把他激怒了，他举起一只手，几乎叫嚷一般对人群说：“你们自己来处分他吧！我把他交给你们！”

人群不作声，只是彼此挤得越来越紧。互相拥挤，呼吸着令人窒息的空气，无力动一动身子，等待着一种不可知的可怕局面——这种情况使人感到越来越难受。站在前排的人，面对着眼前所发生的一切，恐惧地睁大眼睛，张开嘴巴，使劲挡住后面来的压力。

“揍他！……干掉叛徒，不许他玷污俄国人的身份！”拉斯托普庆叫道，“把他斩了！我命令！”人群听见的不是拉斯托普庆的话，而是他愤怒的声音。人群骚动起来，拥上去，但又停住了。

“伯爵！……”在重新出现的暂时的肃静中，魏列夏金胆怯而演戏似的说，“伯爵，上帝在我们头上……”魏列夏金昂起头说，细脖子上的粗血管又充了血，脸上一阵红，一阵白。他没有把要说的话说完。

“把他斩了！我命令！……”拉斯托普庆突然像魏列夏金一样脸色发白，嚷道。

“拔刀！”军官命令龙骑兵，自己也拔出刀来。

一个更强烈的浪潮从人群中滚过，一直滚到最前面几排，把互相拥挤的人群推到台阶旁。高个子脸上毫无表情，举起一只手站在魏列夏金旁边。

“斩！”军官简直像低语似的命令龙骑兵。于是一个士兵突然现出气疯了的脸，用刀背向魏列夏金头上斫去。

“哦！”魏列夏金短促而惊讶地叫了一声，恐惧地回顾了一下，仿佛不明白为什么要这样对待他。人群中也发出这种惊讶和恐惧的叫声。

“哦，主哇！”有人发出一声惨叫。

但魏列夏金在一声惊叫后，他又因为疼痛而惨叫了一声，而这一声惨叫就要了他的命。那控制着人群的人情的闸门本来就受到极大的压力，现在突然打开了。罪行一开始，就得进行到底。责难的埋怨被人群凶狠而愤怒的吼声淹没。那从后排掀起的不可克制的浪潮，好像能击碎船只的七级浪，冲击着前排，把他们冲倒，席卷了一切。动刀的龙骑兵还想再斩一刀。魏列夏金发出恐怖的叫声，双手抱住头向人群奔去。高个子受到魏列夏金的冲撞，双手抓住魏列夏金的细脖子，发出粗野的叫声，同他一起倒在怒吼着汹涌而来的人群的脚下。

有些人撕打魏列夏金，有些人撕打高个子。被践踏的人的惨叫和那些想拯救高个子的呐喊，只有更激怒人群。龙骑兵好久还不能把那个血迹斑斑、被打得半死的工人救出来。虽然人群急于要做完这件已开了头的事，他们把魏列夏金又打、又掐、又撕，却不能把他弄死，因为人群从四面八方挤来。把他们作为中心，拥过来，拥过去，使他们既不能把他打死，又不能把他抛下。

“用斧头砍吗？……把他踩死了……叛徒，他出卖了基督！……还活着……没死掉……贼是罪有应得。用棍子打！……他还活着吗？”

直到受害者不再挣扎，叫喊声变成均匀而细长的咽气声，人群才匆匆离开那血肉模糊的尸体。每个人都走过来看一下所做的事，又带着恐惧、责备和惊讶的神情往后挤。

“哦，主哇！人都变成野兽了，他还怎么活得成！”人群里发出这样的叹息。“这么年纪轻轻的小伙子……该是商人家的吧，人都变成什么样子了！……他们说，不是那个人……怎么不是那个人……哦，主哇！……据说，他们殴打另一个人，差一点把他打死……唉，人哪……谁不怕罪过啊……”同一些人说，怜悯地望着发青的脸上沾满血和泥、细长脖子断裂的尸体。

勤奋的警官认为司令大人院子里有具尸体不雅观，就命令龙骑兵把尸体拖到街上。两个龙骑兵抓住两条血肉模糊的腿，把尸体拖到街上。死人沾满尘土的血淋淋的阴阳头和细长脖子在地上被拖得转来转去。人群都挤在一起离开尸体。

当魏列夏金倒下去，人群狂叫着在他周围挤来挤去的时候，拉斯托普庆突然脸色发白，他不去有马车等着他的后门，却低下头快步沿着通向楼下房间的走廊走去，自己也不知道去哪儿和去做什么。伯爵脸色苍白，下巴颏像发疟疾一样抖个不停。

“大人，这儿走……您往哪儿去啊？……这儿走。”他后面有人恐惧地颤声说。拉斯托普庆伯爵没有力气回答，顺从地转过身，朝着给他指出的方向走去。后门外停着一辆马车。这里也能听到远处人群的吼叫声。拉斯托普庆伯爵匆匆坐上马车，吩咐车夫到索科尔尼基郊区别墅去。马车来到肉铺街，再也听不见人群的叫声，伯爵开始忏悔。这会儿，他闷闷不乐地记起他在下属面前流露的激动和恐惧。“群众是可怕的，群众是讨厌的，”他用法语自言自语，“他们像一群狼，除了肉什么也不能使他们满足。”“伯爵！上帝在我们头上！”他突然想起魏列夏金的话，一阵不愉快的寒战掠过他的脊背。但这样的感觉只有一刹那，拉斯托普庆伯爵轻蔑地自我嘲笑了一下。“我身负其他重任，”他想，“人民的愿望必须满足。为了大众的幸福牺牲了许多人，还有许多人也将牺牲。”于是他想到他的社会责任：对家庭，对交托给他保卫的古都，对他自己——不是拉斯托普庆伯爵这个人（他认为他是在为大众的幸福而牺牲自己），而是作为莫斯科卫戍司令，政府和沙皇的代表。“如果我只是拉斯托普庆伯爵，我的做法就会完全不同了，但我有责任保护卫戍司令的生命和尊严。”

拉斯托普庆在柔软的弹簧马车上微微摇摆着，不再听见人群可怕的声音，他的身体平静了，而随着身体的平静，他的头脑也照例为他想出了精神平静的理由。使拉斯托普庆平静的并不是什么新的思想。自从有了世界、人类开始互相残杀以来，没有一个人对同类犯罪不是用这种思想来安慰自己的：假定自己在为别人谋幸福，谋大众的幸福。

一个不受欲望支配的人永远不懂得这种幸福；但一个犯罪的人准知道这种幸福是什么。而拉斯托普庆现在就知道这一点。

他不仅没有为自己的行为感到内疚，而且还扬扬自得，因为他那么巧妙地利用机会；既惩罚罪犯，又安抚民众。

“魏列夏金被判死刑，”拉斯托普庆想（其实魏列夏金只被参政院判服苦役），“他是叛徒，是卖国贼；我非惩罚他不可，再说一箭双雕：我拿一个牺牲品给民众泄愤，同时处决了一名暴徒。”

伯爵来到郊区别墅，处理了家务，心里完全平静了。

半小时后，伯爵乘一辆快马车穿过索科尔尼基田野。他不再回想刚才发生的事，一心只考虑未来的事。他现在去亚乌扎桥，据说库图佐夫在那里。拉斯托普庆伯爵考虑着他要对库图佐夫提出的愤怒而尖刻的责备，因为库图佐夫欺骗了他。他要让这个宫廷老狐狸感觉到，旧都沦陷和俄国灭亡的全部责任都在他那颗昏庸老朽的脑袋上。拉斯托普庆在马车上愤怒地转动身子，恶狠狠地望着两边田野，考虑着他要说的话。

索科尔尼基田野一片荒凉。只有在它的尽头，在养老院和疯人院旁边有一群群穿白衣服的人。还有几个这样的单身人在田野上走着，他们挥动手臂，嘴里叫个不停。

其中有一个人拦住拉斯托普庆伯爵的马车。拉斯托普庆伯爵本人，他的车夫、龙骑兵，都怀着恐怖和好奇的复杂心理望着这些被放出来的疯子，特别是向他们跑来的那一个。

这个疯子穿着宽大的睡袍，摆动两条细长的腿，急急地跑来，眼睛盯住拉斯托普庆，哑着嗓子对他叫嚷，做着手势要他停车。疯子的脸又瘦又黄，露出忧郁和庄严的神气，留着参差不齐的大胡子。他那又黑又亮的瞳仁在发黄的眼白中惊慌地转动。

“站住！停下！我说！”他尖声叫道，又上气不接下气地狂叫，同时做着手势。

他追上马车，在马车旁跑着。

“他们杀了我三次，我复活了三次。他们用石头砸我，拿我钉十字架……我要复活……我要复活……我要复活。他们撕裂我的身体。要推翻天国……我要推翻三次，重建三次！”他叫道，声音越来越高。拉斯托普庆伯爵顿时脸色发白，就像刚才人群冲向魏列夏金那样。他转过身去。

“快……快走！”他声音发抖地对车夫喝道。

马车全速前进，但拉斯托普庆伯爵还好一阵听见逐渐远去的疯狂绝叫，而在他的眼前则浮现出那穿皮外套的叛徒惊惧的血淋淋的脸。

这个回忆虽然还很新鲜，拉斯托普庆却觉得它深深地铭刻在他的心里，刻得他的心淌血。现在他清楚地感觉到，这个回忆的血淋淋的伤痕永远不会愈合，相反，它将留在他的心里直到生命的末日，而且越久越使他痛苦，越久越使他难受。现在他仿佛听见他自己讲过的话："斩了他，你要拿脑袋向我负责！"他想："我为什么要说这样的话！说得多么不合适……我原可以不说的，这样就什么事也不会有了。"他看见动刀的龙骑兵先恐惧又突然变得残忍的脸，以及那穿狐皮外套的小伙子胆怯而无言的责备目光……"但我这样做不是为了自己。我不得不这样做。黎民百姓，暴徒……大众的幸福！"他想。

军队还挤在亚乌扎桥旁边。天气很热。库图佐夫皱着眉头，没精打采地坐在桥旁的长凳上，拿鞭子在沙地上比画着。这时有一辆马车隆隆地向他驶来。一个身穿将军服、头戴花翎帽的人，转动又像愤怒又像恐惧的眼睛，走到库图佐夫跟前，用法语对他说话。原来是拉斯托普庆伯爵。他对库图佐夫说，他到这里来，因为古都莫斯科再也不存在了，只剩下一支军队。

"要是您总座没对我说过，您不会不再打一仗就放弃莫斯科，那就是另一回事，就不会发生这一切了！"他说。

库图佐夫望着拉斯托普庆，仿佛不明白他的话，竭力想从说话人脸上看出特别的表情。拉斯托普庆尴尬地住了嘴。库图佐夫微微摇摇头，审视的目光一直盯住拉斯托普庆，低声说：

"是的，我不会不打一仗就放弃莫斯科。"

库图佐夫说这话的时候，也许他想的完全是另一回事，或者是明知它没有意思而故意这样说，但拉斯托普庆伯爵却什么也没回答，匆匆离开库图佐夫。说来也怪！莫斯科卫戍司令、傲慢的拉斯托普庆伯爵竟手拿鞭子走到桥边，大声吆喝着驱散挡路的车辆。

26

下午四点钟不到，缪拉的军队进入莫斯科，领先的是符腾堡骠骑兵，骑马走在他们后面的就是带着大批随从的这位那不勒斯王本人。

在阿尔巴特街中心，圣尼古拉显灵堂旁边，缪拉停住脚步，等待先遣部队来报告城堡“克里姆林宫”[1]的形势。

缪拉周围聚集了一小撮留在莫斯科的居民。大家都胆怯而困惑地望着这位戴花翎、佩金饰、留长发的奇怪长官。

“这就是他们的沙皇爷吗？不错！”传出了轻轻的声音。

翻译骑马来到人群跟前。

“脱帽……帽！”人群中相互交谈着。翻译招呼一个年老的看门人，问他克里姆林宫远不远。看门人困惑地听着他不熟悉的波兰腔俄语，还以为翻译说的不是俄语，不明白在对他说些什么，就躲到别人后面去。

缪拉走到翻译跟前，吩咐他打听一下俄军在什么地方。有一个俄国人懂得问的是什么，于是就有几个人同时回答翻译。法军先遣部队的一个军官骑马来到缪拉面前，报告说城堡的大门被堵住了，那里大概有埋伏。

“好！”缪拉说，接着转身命令一个随从，把四门轻炮推到前边去轰击宫门。

炮兵从缪拉后面的纵队中冲出来，沿阿尔巴特街前进。他们来到伏兹德维任卡街街尾停住，在广场上排列开来。几个法国军官指挥布置炮位，又用单筒望远镜眺望克里姆林宫。

克里姆林宫正在敲晚祷钟，钟声使法国人困惑。他们以为这钟声是作战的信号。几个步兵向库塔斐耶夫门跑去。门口摆着些圆木和木板。一个军官带着一小队兵刚跑近大门，门底下就发出两下步枪声。站在轻炮旁边的一个将军对军官发了命令，军官和士兵就跑回来。

门里又打了三枪。

一颗子弹打中一个法国兵的腿，挡板后面发出几个奇怪的叫声。法国将军、军官和士兵仿佛听到一声口令，他们的脸部表情顿时都由愉快平静变为刚毅紧张，准备战斗和受苦。对所有的人，从元帅到小兵，这里不是伏兹德维任卡街、莫霍夫街、库塔斐耶夫街和三一门，而是一个新战场，一个浴血苦战的战场。大家都在准备这场会战。门里的呐喊声静止了。大炮被推到前面。炮兵吹旺点火杆。军官喊了一声口令“放！”

---

① 克里姆林宫只是莫斯科的皇宫、宫廷教堂等建筑，并不是什么城堡。这里托尔斯泰有意嘲弄法国人对俄国的无知。

接着两发霰弹连续发出响声。霰弹打在宫门石头上、圆木上和挡板上；广场上升起两团硝烟。

炮声在石头建筑的克里姆林宫停了不多一会儿，法军头上响起一片古怪的声音。一大群寒鸦腾飞到城墙上空，嘎嘎地叫着，鼓动千万对翅膀在空中盘旋。随着寒鸦的啼声，宫门口响起一个人单独的呐喊声，那人身穿一件农民长外衣，没有戴帽子。他手里拿着枪，向法国人瞄准。“放！”炮兵军官又喊口令，与此同时又传出一下枪声和两下炮声。硝烟又笼罩住宫门。

挡板后面再没有什么动静了。法国步兵和军官向宫门走去。门口横着三名伤员和四名死者。两个穿农民外衣的人沿城墙向兹纳敏卡街跑去。

“把这些收拾掉！”军官说，指指圆木和尸体。于是法军把伤员都打死，把尸体扔到墙外。那些死者是谁，没有人知道。“把这些收拾掉！”——关于他们只说了这样一句话，他们就被扔到墙外，又被拖走，免得他们发臭。只有法国史学家梯也尔写了几句动听的话来纪念他们：“这些不幸的人充满了神圣的城堡，他们从兵器库里取了步枪向法国人射击。他们中间有些人被砍死，并从克里姆林宫中被清除出去。”

缪拉接到通知，说道路已清除。法军进入宫门，在参政院广场扎营，士兵把椅子从参政院窗口扔到广场上，动手在那里生火。

另外一些部队通过克里姆林宫沿马罗赛伊卡街、鲁比扬卡街和波克罗夫卡街扎营。还有一些部队沿伏兹德维任卡街、兹纳敏卡街、尼科尔街和特维尔街扎营。法军每到一处，都找不到房屋主人，他们分散居住在城里人家，就像住在城里的兵营一样。

法国兵虽然衣衫褴褛，饥肠辘辘，疲劳不堪，而且减员达三分之一，他们进入莫斯科却依旧秩序井然。这是一支筋疲力尽但仍具有战斗力的可怕军队。不过，这是士兵分散到居民家里前的情况。士兵一旦进入没有人的富裕住宅，军队就此毁灭，变成既非居民又非士兵的特种人，也就是趁火打劫犯。五个星期后，这批人离开莫斯科时再也无法组成军队。他们成了趁火打劫犯，人人带着一大包他们认为贵重和有用的东西。他们离开莫斯科时，他们的目的不像来时那样为了征服，而是为了保住所获得的东西。一只猴子把爪子伸进细颈瓶里，抓了一把核桃，却不肯松开拳头，唯恐失去抓到的东西，结果毁了自己。法军也是这样，在离开莫斯科时非毁灭不可，因为他们背着抢劫到的东西又不肯放弃，就像猴子不肯放弃核桃一样。法军每个团进入民宅十分钟后，就不再有一名士兵或军官了。从民宅窗子里可以看见穿军大衣和短靴的人，笑着在各个房间里走来走去；他们在地窖和储藏室里任意拿取食物，在院子里打开或砸破车库和马厩；在厨房里生起火来，卷起袖子揉面、烤面包、煮菜，吓唬、取笑和调戏妇女，耍弄孩子。这样的人处处都是，在商店和民宅里最多，但军队已经不存在了。

当天，法军长官发出一道又一道命令，禁止军队分散到城里去，严禁对居民施加暴行，趁火打劫，当晚要对全体官兵点一次名。但不论采取什么措施，原来的军队还是分散到这座富裕而舒适的空城。好像一群放牧在贫瘠田野上的饥饿牲口，一旦来到茂盛的草地，就无法制止它们散开；军队一进入富裕的城市，也同样无法制止他们闯进民宅。

莫斯科已没有居民，士兵像水渗进沙里一样渗进城里。他们最先进入克里姆林宫，又像星光那样无法阻挡地射向四面八方。骑兵走进堆满财物的商人家里，发现那里的马厩拴马绰绰有余，但他们还是走进隔壁房子里，认为那里更好。许多人占据了几座房子，用粉笔写上自己的名字，并因此同其他连队争吵，甚至打架。士兵们还没有安顿好，就跑到街上观光市容，听说一切财物都弃下了，就奔向可以白白拿到贵重物品的地方。长官走去制止士兵，结果自己也情不自禁地去干这种勾当。在车市街有几家马车铺，将军们聚集在那里替自己挑选各种马车。留下没走的居民邀请长官到自己家里，希望借此免遭抢劫。财富无穷无尽，无法估量；在法军已占领的地方周围都还有未被占领的房子，法国人认为那里的财富还要多。莫斯科越来越多地把他们吸引进去。水一流到干土上，水消失了，干土也不干了；同样，饥饿的军队一进入没有人的富裕城市，军队消失了，富裕城市也不富裕了，只剩下垃圾、火灾和抢劫。

法国人把莫斯科大火归罪于拉斯托普庆的野蛮爱国心；俄国人则归罪于法国人的残暴行为。事实上，莫斯科大火并不是由一个人或者几个人造成的，也不可能由少数人造成。莫斯科被焚毁，那是因为任何一座木头建筑的城市在那种条件下非焚毁不可，不管有没有一百三十条简陋的消防水管。莫斯科非焚毁不可，因为居民都已撤走，它就像一堆刨花，连续几天有火星落下，非焚毁不可。一座木头建筑的城市，当住宅主人和警察在的时候，夏天里尚且几乎天天都有火灾，而一旦居民撤走，进驻的军队不断吸烟，拿参政院椅子在参政院广场上生火，一天两次烧饭吃，那就更非焚毁不可。在平时，村里一进驻军队，那里火灾的次数立刻增加。那么，在外国军队进驻的木头建筑的空城里，火灾又会增加多少倍呢？拉斯托普庆的野蛮爱国心和法国人的残暴行为是不该负任何责任的。莫斯科被焚毁是由于烟斗、灶头、篝火，由于占有住房的敌军士兵的粗心大意。即使有人纵火（这事是很可疑的，因为谁也没有任何理由纵火，而且很麻烦，很危险），也不能把纵火作为原因，因为不纵火，莫斯科也要被焚毁。

不论法国人怎样扬扬得意地归罪于拉斯托普庆的野蛮，俄国人怎样振振有词地谴责拿破仑的残忍，或者后来把英雄的火把交到本国人民手里，我们不能不看到，火灾的直接原因是没有的，莫斯科非焚毁不可；就像任何一座村庄、工厂和住宅，主人走了，却让陌生人进去居住和做饭，非焚毁不可一样。莫斯科被居民烧毁，这是真的；但烧毁它的不是留下来的居民，而是撤走的居民。莫斯科被敌人占领，没能像柏林、维也纳和其他城市那样完好无缺，就因为莫斯科居民没有拿面包和盐来欢迎法军，并把城门钥匙交给法国人，而是从城里撤走。

27

九月二日，法军在莫斯科像星光一般放射开去，到傍晚才到达皮埃尔所在的街区。

皮埃尔过了两天离群索居的不寻常生活，精神上近乎疯狂状态，他一心只想着一件事。他自己也不知道这种思想是怎样和什么时候产生的，但它确实弄得他忘记一切往事，也不理解现实生活；他现在的所见所闻就像在做梦。

皮埃尔离家出走，只是为了摆脱生活中错综复杂的纠葛。这些纠葛在当时的情况下是无法解决的。他借口整理图书文件来到巴兹杰耶夫寓所，就是为了逃避生活的烦恼，寻求安宁，而在他心里，对巴兹杰耶夫的回忆是和一个永恒的庄严平静的精神世界联系在一起的。这种精神世界可以对抗他被卷入的使他不得安宁的纠葛。他寻求安宁的避难所，这样的地方在巴兹杰耶夫寓所里果然找到了。在一片寂静的书房里，他双臂搁在死者的积满灰尘的写字台上，头脑里平静而庄严地回忆着一件件不远的往事，特别是鲍罗金诺战役，同时拿**他们**（那些铭刻在他心里的人们）的真诚、朴实和刚强作比较，更觉得自己的卑微和虚伪。盖拉西姆把他从沉思默想中唤醒时，他刚想到他要参加预定的全民保卫莫斯科的战斗。出于这个目的，他立刻要盖拉西姆给他弄农民外衣和手枪，并告诉盖拉西姆，他将隐姓埋名留在巴兹杰耶夫寓所里。后来，在孤独和闲散地度过的第一天里（皮埃尔几次想研究共济会手抄本，但是没能办到），他又几次想到他的名字同拿破仑的名字的神秘关系；不过，他俄国人别祖霍夫命里注定要来限制这头**野兽**的权力。这念头只是在他头脑里出现的莫名其妙和不留痕迹的幻想之一。

皮埃尔买了农民外衣（目的是参加人民保卫莫斯科的战斗），遇见罗斯托夫家人。娜塔莎对他说："您要留下来吗？哦，这太好了！"这时他忽然想到，即使莫斯科沦陷，他留在城里执行命里注定的任务也是件好事。

第二天，他怀着不惜牺牲自己、决不落在**他们**后面的念头，随着人群去三山门。但他回到家里，确信莫斯科不准备保卫，这时他突然觉得，原来认为可能做的那件事，如今变得必要和无法避免了。他一定要隐姓埋名留在莫斯科，迎接拿破仑，把他杀死。这样做不是他自己灭亡，就是结束整个欧洲的灾难，因为他认为这灾难是拿破仑一人造成的。

皮埃尔知道一八〇九年在维也纳有个德国大学生暗杀拿破仑的详情，并知道这个大学生后来被枪毙了。他不惜冒生命危险来实行自己的计划，面临这种危险，他越发感到兴奋。

两种同样强烈的感情不可抗拒地吸引皮埃尔去实现他的计划。第一种感情是想到共同的灾难，自己要求牺牲和受苦。八月二十五日他到莫扎依斯克战斗最激烈的地方去，现在又离家出走，放弃过惯的奢侈舒适的生活，不脱衣服在硬沙发上睡觉，同盖拉西姆吃一样的东西，都是出于这种感情。第二种感情是说不出的纯粹俄罗斯感情，也就是蔑视一切习惯的人为的不自然的东西，也就是被多数人认作人间最大幸福的东西。皮埃尔第一次体验到这种奇怪而迷人的感情是在斯洛博达宫。当时他突然觉得，财富也罢，权力也罢，生命也罢，也就是人们努力争取和保护的一切，这一切如果有什么价值的话，也只在于有可以放弃它们的乐趣。

正是怀着这种感情，一个志愿兵喝去他最后一个子儿，一个醉汉无缘无故打碎镜子和玻璃，明知这将使他赔掉身上所有的钱；正是怀着这种感情，一个人做出疯狂的行为，仿佛要试试他个人的权柄和力量，借此证明在人类生活条件之外，还存在超越生活的最高主宰。

自从皮埃尔第一次体验到这种感情以来，他不断受它的影响，但直到现在才感到完全满足。此外，皮埃尔在这方面所做的事现在正支持着他的愿望并使他无法放弃这种愿望。如果他像别人一样离开莫斯科，他的离家出走、他买的农民外衣和手枪、他向罗斯托夫家人所作的要留在莫斯科的声明，这一切不仅将失去意义，而且将变得可耻和可笑（皮埃尔在这方面是很敏感的）。

皮埃尔的身体状况同他的精神状况一致，这是很自然的。吃不习惯的粗茶淡饭，天天喝伏特加，没有葡萄酒和雪茄，身穿肮脏的衬衣，两个晚上睡在没有被褥的短沙发上几乎没有合眼，这一切使皮埃尔恼怒，使他几乎发疯。

已经是下午一点多钟了。法军已进入莫斯科。皮埃尔知道这事，但他没有行动。他只想着自己的企图，考虑着它的每一细节。皮埃尔并没有生动地想象行刺的过程和拿破仑的死亡，而是鲜明而感伤地想象着自己的灭亡和英雄气概。

“是的，为了大家的幸福我必须单枪匹马行动，不惜牺牲自己！”他想。“是的，我要去……然后忽然……用手枪还是短剑？”皮埃尔考虑。“不过，这都一样。我要说：‘惩罚你的不是我，而是天意。’（皮埃尔考虑着行刺拿破仑时要说的话）。‘好吧，把我抓去处决吧！’”皮埃尔继续自言自语，脸上现出忧郁而刚毅的神色，垂下头。

当皮埃尔站在房间中央这样自言自语的时候，书房门被推开，门口出现了一向畏畏缩缩而此刻完全变了样的玛卡尔·阿历克赛伊奇。他的睡袍敞开，脸色通红，面貌难看。他显然喝醉了。他一看见皮埃尔，起初有点尴尬，但一看到皮埃尔脸色也有点慌张，立刻精神抖擞，迈着两条细腿，摇摇晃晃地走到房间中央。

"他们害怕了，"他哑着嗓子蛮有把握地说，"我说，我不屈服，我说……是吗，您老？"他沉思起来，接着突然看到桌上的手枪，出其不意地一把抓住，跑到走廊里。

盖拉西姆和看院人跟住玛卡尔·阿历克赛伊奇，在门厅里把他拦住，动手夺他的手枪。皮埃尔来到走廊，又怜悯又嫌恶地瞧着这个半疯的老头。玛卡尔·阿历克赛伊奇皱起眉头，使劲握住手枪不放，哑声大叫大嚷，显然想干一件壮举。

"拿起武器！立刻行动！不行，我不给！"他叫道。

"行了，对不起，行了！您行行好，放手吧！哦，老爷，您开恩……"盖拉西姆说，小心地抓住玛卡尔·阿历克赛伊奇的臂肘，把他推回门口。

"你是谁？拿破仑！……"玛卡尔·阿历克赛伊奇叫道。

"这样不好，老爷。您进屋去吧，您歇会儿。请您把手枪给我！"

"滚，你这下贱的奴隶！别碰我！看见吗？"玛卡尔·阿历克赛伊奇挥挥手枪，叫道，"立刻行动！"

"抓住他！"盖拉西姆对看院人低声说。

他们抓住玛卡尔·阿历克赛伊奇的双臂，把他拉到门口。

门厅里充满嘈杂的叫嚣和喝醉酒的沙哑的喘息。

突然从台阶上传来女人的尖叫声。接着厨娘跑进门厅。

"他们来了！老天爷！……真的，是他们。四个人，骑马的！……"她叫道。

盖拉西姆和看院人放开玛卡尔·阿历克赛伊奇的手。在寂静的走廊里清楚地听见几个人敲大门的声音。

28

皮埃尔决心在实现计划前不暴露身份，也不让人知道他懂得法语。他站在半开的走廊门口，准备等法国人一进门就躲起来。可是法国人进来，皮埃尔还是没离开门口。一种难以抗拒的好奇心使他站住不动。

他们来了两个。一个是军官，长得高大英俊，相貌堂堂；另一个是士兵，或者勤务兵，生得又矮又瘦，皮肤黝黑，双颊凹陷，神态迟钝。军官拄着一根手杖，瘸着腿走在前面。他走了几步，认定这是一个好住所，就停下来，回头对站在门口的士兵大声发号施令，要他们把马牵进去。军官吩咐完毕，洒脱地高举起手臂，抹了抹胡子，举手敬礼。

"大家好！"他快乐地说，笑眯眯地向周围环顾了一下。

没有人回答他。

"你是主人吗？"军官问盖拉西姆。

盖拉西姆又恐惧又疑惑地望着军官。

"住宅，住宅，宿舍，"军官说，带着宽厚和蔼的笑容从上到下打量着这个矮小的人。"法国人是好人。真见鬼，我们不会吵架的，老大爷。"他添加说，拍拍吓得说不出话的盖拉西姆。

"怎么！这里没有人会说法国话吗？"他又说，环顾四周，遇见皮埃尔的目光。皮埃尔从门口走开去。

军官又对盖拉西姆说话。他要盖拉西姆领他去看看房间。

"老爷没有……我不明白……我的，你的……"盖拉西姆竭力想用外国腔说话，以为这样他们就能听懂。

法国军官含笑向盖拉西姆摊开双手，表示他也听不懂他的话，瘸着腿向皮埃尔站着的门口走去。皮埃尔想走开，躲开他，但就在这时他看见玛卡尔·阿历克赛伊奇从厨房里探出头来，手里拿着手枪。玛卡尔·阿历克赛伊奇带着疯子的狡猾神情望望法国人，举起手枪瞄准。

"立刻行动！！！"醉汉摁住扳机，叫道。法国人闻声转过身来，在这一刹那，皮埃尔向醉汉扑去。就在皮埃尔抓住手枪往上举的时候，玛卡尔·阿历克赛伊奇终于摸到了扳机。于是发出了一声枪响。法国人脸色发白，向门口奔去。

皮埃尔忘记他想隐瞒懂法语的打算，夺过手枪，把它扔掉，冲到军官面前，用法语同他说话。

“您没受伤吧？”他问。

“好像没有……”军官周身摸索着，回答，“可我这次是死里逃生。”他指指墙上打落的泥灰，添加说，“这个人是谁？”军官严厉地瞅了皮埃尔一眼问。

“哦，刚才的事我真感到遗憾！”皮埃尔完全忘记自己要扮演的角色，“他是一个倒霉的疯子，他不知道他在做什么。”

军官走到玛卡尔·阿历克赛伊奇跟前，一把抓住他的衣领。

玛卡尔·阿历克赛伊奇张开嘴，靠在墙上，身子摇摇晃晃，仿佛睡着了。

“强盗，你要受惩罚的！”法国人说，放开他。

“我们打了胜仗宽宏大量，但我们不能饶恕叛徒！”他脸上现出悲壮的神色，做着洒脱有力的手势，补充说。

皮埃尔继续用法语劝说军官不要处分这个喝醉酒的疯子。法国人默默地听着，脸色依旧很阴郁，接着突然露出笑容对皮埃尔说话。他默默地对皮埃尔瞧了几秒钟。他那俊美的脸上现出又悲哀又温柔的神色。他向皮埃尔伸出手。

“您救了我的命！您是法国人吧？”他说。在法国人看来，这样的推论肯定是正确的。只有法国人能做出伟大的事，而救他第十三轻骑兵团大尉仑巴尔先生的命，无疑是一件壮举。

法国军官的这个推论和由此而建立的信念虽然是没有疑问的，但皮埃尔认为必须打破他的幻想。

“我是俄国人。”皮埃尔连忙说。

“嘿，这话您对别人去说吧，”法国人含笑说，竖起一个手指在自己鼻子前摆动着，“这一切您回头告诉我吧。遇见同胞真是高兴。那么，我们怎样来处理这个人呢？”他添加说，对皮埃尔已像对自己人一般了。法国军官的脸色和语气表示，皮埃尔即使不是法国人，他也已获得世界上最崇高的称号，这一点他无法推辞。就最后一个问题，皮埃尔解释了玛卡尔·阿历克赛伊奇的身份，并说在他们来到前，这个喝醉酒的疯子刚抢走实弹手枪，他们还来不及从他手里夺下，然后皮埃尔请求军官不要因此惩罚他。

法国人挺起胸膛，做了一个威严的姿势。

“您救了我的命。您是法国人。您要我饶恕他吗？我饶恕他。把这人领走吧。”法国人迅速而果断地说，挽住因救他的命而被提升为法国人的皮埃尔的手臂，同他一起走进屋里。

院子里的士兵听见枪声，走进门厅，问出了什么事，接着准备处罚罪人，但军官严厉地制止他们。

“有事我会叫你们的。”他说。士兵们出去了。勤务兵已抽空去过厨房，这时走到军官面前。

“大尉，他们厨房里有汤和烤羊肉，”他说，“要不要给您送来？”

“好，再弄点酒来！”大尉说。

29

法国军官同皮埃尔一起走进屋里。皮埃尔觉得他有责任再次向大尉声明，他不是法国人，并想走开，但法国军官根本不愿听他说这种话。他是那么殷勤、亲切、和善，衷心感激救命之恩，使皮埃尔不忍心拒绝他，只好同他一起在第一间屋里坐下。皮埃尔再三说他不是法国人，大尉对此感到难以理解，不明白他怎么会拒绝这种光荣的称呼，就耸耸肩膀说，如果他一定要做俄国人，那也行，但他还是永远不会忘记他的救命之恩。

这个法国人要是多少能理解别人的感情，懂得皮埃尔的心情，那么皮埃尔准会离开他，但他除了自己以外，对其他一切都毫无感觉，这一层却使皮埃尔丧失戒心。

“法国人也好，隐姓埋名的俄国公爵也好，”法国人看看皮埃尔肮脏而讲究的衬衣和手上的戒指，说，“我感谢您的救命之恩，我愿同您交个朋友。法国人从不忘记屈辱，也不忘记恩惠。我愿同您交个朋友。我要对您说的就是这些。”

这个军官的语气、表情和姿态表现得那么和善与高尚（照法国人的理解），使皮埃尔不由得用笑脸来报答笑脸，并向他伸出手去。

“我是仑巴尔大尉，第十三轻骑兵团的，因九月七日的战功获得荣誉团勋章，”他自我介绍说，得意的笑容使他小胡子下的嘴唇都皱起来，“我现在没有带着这疯子的子弹躺在救护站里，而能愉快地同阁下谈话，真是幸运，那么，请问阁下是什么人？”

皮埃尔回答，他不能说出自己的姓名，接着涨红了脸，想捏造一个不能说的原因，但被法国人抢在前头。

“行了，”他说，“我明白，您是位军官……也许还是位校官。您同我们打过仗。这不关我的事。我感谢您救命之恩。这样我就满足了，我愿为您效劳。您是位贵族吧？”他问道，皮埃尔低下头，“大名？别的我不再问了。您说，您是皮埃尔先生吗？很好。我要知道的就是这个。”

法国兵送来烤羊肉、煎蛋、茶炊、从俄国人家地窖里拿来的伏特加和葡萄酒，仑巴尔就请皮埃尔一起吃饭，自己活像一个健康而饥饿的人那样狼吞虎咽起来。他用结实的牙齿拼命大嚼，不停地咂着嘴说：好极了！太好了！他脸色发红，汗流满面。皮埃尔也饿了，就高兴地同他一起吃喝。勤务兵莫列尔送来一锅热水，把一瓶红葡萄酒放在里面烫。此外，他还送来一瓶克瓦斯，那是他从厨房里拿来供他们品尝的。法国人知道这种饮料，还给它起了一个名字，叫它猪柠檬水。莫列尔称赞他从厨房里找到的这种猪柠檬水。但大尉有他在莫斯科弄到的红葡萄酒，就把克瓦斯给了莫列尔，自己拿了一瓶红葡萄酒。他用餐巾裹住瓶颈，给自己和皮埃尔都斟了酒。吃了点东西，喝了点酒，大尉更加兴奋，话说个不停。

“是啊，我亲爱的皮埃尔先生，您从那疯子手里救了我的命，我要为您点一支感恩蜡烛，您瞧，我身上的子弹已经够多的了。这一颗（他指指腰部）是在瓦格拉姆得的，另一颗是在斯摩棱斯克得的（他指指脸上的一条伤疤）。这条腿，您瞧，不大能走路。这是七日莫斯科城下大会战时弄成的。哦！那场面可真壮观哪！值得一看，简直是一片火海。你们让我们吃了不少苦，你们可以自豪。说真的，虽然得了这宝贝（他指指十字勋章），我愿意再经历一次。我真替那些没看到这场面的人感到惋惜。”

“我当时就在那里。”皮埃尔说。

“哦，真的吗？那更好，”法国人继续说，“应该承认，你们是厉害的敌人。你们守住那个大多面堡，真了不起。你们使我们付出重大代价。您瞧，那里我去过三次。我们三次逼近炮位，三次都像纸人一样给打回来。你们的掷弹兵很了不起，真的。我看见他们的队伍集中六次，他们的行动就像检阅一样整齐。出色的民族！我们的那不勒斯王在这方面是位行家，他为他们喝过彩：‘好哇！’哈，哈，原来您也同我们的兵一样！”他停了一下，又含笑说：“那更好，那更好，皮埃尔先生。打起仗来真可怕……”他挤了挤眼，“对女人很会献殷勤，皮埃尔先生，法国人就是这样。对不对？”

大尉是那么天真、开朗、单纯和得意，皮埃尔瞧着他，差点儿自己也挤了挤眼。大概是殷勤这个词使大尉又想到莫斯科的情景。

“请问，说女人都离开了莫斯科，这是真的吗？想得真怪，她们怕什么呀？”

“要是俄国人进了巴黎，法国太太小姐都不走吗？”皮埃尔反问。

“哈，哈，哈！……”法国人激动地哈哈大笑，拍拍皮埃尔的肩膀，“哈！说得真有意思。巴黎吗？但巴黎……巴黎……”

“巴黎是世界的京都……”皮埃尔替他把话说完。

大尉对皮埃尔望望。他有一种习惯：在谈话中途停下来，眼睛亲切而含笑地凝视着对方。

“要不是您对我说您是俄国人，我敢打赌您是巴黎人。您身上有一种，一种……”他说了这句恭维话，又默默地对他望了望。

“我在巴黎住过，住了好几年。”皮埃尔说。

“哦，看得出来。巴黎嘛！……一个不知道巴黎的人准是野蛮人。一个巴黎人两英里外都认得出来。巴黎有塔尔玛、裘申奴阿、波蒂埃、索邦[①]、林荫大道……”他发现这结论比原来更加无力，慌忙补充说，“全世界只有一个巴黎。您去过巴黎，但仍是个俄国人。那也没有关系，我还是照样尊敬您。”

① 塔尔玛，著名悲剧演员，为拿破仑所喜欢；裘申奴阿，女演员；波蒂埃，喜剧演员；索邦，巴黎大学。

皮埃尔过了几天离群索居的愁闷生活，这会儿又喝了点酒，觉得同这个快乐善良的人谈话自有一番乐趣。

“让我们再来谈谈你们的太太小姐吧。听说她们都很漂亮。法国军队来到莫斯科，她们却往草原上躲，真是糊涂！她们错过了好机会。你们的庄稼汉又当别论，但你们是有教养的人，应该更了解我们。我们打下维也纳、柏林、马德里、那不勒斯、罗马、华沙，世界上所有的京城。大家怕我们，但也喜欢我们。认识是没有害处的。再有皇帝……”他说到这里，话被皮埃尔打断。

“皇帝，”皮埃尔也说了一遍，他的脸色突然变得忧郁和困惑，“皇帝是？……”

“皇帝吗？宽宏、仁慈、公正、秩序、天才——这就是皇帝！这话是我仑巴尔对您说的。不瞒您说，八年前我还反对过他呢。我父亲是个流亡的伯爵。可是这个人把我征服了。我服他。我看到他为法国增添荣誉，不能无动于衷。当我明白他要的是什么，当我看到他在为我们争取桂冠时，我对自己说：他就是我们的皇上，我愿意为他献身。就是这样！哦，朋友，他是古往今来最伟大的人物。”

“那么，他在莫斯科吗？”皮埃尔结结巴巴地问，脸上现出歉疚的神色。

法国人看看皮埃尔尴尬的脸色，冷笑了一声。

“不，他准备明天进城。”他说，继续谈下去。

他们的谈话被门口几个人的叫嚷和莫列尔的到来打断了。莫列尔进来向大尉报告说，来了几个符腾堡的骠骑兵，他们要把马寄存在大尉拴马的院子里。困难主要在于骠骑兵不懂法语。

大尉吩咐把他们的上士召来，厉声问他是什么团的，团长是谁，他凭什么要占用别人已经进驻的房子。略懂法语的德国人回答了前两个问题，但他听不懂最后一个问题，用德语夹法语回答说，他是团军需官，长官命令他占领所有的房子。皮埃尔懂得德语，就把他的话翻译给大尉听，把大尉的回答用德语翻译给符腾堡骠骑兵听。那德国人明白了对他说的话，屈服了，把他的人带走。大尉走到台阶上，大声吩咐了一些事。

大尉回到屋里，皮埃尔双手放在头上，仍坐在原来的地方。他脸上现出痛苦的神色。他此刻确实很痛苦。大尉刚才出去，剩下他一个人，他突然意识到自己的处境。现在使他痛苦的不是莫斯科的沦陷，不是幸运的胜利者在城里为所欲为并且庇护他，尽管这事很难堪，但使他痛苦的不是这事。使他痛苦的是他感觉到自己软弱无能。几杯酒落肚，又同这个和蔼可亲的人谈了话，把皮埃尔最近几天里阴郁沉重的心情一扫而空，而这种心情却是他实现自己的图谋所必需的。手枪、匕首、农民外衣都准备好了，拿破仑明天进城。皮埃尔仍认为刺杀这恶棍是有益的，值得的，但现在他觉得他不能这样做。为什么？他不知道，但预感到他的图谋不能实现。他同自己的软弱进行斗争，但隐隐约约感觉到，他无法克服这种软弱，原来那种报仇、杀人和自我牺牲的悲壮心情，一旦接触到一个人，就烟消云散了。

大尉微微瘸着腿，吹着口哨，走进屋里。

法国人的唠叨原来使皮埃尔高兴，这会儿却使他反感。他的吹口哨、他的步伐、他卷小胡子的姿势，现在都使皮埃尔讨厌。

“我马上就走，我再也不同他说话了。”皮埃尔想。他心里这样想，但人仍坐在原地没动。一种软弱无能的奇怪感觉把他钉在原地，他想走，但是站不起来。

相反，大尉却兴高采烈。他在屋里来回走了两次。他的眼睛闪闪发亮，小胡子微微抖动，仿佛想到什么有趣的事，暗自感到好笑。

“那个符腾堡上校挺可爱！”他突然说，“他是个德国人，虽然如此，是个好小子。但是个德国人。”

大尉在皮埃尔对面坐下来。

“那么，您懂德语啰？”

皮埃尔默默地瞧着他。

“避难所，德语怎么说？”

“避难所吗？”皮埃尔回答，“避难所德语叫‘恩特孔乎特’。”

“恩特孔乎特。”皮埃尔又说了一遍。

“温特科乎，”大尉说，眼睛含笑对皮埃尔望了几秒钟，“这些德国人是大傻瓜。皮埃尔先生，您说是吗？”

“好，我们再来一瓶莫斯科红酒好吗？让莫列尔再给我们烫一瓶。莫列尔？”大尉高兴地叫道。

莫列尔拿来蜡烛和一瓶红酒。大尉在烛光下瞧瞧皮埃尔，看到对方苦恼的神色，大为惊讶。仑巴尔脸上现出真诚的同情走到皮埃尔面前，向他鞠了一躬。

“什么事不高兴啊？”他说，拍拍皮埃尔的手，“是不是我使您不高兴了？没有，那么您对我有什么意见吗？”他一再问，“是不是因为局势不高兴？”

皮埃尔什么也没有回答，但亲切地望着法国人的眼睛。法国人的同情使他高兴。

“真的，先不说我对您有多么感激，我愿意同您交个朋友。我能为您效劳吗？您尽管吩咐好了。我们是生死之交。我对您说的是心里话。”他把手放在胸口上说。

“谢谢！”皮埃尔说。大尉凝视着皮埃尔，就像刚才知道避难所德语怎么讲一样。他的脸上顿时浮起笑容。

“好，这样就为我们的友谊干一杯吧！”他兴致勃勃地叫道，斟满了两杯酒。皮埃尔拿起酒杯，一饮而尽。仑巴尔干了自己的一杯，又握了握皮埃尔的手，然后忧郁地沉思着，臂肘搁在桌上。

“是的，我的朋友，这是命运的安排。谁知道我会从军，当上龙骑兵大尉，替波拿巴——我们都这样称呼他——效劳呢。如今我可跟他一起来到了莫斯科。”他像有意要讲一个长故事似的感伤而缓慢地说，“不瞒您说，我的朋友……我们是法国一个很古老的望族。”

大尉带着法国人特有的轻率和天真的坦诚态度向皮埃尔讲到他的祖先、他的童年和成年，以及他的亲戚、财产和家庭关系。在他的讲述中，“我可怜的母亲”当然占了重要地位。

“不过，这一切只是生活的开始，生活的实质是爱情。爱情！您说是不是，皮埃尔先生？”他越说越兴奋，“再来一杯。”

皮埃尔又干了一杯，然后给自己倒第三杯。

“唉！女人啊女人！”大尉眼睛闪亮地瞧着皮埃尔，讲起爱情和他的恋爱经历来。他的风流韵事很多，从他扬扬得意的俊美的脸和津津有味地谈女人的神态上可以相信，他说的都确有其事。仑巴尔讲的恋爱事件都带有法国人看作爱情魅力和诗意的淫秽性质，但他讲得那么恳切，使人相信他自己确实领略过爱情的全部魅力。他讲的时候又把女人描述得那么迷人，使皮埃尔一直好奇地留神听着。

显然，这个法国人所迷恋的爱情，既不是皮埃尔从前对妻子的那种低级庸俗的爱情，也不是他对娜塔莎的那种浪漫的爱情（这两种爱情仑巴尔同样蔑视，他把前者看作马车夫的爱情，把后者看作傻子的爱情）。这个法国人所崇拜的爱情，主要是对女人的不自然关系，再加上感官的享受。

大尉就这样娓娓动听地讲着，他怎样爱上一位迷人的三十五岁侯爵夫人，同时又爱上这位迷人的侯爵夫人的女儿，一个天真可爱的十七岁姑娘。母女相互谦让，结果是母亲牺牲自己，让女儿同自己的情人结婚。这事虽然早已成为往事，但至今仍使大尉激动。然后他又讲了一段插曲，在同一台戏里丈夫演情人一角，而情人则演丈夫一角。他又讲了些德国的滑稽故事，如避难所德语叫恩特孔孚特，在德国男人喜欢吃白菜汤，姑娘们一头金发。

最后一件事发生在波兰，大尉记忆犹新。他红着脸，迅速地做着手势，讲到他怎样救了一个波兰人的命（在大尉的讲述里不断出现救命故事），这个波兰人就把自己富有魅力的妻子（心灵上是个巴黎女人）托他照顾，自己则参加了法国军队。大尉很走运，富有魅力的波兰女人要同他私奔，但大尉秉性厚道，把妻子交还给丈夫，并且说："我保全了您的性命，现在要保全您的名誉！"大尉重复这句话，擦擦眼睛，抖动了一下身子，仿佛在回忆这件动人的事时要驱散自己的柔情。

皮埃尔听着大尉的讲述，如同平时在深夜或酒后那样，注意他所讲的话，了解他的意思，同时心里不知怎的涌起一系列个人的往事。他听着这些爱情故事，突然想起了他对娜塔莎的爱情，他回想起这次恋爱的情景，并同仑巴尔讲的事作着比较。皮埃尔一面听着恋爱和义务的冲突，一面重温着最后一次在苏哈列夫塔楼旁同恋爱对象相遇的细节。那次邂逅当时并没有给他留下什么印象，他甚至一次也没想起过。但现在他觉得这次见面意义重大，充满了诗意。

“皮埃尔伯爵，您到这儿来，我认出是您。”此刻他仿佛又听到她当时说的话，看见她的眼睛、微笑、旅行帽、一绺前刘海……他觉得这一切有说不出的亲切和动人。

大尉讲完富有魅力的波兰女人的故事，问皮埃尔有没有体验过为爱情而自我牺牲和嫉妒合法丈夫的感情。

皮埃尔听到这问题，兴奋起来，抬起头，觉得需要讲讲他的想法。他说，他对女人的爱情有一些不同的看法。他说，他这辈子只爱过、现在还爱着一个女人，而这个女人永远不可能属于他。

“瞧你！”大尉说。

接着皮埃尔说，他从少年时代起就爱上这个女人，但他不敢想到她，因为她年纪太小，而他自己又是一个没有地位的私生子。后来，他获得了名望和财产，也不敢想到她，因为他太爱她，把她看得高于世上的一切，当然更高于他自己。皮埃尔讲到这里，问大尉是不是懂得他的意思。

大尉做了个手势，表示即使他听不懂，也要请他讲下去。

“柏拉图式的爱情，虚无缥缈……”他喃喃地说。也许是由于几杯酒落肚，也许是他要推心置腹，也许是认为对方不知道他讲的事中任何一个人，也许是三者都有，皮埃尔的口就没了遮拦。他那湿润的眼睛瞧着远处，嘴巴含糊不清地讲着自己的全部经历：他的婚姻、娜塔莎同他最好朋友的恋爱、她的变心，以及他同她的并不复杂的关系。他被仑巴尔一问，就把原先隐瞒的事也讲了出来：他的社会地位和他的姓名。

皮埃尔讲的事最使大尉吃惊的是，他非常有钱，他在莫斯科有两座公馆，如今他抛弃一切，却不离开莫斯科，而隐姓埋名留在城里。

他们一起来到街上，夜已深了。夜晚温暖而明亮。房子左边，在彼得罗夫卡街升起了莫斯科第一把大火。右边空中高悬着一钩新月，月亮对面是那颗同皮埃尔心中的爱情有联系的明亮的彗星。大门口站着盖拉西姆、厨娘和两个法国人。听得见他们的笑声和两种彼此都听不懂的语言的对话。他们望着城里的火光。

在一座大城市里，远处的火灾并不使人感到可怕。

皮埃尔望着高高的星空、月亮、彗星和火光，心里感到欣慰。“哦，多么好哇！我还有什么要求呢？！”他想。他突然想到自己的图谋，头脑一阵晕眩，同时感到恶心。他慌忙靠住墙，免得跌倒。

皮埃尔没有跟他的新朋友告别，蹒跚走进大门，回到自己屋里，在沙发上躺下，立刻睡着了。

30

逃难的莫斯科居民和撤退的军队从不同的道路，怀着不同的心情，遥望着九月二日燃起的第一把大火的红光。

那天晚上，罗斯托夫家的车队停在离莫斯科二十俄里的梅基希村。九月一日，他们动身太晚，道路已被车辆和军队阻塞，他们又忘记这个忘记那个，几次派人去取，因此那天决定在离莫斯科五俄里处过夜。第二天早晨出发也很晚，中途又停了好多次，结果只到达大梅基希村，当晚十时，罗斯托夫一家和跟他们同行的伤员分宿在这个大村庄的几个大户和农民家里。罗斯托夫家的仆人、车夫和伤员的勤务兵伺候好主人，吃过晚饭，喂了马，走到台阶上。

隔壁农舍里躺着拉耶夫斯基负伤的副官。副官腕骨折断，疼痛难当，不断呻吟。呻吟声在黑暗的秋夜听来特别惊心动魄。第一夜，这个副官跟罗斯托夫家住在同一个院子里。伯爵夫人说，她因为呻吟声一夜没有合眼。因此到了梅基希村，她住到一户贫困的农家，以便离这个伤员远一点。

一个仆人在黑暗中看见停在门外的高轿车上方另外有一处不大的火光。有一处火光早就看得见了，大家都知道火灾在小梅基希村，是马蒙诺夫哥萨克放的火。

“弟兄们，这是另一处地方着火了。”勤务兵说。

大家都注视着火光。

“据说，小梅基希村是马蒙诺夫哥萨克放的火。”

“是他们干的！不，这不是梅基希村，还要远一点。”

“瞧，就是在莫斯科。”

有两个仆人走下台阶，来到马车另一边，坐在踏脚上。

“这要偏左一点！瞧，梅基希村在那边，这是另一个方向。”

有几个人来到他们那里。

“瞧，烧得多旺！”一个人说，“诸位，这火在莫斯科：不是在苏歇夫街，就是在罗戈日街。”

谁也没有理睬他的话。大家都默默地望着远处另一处大火的火焰，望了好半天。

伯爵的老跟班丹尼洛走到人群前，对米施卡吆喝道：

“你什么没见过，傻瓜……伯爵问起来，一个人也没有；快去把衣服收拾好。”

“我只是跑去拿点水。”米施卡说。

“您看怎么样，丹尼洛，这火是不是在莫斯科？”一个跟班问。

丹尼洛什么也没回答，大家又好一阵不作声。火光越来越大，蔓延到越来越远的地方。

“上帝保佑！……又刮风，又干燥……”又有一个人说。

“瞧吧，烧成什么样子啦！主哇！连寒鸦都看得见了。主哇，饶恕我们这些罪人吧！”

“多半能扑灭的。”

“谁来扑火？”一直沉默着的丹尼洛问。他的声音镇定沉着，从容不迫。“是莫斯科，弟兄们，”他说，“是这位洁白的母亲……”他的声音戛然中断，接着响起一阵老年人的呜咽。大家仿佛就是在等待这个说明，以便理解这火光是怎么一回事。传出了一片叹息声、祷告声和伯爵老跟班的啜泣声。

31

跟班回到屋里，向伯爵报告说，莫斯科着火了。伯爵穿上睡袍，出去观看。跟他一起出去的还有尚未脱衣服的宋尼雅和肖斯夫人。娜塔莎和伯爵夫人留在屋里。彼嘉已离开家人，随团去圣三一修道院[①]。

① 圣三一修道院离莫斯科 66 俄里。

伯爵夫人听到莫斯科火烧的消息哭了。娜塔莎脸色苍白，眼睛呆滞，坐在圣像下的凳子上（她一到就坐在那里），根本没注意父亲的话。她倾听着隔开三个屋子都能听到的副官的不停呻吟。

“哦，太可怕了！”宋尼雅从外面回来，身子冻僵，心里害怕，说。“我想，整个莫斯科都着火了，火光真吓人！娜塔莎，你来看看，从窗口这里看得见。”宋尼雅对表妹说，显然想转移她的注意力。但娜塔莎对她瞧瞧，仿佛没听懂她的话，眼睛又盯住炉炕的一角。今天早晨，宋尼雅不知怎的觉得应该告诉娜塔莎，安德烈公爵负伤了，现在就在他们的车队里。这事使伯爵夫人又惊讶又气愤，而娜塔莎从那时起就变得呆若木鸡。伯爵夫人生宋尼雅的气，这在她是很少有的。宋尼雅哭了，要求宽恕，现在为了补过，就不断安慰表妹。

“你瞧，娜塔莎，烧得多可怕！”宋尼雅说。

“烧什么？”娜塔莎问，“哦，是的，莫斯科。”

为了不让宋尼雅伤心并摆脱她，娜塔莎把头凑近窗口，茫然望了望，却什么也没看见，又坐回原处。

“你没看见吗？”

“看见了，我真的看见了！”她说，语气仿佛要求别来打扰她。

伯爵夫人和宋尼雅都明白，莫斯科也好，莫斯科大火也好，对于娜塔莎都毫不相干。

伯爵又回到里屋躺下。伯爵夫人走到娜塔莎身边，用手背摸摸她的头，就像往常女儿生病时那样，然后又用嘴唇触触她的前额，仿佛要知道她有没有发烧，接着又吻了吻她。

“你着凉了。你身子在发抖。最好还是躺下。”她对娜塔莎说。

“躺下？好的，我躺下。我这就躺下。”娜塔莎说。

那天早晨，自从娜塔莎听说安德烈公爵负重伤，现在跟他们一家同行后，她起初只是一再问。他要去什么地方？他伤得怎样？有没有生命危险？她可以见他吗？但他们对她说，她不能见他，他伤得很重，但没有生命危险，她显然不相信这些话，不过她认定，不论她问多少遍，得到的都是同样的回答，也就不再问什么，说什么。一路上娜塔莎睁着一双大眼睛（伯爵夫人知道并害怕这种眼神），一动不动地坐在马车角落里，现在又带着同样的神情坐在凳子上。她在考虑问题，她在作决定，或者已作了决定。伯爵夫人知道这一点，但究竟作了什么决定，她不知道。这一点使她害怕，也使她苦恼。

“娜塔莎，脱衣服，宝贝，躺到我床上来。”（只有伯爵夫人一人躺在床上；肖斯夫人和两个姑娘照例都躺在铺干草的地上。）

“不，妈妈，我睡这里，睡地板。”娜塔莎生气地说，走到窗前，开了窗。副官的呻吟从打开的窗口听得格外清楚。她把头伸到潮湿的夜空。伯爵夫人看见，她哭得那瘦肩膀不断抖动，不断碰到窗框。娜塔莎知道，呻吟的不是安德烈公爵。她知道安德烈公爵躺在跟他们同一个院子里，躺在过道那边的小房子里。但这可怕的不停呻吟使她哭起来。伯爵夫人同宋尼雅交换了个眼色。

“睡吧，宝贝，睡吧，我的心肝！”伯爵夫人说，一只手轻轻地拍拍娜塔莎的肩膀，“喂，睡吧。”

“哦，好的……我马上就睡，马上就睡。”娜塔莎说，连忙脱下衣服，解开裙带。她脱下连衣裙，穿上短袄，盘腿坐在地铺上，把又短又细的发辫甩到前面，重新编过。她那细长的手指熟练地把辫子迅速解开，利落地重新编好。娜塔莎的头习惯地从这边转到那边，但那双眼睛却狂热地圆睁着，直勾勾地望着前面。她穿好睡衣，在近门的草铺上轻轻躺下。

“娜塔莎，你睡中间。”宋尼雅说。

“不，我睡这儿。”娜塔莎说。“您也躺下。”她烦躁地说，接着就把脸埋在枕头里。

伯爵夫人、肖斯夫人和宋尼雅连忙脱了衣服睡下。屋子里只剩下一盏神灯。但户外被两俄里外小梅基希村的大火映得很明亮，从被马蒙诺夫哥萨克砸毁的酒店里，从大街小巷传来老百姓喝醉酒的喧嚷，同时听得见副官不断的呻吟。

娜塔莎久久地听着里里外外的声音，一动不动。她先是听见母亲的祷告声和叹息声、她身子下面床板的吱咯声、肖斯夫人熟识的鼾声、宋尼雅均匀的呼吸声。后来伯爵夫人喊了一声娜塔莎，但娜塔莎没有理她。

“她大概睡着了，妈妈。”宋尼雅低声回答。伯爵夫人沉默了一会儿，又喊了一声，但没有人答应。

不多一会儿，娜塔莎听见母亲均匀的呼吸声。娜塔莎一动不动，虽然她一只光着的小脚露在被子外面，在地板上冻僵了。

一只蟋蟀在墙缝里叫起来，仿佛在唱着战胜一切的凯歌。一只公鸡在远处啼叫，附近几只立刻响应。酒店里的喧哗已经停止，只听到副官的呻吟。娜塔莎坐了起来。

“宋尼雅！你睡了吗？妈妈！”她低声叫道。谁也没有回答她。娜塔莎小心翼翼地慢慢站起来，画了十字，她那娇小柔嫩的光脚留神地踩在肮脏的冷地板上。地板吱咯响了一声。她迅速地迈开步子，像小猫一般跑了几步，抓住冰凉的门把手。

她觉得有一个重物均匀地敲打着四面的墙壁。原来是她那颗破碎的心因为恐惧、紧张和爱情在猛烈跳动。

她打开门，跨过门槛，踏到寒冷潮湿的门廊泥地上。一股寒气使她神清气爽。她的光脚碰到一个睡着的人，她跨过那人的身子，打开安德烈公爵躺着的小房子的门。小房子里很暗。后面屋角里放着一张床，床上躺着一个人，凳子上点着一支很粗的蜡烛。

娜塔莎自从早晨得知安德烈公爵负伤并且同他们在一起，就决心要见见他。她不知道为什么要见见他，她知道见面将是痛苦的，不过她一定要见他。

整整一天她心里只存着一个希望，但愿夜里能见到他。但现在到了时候，她却又因要看见他而感到恐惧。他伤得怎么样？他还剩下什么？他是不是同那个不断呻吟的副官一样？是的，他就是这样。在她的想象中，他就是这种可怕呻吟的化身。她看见屋角有一团模糊不清的东西，并把被子下竖起的膝盖当作他的肩膀，她把他的身体想象得非常可怕，以致吓得站住了。但有一种无法克制的力量把她往前推。她小心翼翼，一步一步往前走着，走到堆满东西的小农舍中央。屋子里，在圣像下的长凳上躺着另一个人（那是基莫兴），地板上躺着另外两个人（那是医生和跟班）。

跟班坐起来，低声说着什么。基莫兴腿伤痛得厉害，没有睡着，睁大眼睛瞧着身穿白衬衣、睡袄，头戴睡帽的奇怪姑娘。跟班睡眼蒙眬，恐惧地问："您要什么？有什么事？"这就使娜塔莎更快地走近有一个人躺着的角落。不管这人的身体多么不像人，她一定要见他。她从跟班身边走过，点着的蜡烛倒下来，她清楚地看到安德烈公爵双手伸在被子外，他的模样同平时见到的一样。

他的模样同平时一样，但他那发烧的脸色、兴奋地凝视着她的亮晶晶眼睛，尤其是他那从衬衫翻领里露出来的孩子般柔嫩的脖子，使他显得特别天真无邪。这模样她在安德烈公爵身上可从没见过。她走到他跟前，敏捷而利索地跪下来。

他微微一笑，伸给她一只手。

32

自从安德烈公爵在鲍罗金诺急救站恢复知觉以来，已经过去七天。在此期间，他几乎经常处于昏迷状态。据同行的医生说，高烧和受伤肠子的炎症准会使他丧命。但在第七天，他津津有味地吃了一块面包，喝了一点茶，医生发现他的热度降下来。那天早晨，他恢复了知觉。离开莫斯科后的第一夜，天气相当暖和，安德烈公爵就留在马车里过夜；但到了梅基希村，伤员自己要求把他抬下车，给他喝点茶。抬进屋子时引起的剧痛使安德烈公爵大声呻吟，他又失去了知觉。他被抬到行军床后，闭着眼睛一动不动地躺了好久。后来他睁开眼睛，低声问："茶呢？"他记起生活中这样的小事，使医生惊讶。他把了把脉，发现脉搏好转，感到又惊奇又不满。医生发现这一点感到不满，因为他凭经验断定，安德烈公爵不可能再活下去，如果他现在不死，过一阵死就会更加痛苦。安德烈公爵团里的红鼻子少校基莫兴也在鲍罗金诺战役中腿部负伤。他们在莫斯科会合，被一起运走。跟他们同行的还有医生、公爵的跟班、他的马车夫和两名勤务兵。

他们给安德烈公爵送来了茶。他大口大口地喝着茶。他用发烧的眼睛望着房门，似乎竭力要弄明白什么并想起什么来。

"不要了。基莫兴在这里吗？"他问。基莫兴从凳子上爬到他跟前。

"我在这里，大人。"

“伤得怎么样？”

“我吗？没什么。您好些了吗？”

安德烈公爵又沉思起来，仿佛想起什么事。

“书弄得到吗？”他问。

“什么书？”

“《福音书》！我没有这书。”

医生答应替他找一本，并问他觉得怎么样。安德烈公爵勉强而冷静地回答医生各项问题，然后说他要在身下放一个垫子，因为他觉得难过，伤口痛得厉害。医生和跟班揭开他身上盖着的军大衣，闻到伤口腐烂的恶臭，皱起眉头，察看那可怕的地方。医生对原来的包扎很不满意，换了绷带，把伤员翻过身来，使他痛得又呻吟起来，失去了知觉，并说胡话。他不断要求把《福音书》拿来，放在他的身子底下。

“这费你们什么事呢！”他说，“我没有这书，你们去拿来，在我身边放一会儿。”他可怜巴巴地说。

医生走到门廊里洗手。

“哼，你们这些没有心肝的家伙！”医生责备给他倒水淋手的跟班说，“我只不过稍一疏忽，你们就让他压住伤口睡。这是非常痛的，我真不知道他怎么受得了。”

“耶稣基督在上，我们好像是垫过的。”跟班说。

安德烈公爵第一次明白他在什么地方，发生了什么事，并记起他负了伤，怎样负的伤，以及马车停在梅基希村时，他要求把他抬进小屋的情景。他又痛得昏迷过去，后来在小屋里喝了茶，又恢复了知觉。他又回想起他所遭遇的一切，尤其清楚地记起急救站里的情景。当时看到一个他所不喜欢的人的痛苦，他又产生了新的幸福的念头。这念头虽然模模糊糊，如今却充溢他的心灵。他记起现在他有了新的幸福，而这幸福是同《福音书》联系在一起的，所以他要一本《福音书》。但他们让他压住伤口睡的不良姿势和重新将他翻身使他又失去知觉。他第三次清醒，已是夜深人静。周围的人都睡着了。一只蟋蟀在门廊外面鸣叫，街上有人叫嚷和唱歌，蟑螂在桌上和圣像上沙沙爬动，一只秋天的大苍蝇在他床头和旁边的大蜡烛周围飞舞。

他的精神有点失常。一个健康人通常能同时思想、感觉和回忆许多事情，不过他有能力选择一路思想或现象，并把注意力集中在上面。一个健康人能从沉思默想中醒悟过来，对进来的人打个招呼，然后又回到原来的思路上。安德烈公爵的脑子在这方面有点不正常。他的思想比原来更活跃，更清醒，但不受自己意志的支配。他脑子里充满各种各样的思想和概念。有时，他的思想空前活跃、明晰和深刻，这在健康的时候是不可能的；但思维有时被一件意外的事打断，那时就再也无法回到原来的思路上来了。

“是的，在我面前展现了一种无法从人身上夺走的幸福，”他躺在宁静阴暗的小屋里想，睁大一双发热的呆滞眼睛瞪着前方，“这是一种超越物质力量、超越物质影响的幸福，一种心灵的幸福，一种爱的幸福！人人都能知道它，但认清和决定它的只有上帝。那么，上帝究竟是怎样规定这种法则的？为什么儿子……”突然思路断了，安德烈公爵听见（不知是幻觉还是真的听到）一个柔和的低语声不断反复说着“劈基—劈基—劈基”和“基—基”，接着又是“劈基—劈基—劈基”，又是“基—基”。在这片低低的乐声中，安德烈公爵觉得，在他的脸上，在脸的正中，升起一座由针和木条构成的虚无缥缈的奇怪建筑物。他觉得（虽然很难受）他必须竭力保持平衡，以免这座建筑物倒塌；但它还是倒塌了，接着又在那片匀调的音乐声中慢慢升起来。“升起来！升起来！不断升起来！”安德烈公爵自言自语着。他倾听着低语，感觉到针造的建筑物在升高，偶尔看见蜡烛周围的一圈红光，听见蟑螂的沙沙声和一只苍蝇碰撞枕头和他脸庞的嗡嗡声。每次苍蝇碰到他的脸，都给他一种烧灼的感觉；但同时他又感到惊奇，因为苍蝇撞他脸上的建筑物，却没有把它撞倒。但除此以外还有一个重要的东西。这是门口一件白色的东西，是一个狮身人面像，它也在挤压他。

“但这也许是放在桌上的我的衬衫，”安德烈公爵想，“而这是我的腿，那是门；但为什么老是升一升，老是劈基—劈基—劈基，基—基，劈基—劈基—劈基……”

“够了，停止吧，停下吧！”安德烈公爵痛苦地向谁请求道。突然他的思想和感觉又变得非常清楚和活跃。

“是的，爱，”他又十分清楚地想，“但不是那种为了什么目的、出于什么缘故而产生的爱，而是那种在我临死前第一次体验到的爱，那种面对敌人也能产生的爱。我体验到的那种爱是心灵的本质，它无须具体对象。我现在也体验到这种幸福。爱他人，爱仇敌。爱一切，爱无处不在的上帝。爱一个亲爱的人可以用人间的爱，但爱仇敌只能用上帝的爱。因此，当我觉得爱那个人的时候，我体验到了极大的欢乐。他怎么样了？他还活着吗……人间的爱可以由爱变为恨；但上帝的爱是不会变的。不论是死亡还是别的什么都不能把它消灭。它是心灵的本质。我这辈子恨过多少人。对所有的人，我都没有像对她那样爱过和恨过。”他生动地想到娜塔莎，不像以前那样只想到他所喜欢的她的娇媚可爱，而是第一次想到她的心灵。他理解她的感情、她的痛苦、羞耻和悔恨。现在他第一次懂得他拒绝她的残酷性，看到他同她决裂是多么残酷。“但愿我再有机会看到她一次。再一次看着她那双眼睛说……”

“劈基—劈基—劈基，基—基，劈基—劈基—砰！”一只苍蝇撞上来……他的注意力顿时被转到另一个现实和昏迷的世界，那里正在发生一件特别的事。在这个世界里，建筑物仍在升起而没有倒塌，仍旧有什么东西在伸展，蜡烛仍旧发出一团红晕，那个衬衫般的狮身人面像仍躺在门口；但除此以外，听到吱咯一声，有一股冷风吹进来，还有一个新的白色狮身人面像出现在门口。这个狮身人面像有他想象中的娜塔莎的苍白的脸和亮晶晶的眼睛。

“唉，这连续不断的昏迷真是痛苦！”安德烈公爵想，竭力从脑海里驱除这张脸。但这张脸却真实地出现在他面前，而且越来越近。安德烈公爵想回到原来纯属幻想的世界里去，但他无能为力，他又昏迷了。轻轻的低语匀调地继续着，有一样东西压迫着他，伸展着，一张奇怪的脸出现在他面前。安德烈公爵竭力想清醒过来；他的身子动了动，他突然耳鸣起来，眼睛发黑，他好像一个落水的人，失去了知觉。当他苏醒过来时，那个有血有肉的娜塔莎，那个他最想用新近觉悟到的上帝的爱去爱的娜塔莎就跪在他面前。他明白这是活生生的真正的娜塔莎，他并不觉得惊讶，但暗暗感到高兴。娜塔莎跪在他面前，恐惧而木然（她无力活动）地望着他，克制就要爆发的恸哭。她脸色苍白，一动不动，只有下半部脸在微微颤动。

安德烈公爵轻松地舒了一口气，微微一笑，伸给她一只手。

“是您？”他说，“真是太幸福了！”

娜塔莎敏捷而小心地移动膝盖凑近他，留神地拿起他的手，弯下腰去，嘴唇轻轻地接触到他。

“原谅我！”她抬起头来低声说，眼睛盯住他，“请原谅我！”

“我爱您。”安德烈公爵说。

“原谅我……”

“原谅什么呀？”安德烈公爵问。

“原谅我所做的……事。”娜塔莎用几乎听不出的声音断断续续地说，一再轻轻地吻他的手。

“我比以前更爱你了。”安德烈公爵说，同时托起她的脸，想更清楚地看看她的眼睛。

这双眼睛，满含幸福的泪水，羞怯、同情、快乐和深情地瞧着他。娜塔莎形容憔悴苍白，嘴唇浮肿，不仅不好看，简直很可怕。但安德烈公爵没有看到这张脸，他只看到那双亮晶晶的美丽眼睛。他们后面有人在说话。

跟班彼得这时完全清醒了，便唤醒医生。基莫兴因为腿痛一直没有睡着，早就看见了眼前的情景，缩在凳子上，竭力用被单盖住自己的光身子。

“这是怎么一回事？”医生从床上坐起来，问，“请您走吧，小姐。”

这时候有人敲房门。伯爵夫人发现女儿不在，就派使女来找。

娜塔莎好像一个梦游病患者，在睡梦中被人弄醒。她离开房间，回到自己屋里，痛哭失声，倒在床上。

从那天起，在罗斯托夫一家的旅程中，每到一处休息和宿夜的地方，娜塔莎总是寸步不离负伤的安德烈。医生不得不承认，他没有想到一个姑娘能这样坚强，照顾伤员又这样熟练。

尽管伯爵夫人想到安德烈公爵可能死在女儿的怀抱里（听医生说，这是很可能的）感到不寒而栗，但她不能禁止娜塔莎这样做。虽然负伤的安德烈公爵和娜塔莎现在又很亲近，要是他恢复健康的话，两个年轻人又可能恢复婚约，但是没有人提到这一点，尤其是娜塔莎和安德烈公爵本人，因为生死未决的问题不仅存在于安德烈公爵身上，也存在于整个俄罗斯身上，在这种情况下其他问题也就顾不上了。

33

九月三日皮埃尔醒得很晚。他觉得头痛，睡觉时没有脱衣服，使他感到不舒服，心里则模糊地感到昨天做了一件可耻的事，那就是同仑巴尔大尉谈了话。

时钟指着十一点，但户外特别阴暗。皮埃尔起身擦擦眼睛，看见那支有雕花柄的手枪又被盖拉西姆放在写字台上。皮埃尔记起他在什么地方，今天他有什么事要做。

"我是不是起得太晚了？"皮埃尔想，"不，**他**不会在十二点前进莫斯科的。"皮埃尔没有再多考虑当前要做的事，立即行动。

他理理身上的衣服，拿起手枪，准备出去。这时他才想到他该怎样带枪上街，总不能就拿在手里。即使那件宽大的农民外衣也藏不住这支大手枪。插在腰带里或者夹在胳肢窝里，都不能藏得使人看不见。再说，手枪已去了子弹，他也来不及重装。"不要紧，用匕首也行。"皮埃尔自言自语，虽然他在考虑自己的计划时就认定，一八〇九年那个大学生的主要错误，就在于他用匕首暗杀拿破仑。不过，皮埃尔的主要目的似乎并不在于实行自己的计划，而在于加强自信：他并没有放弃自己的图谋，而是在千方百计加以实行。他连忙拿起在苏哈列夫塔楼一起买的那柄带绿鞘、有缺口的钝匕首，把它藏在背心下面。

皮埃尔在外衣上束上一条腰带，把帽子拉低，竭力不发出声音，避免遇到那个大尉，穿过走廊，来到街上。

昨天晚上他十分平静地观察过的火灾，过了一夜大大蔓延开来。莫斯科到处在燃烧。同时着火的有车市街、莫斯科河滨区、商场、厨师街、莫斯科河上的木船和陶罗戈米洛夫桥旁的木材市场。

皮埃尔穿过小巷来到厨师街，又从厨师街来到阿尔巴特街的尼古拉显灵堂。他早就决定在那里行事。大部分房子都门窗紧闭。大街小巷都不见人影。空气里充满焦味和烟气。有时可以遇到神色慌张的俄国人，也可以见到一些不像城里人并露出军人派头的法国人在大街中央走着。俄国人也好，法国人也好，他们都惊讶地瞧着皮埃尔。俄国人打量皮埃尔，除了他身体魁梧肥大，神色忧郁愁闷，还因为不明白这个人属于什么阶层。法国人惊讶地注视他，因为他不同于其他俄国人，其他俄国人都是恐惧和好奇地望着法国人，而他却根本不理睬法国人。在一座房子的大门口，有三个法国人在向不懂法语的俄国人解释什么事，他们拦住皮埃尔，问他懂不懂法语。

皮埃尔摇摇头，继续走自己的路。在一条小巷里，一个站在绿色弹药箱旁的哨兵向他吆喝。皮埃尔直到听见第二次威严的吆喝声，才明白他应该从另一边绕过去。周围的一切他没有听见，也没有看见。他怀着自己的企图，仿佛怀着什么可怕而生疏的东西，慌慌张张、提心吊胆地走去，唯恐失去这东西。但皮埃尔命里注定不能把这种心情保持到目的地。此外，即使在路上不受任何阻拦，他也不能实现他的企图，因为拿破仑四个多小时以前已从陶罗戈米洛夫门外出发，经过阿尔巴特街到达克里姆林宫，此刻正心情恶劣，坐在克里姆林宫的沙皇办公室里，发布扑灭火灾、防止抢劫和安定民心的详细的紧急命令。但皮埃尔不知道这一点；他一心考虑着当前的行动，感到痛苦，就像固执地从事力不从心的活动的人那样，他们力不从心，不是由于目标难以达到，而是由于目标同他们的个性格格不入；他怕在关键时刻下不了手，因此不相信自己。

他虽然看不见也听不见周围的一切，但凭着本能行走，在通向厨师街的众多小巷里并没有迷路。

皮埃尔越接近厨师街，烟气越浓，在那里甚至可以感觉到大火的热度。有时火舌从房子屋顶上蹿出来。街上的人越来越多，人们的神色也更加紧张。不过，皮埃尔虽然觉得周围发生了什么不寻常的事，却没有意识到他正在走向火场。皮埃尔沿着一边通厨师街、另一边邻接格鲁吉亚公爵府花园的一大片空地上的小径走去，突然听见身旁发出女人绝望的哭声。他仿佛从梦中醒来，停住脚步，抬起头。

小径旁，在落满灰尘的枯草地上散乱着一堆堆生活用品：羽绒褥子、茶炊、圣像和箱子。箱子旁边，一个中年女人坐在地上，她生着龅牙，身穿黑外衣，头戴睡帽。这个女人摆动着身子，边哭边诉。两个女孩，年纪十到十二岁，身穿肮脏的短连衣裙和外衣，脸色苍白，惶惑地望着母亲。一个七八岁的男孩，身穿厚呢外衣，头戴别人的大帽子，在老保姆的怀里啼哭着。一个肮脏的赤脚使女坐在箱子上，解开浅黄色发辫，扯下烧焦的头发，拿到鼻子底下闻着。那中年女人的丈夫是个矮小的驼背，身穿文官制服，蓄着轮形的络腮胡子，帽子戴得端端正正，光滑的鬓角从帽子下露出来，脸色呆滞没有表情，正移动叠在一起的箱子，从箱子底下拉出几件衣服。

那女人一看见皮埃尔，几乎扑倒在他的脚下。

"亲人哪，正教徒呀，帮帮忙吧，救救命啊，好人哪！……哪一位帮帮忙啊！"她边哭边诉，"女儿！……小女儿！……把我的小女儿丢下了！……烧死了！……呜——呜——呜！我苦苦把你养大竟落得这样……呜——呜——呜！"

"别这样，玛丽雅！"丈夫对妻子低声说，显然是要在旁人面前替自己辩解。"一定是姐姐把她带走了，要不她会到哪儿去呢？"他添加说。

"木头！坏蛋！"女人突然停止哭泣，恶狠狠地骂起来，"你这人没有心肝，连自己的孩子都不疼。换了别人，早就从火里救出来了。他是木头，不是人，不是父亲。您是位贵人，"女人一边哭，一边急急地对皮埃尔说，"火在旁边烧起，向我们扑过来。丫头叫道：着火了！我们急忙收拾东西。我们就这样逃出来了……这就是抢出来的东西……圣像、我陪嫁的床，别的都丢了。我们拖出孩子们，可是卡嘉不见了。哦，主啊！哦——哦——哦！"她又痛哭起来，"我的孩子，我的宝贝，烧死了！烧死了！"

"那她在哪里？留在哪里？"皮埃尔问。女人从他关切的神态上看出他能帮她的忙。

"老爷！好老爷！"她抱住他的腿叫道，"恩人，您就让我放心吧……阿尼斯卡，贱货，给这位老爷领路，去！"她对使女吆喝着，怒气冲冲地张大嘴，这样就把她的长板牙暴露无遗。

“带我去，带我去……我去办。”皮埃尔连忙气喘吁吁地说。

一个肮脏的使女从箱子后面走出来，理好辫子，叹了一口气，迈开笨拙的光脚沿小径在前面领路。皮埃尔仿佛从沉重的昏睡中苏醒过来。他高高地昂起头，眼睛里焕发出生气勃勃的光彩。他快步跟着使女，走到厨师街。整条街都弥漫着浓密的黑烟。一条条火舌从黑烟中蹿出来。一大群人挤在火场前面。街道当中站着一个法国将军，正对周围的人说着什么。皮埃尔在使女的伴同下向将军站着的地方走去，但被法国兵拦住。

“这里不准通行！”有人对他嚷道。

“这儿来，叔叔！”使女说，“我们可以穿小巷，通过尼古林街过去。”

皮埃尔回过身，有时跑几步才能赶上她。使女跑过一条街，向左拐进小巷，走过三座房子，向右拐进大门。

“就在这里。”使女说，接着跑过院子，打开木栅门站住，指给皮埃尔看一所熊熊燃烧的木头小厢房。木厢房的一边已经倒塌，另一边正在燃烧，火焰从窗洞里和屋顶下蹿出来。

皮埃尔走进木栅门，立刻被炽热的空气包围，他不由自主地站住了。

“哪一座是你们家的房子？哪一座？”他问。

“哎哟！”使女指着厢房叫起来，“就是那一间，那一间就是我们的家。烧死了，我们的卡嘉，我们漂亮的小姐，哎哟！”阿尼斯卡一看见大火，觉得应当表示她的感情，就也哭起来。

皮埃尔冲进厢房，但热气逼人，他不由得绕着厢房兜了个圈子，来到一座大房子前面。这座房子一边屋顶已起火，旁边有一群法国兵。皮埃尔看见那些法国兵在拖着什么东西，开头不明白是怎么一回事，但后来看见前面有个法国人在用钝短刀砍一个农民，同时从农民手里抢一件狐皮大衣，皮埃尔才模糊地意识到这是抢劫，但他没有时间考虑。

爆炸声，墙壁和天花板的倒塌声，火焰的呼呼声和咝咝声，人们激动的叫嚷，时而乌黑浓密、时而光亮腾跃、夹着火星的烟云，以及有些地方像一束红色的干草、有些地方像金色鱼鳞在墙上蔓延的火焰，咄咄逼人的热气，浓烟和人们紧张的行动——这一切对皮埃尔产生火灾通常给人的影响。这一切对皮埃尔产生特别强烈的影响，因为看到这大火，皮埃尔突然觉得摆脱了沉重的思想。他觉得自己变得年轻、快乐、灵活和刚毅。他从大房子那边绕过厢房，正要跑到未倒塌的那部分屋里去，突然听到头上有几个人在呼喊，接着发出一样重东西落在身边的炸裂声。

皮埃尔抬头一看，只见房屋窗子里有几个法国兵，刚把装满金属品的五斗橱抽屉扔下来。另外几个法国兵站在下面，向抽屉走去。

"你这家伙来干什么！"一个法国兵对皮埃尔吆喝道。

"这房子里有个孩子。您没看见一个孩子吗？"皮埃尔说。

"你在说什么？滚开！"有几个人喝道。一个法国兵显然怕皮埃尔抢走他们抽屉里的银器和铜器，威胁着向他跨进一步。

"一个孩子？"有个法国兵从上面大声说，"我听见花园里有哭声。说不定就是他的孩子。我说，得讲点人道。我们大家都是人……"

"他在哪里？他在哪里？"皮埃尔问。

"这儿！这儿！"法国人从窗口对他大声说，指指房子后面的花园。"等一下，我这就来。"

过了没多久，果然有个黑眼睛、脸上有个黑痣的法国人只穿一件衬衫，从底层窗子里跳出来，拍拍皮埃尔的肩膀，同他一起跑到花园里。

"喂，你们快点儿！"他向伙伴们喊道，"火烧过来了。"

法国人跑到屋后铺沙的甬道上，拉住皮埃尔的手，指给他看一个圆形场地。长椅底下躺着一个穿粉红衣裳的三岁女孩。

"喏，那就是您的孩子。啊，是个女孩子，那就更好了。再见，胖子。我说，得讲点人道。大家都是人哪！"脸上有黑痣的法国兵向同伴那儿跑去。

皮埃尔高兴得喘不过气，跑到女孩旁边，想把她抱起来。但这个患瘰疬症、相貌像母亲的难看女孩一看见陌生人就一边叫，一边跑开去。皮埃尔将她一把抓住，抱在怀里；她却没命地狂叫，她的小手要拉开皮埃尔的手臂，她那流口水的嘴乱咬。皮埃尔感到一阵恐怖和嫌恶，就像碰到一头小动物似的。他使劲抱住她不让她挣脱，把她抱回大房子里。但原来那条路已走不通；使女阿尼斯卡已不在。皮埃尔又怜悯又嫌恶地小心抱着痛哭流涕的女孩，跑过花园，找寻别的出路。

34

皮埃尔抱着女孩绕过一些房子和小巷，跑回厨师街转角的格鲁吉亚公爵花园那里，最初他简直认不出刚才离开的地方，因为那里挤满了人，堆满了从房子里拖出来的家具杂物。除了带着东西从大火里逃出来的几家俄国人外，这里还有几个穿不同服装的法国兵。皮埃尔没去理睬他们。他匆忙找寻着那个官吏，以便把女儿交给母亲，自己再去救别人。皮埃尔觉得，他还有许多事要做，得赶快做。皮埃尔由于大火的热气和自己的奔走，这时觉得比刚才跑去救孩子时更加生气蓬勃，浑身是劲。女孩这时已安静下来，两只小手抓住皮埃尔的外衣，坐在他的手臂上，像一头小野兽似的向四周观望。皮埃尔偶尔对她望望，微微笑着。他觉得他在这张恐惧的病态小脸上看到一种天使般纯洁可爱的神情。

原来的地方已看不到那个官吏，也看不见他的妻子。皮埃尔快步在人群中间穿行，瞧着他所遇到的各种人。他不由得注意到一个格鲁吉亚或者亚美尼亚家庭，其中包括一个身穿新羊皮袄和新靴子的东方脸型的俊美老人，一个同一脸型的老妇人和一个年轻女人。皮埃尔觉得这年纪很轻的女人是个标准的东方美人，她生有两条弯弯的黑眉毛，一张嫩红的美丽脸蛋，但脸上没有任何表情。她身穿阔气的缎子外套，头包鲜艳的紫色头巾，在广场上散乱的杂物和人群中间好像一棵被抛在雪地上的娇嫩的热带植物。她坐在老妇人后面的包裹上，她那双黑梅子般的眼睛覆盖着细长的睫毛，一动不动地瞧着地面。显然，她知道自己长得美，并因此提心吊胆。她的脸使皮埃尔感到惊讶。他匆匆沿着栅栏走过，几次回头看她。皮埃尔走到栅栏旁，还是没有找到他要找的人。他站住，向四周环顾。

这时皮埃尔抱着孩子的模样越来越引人注意，他的周围聚集了几个俄国男人和女人。

“先生，您是不是丢了什么人？您是位老爷，是不是？这是谁家孩子？”有人问他。

皮埃尔回答说，这是一个穿黑外套女人的孩子，她原来带着孩子坐在这地方。他问有没有人知道她是谁，她到哪儿去了。

“大概是安斐罗夫家的，”年老的助祭对一个麻脸女人说，“上帝保佑！上帝保佑！”他用习惯的低音添加说。

“怎么会是安斐罗夫家！”那个女人说，“安斐罗夫家一早就走了。她不是玛丽雅·尼古拉耶夫娜的，就是伊凡诺娃的。”

“他说是个女人，可玛丽雅·尼古拉耶夫娜是个贵夫人。”一个家奴说。

“你们认识她吗？她很瘦，牙很长。”皮埃尔说。

“那是玛丽雅·尼古拉耶夫娜。他们到花园里去了，当时那些狼窜到这里来。”她说着指指法国兵。

“哦，上帝保佑！”助祭又说。

“您往那边走，他们在那里。就是她。她伤心死了，一直在哭，”那女人又说，“就是她。往这儿走。”

但皮埃尔并没有听那女人的话。他一连几秒钟目不转睛地望着几步外发生的事。他望着亚美尼亚家庭和两个走近他们的法国兵。其中一个，矮小灵活，身穿一件蓝军大衣，拦腰束着一条绳子。他头戴一顶睡帽，赤着脚。另一个使皮埃尔特别惊讶，他身体瘦长，有点驼背，头发浅黄，动作缓慢，神态像个白痴。他身穿粗呢外套、蓝裤子，脚蹬高筒皮靴。小个儿法国人光着脚，身穿蓝军大衣，走到亚美尼亚人面前，嘴里说了些什么，立刻捉住老头儿的双脚。老头儿慌忙脱下靴子。那个穿粗呢外套的法国人，在亚美尼亚美人面前站住，两手插在裤袋里，一动不动，默默地瞧着她。

“抱去，把孩子抱去！”皮埃尔像命令似的对女人说，同时把女孩交给她。“你交给他们，交给他们！”他几乎对那女人吆喝道，同时把哭哭啼啼的女孩放在地上，接着又回头看看法国兵和亚美尼亚家庭。老头儿已赤脚坐在地上。小个儿法国人拉下他的另一只靴子，拿两只靴子相互拍着。老头儿一边抽噎，一边说着什么，但皮埃尔只对他瞥了一眼。他的全部注意力都集中在穿粗呢外套的法国人身上。这时，那个法国人慢慢地摇摆身子，走到年轻女人面前，两手从口袋里伸出来，抓住她的脖子。

亚美尼亚美人仍一动不动地坐在那里，垂下长长的睫毛，仿佛没看到也没感觉到士兵对她的行为。

皮埃尔向法国人跑去的时候，那个穿粗呢外套的瘦长抢劫犯已拉下亚美尼亚年轻女人脖子上的项链，那女人双手抓住脖子尖声叫着。

“放开这女人！”皮埃尔狂怒地哑声叫着，抓住瘦长驼背法国兵的肩膀，一把将他推开。那个士兵跌下去，又爬起来跑了。但他的伙伴丢下靴子，拔出短刀，抢前一步，威胁皮埃尔。

“喂，喂，别胡来！”他嚷道。

皮埃尔气愤得忘乎所以，力气增加了十倍。他向赤脚法国兵扑去，不等那法国兵拔出短刀，已把他打倒在地，接着又用拳头打他。周围人群发出喝彩声，这时街角出现了一队法国枪骑兵。枪骑兵奔向皮埃尔和那个法国兵，把他们包围起来。皮埃尔一点也不记得后来发生的事。他只记得他打了一个人，人家打了他，最后他感到他的双手被缚住，一群法国兵站在他周围，搜他的衣服。

“中尉，他有一把刀。”这是皮埃尔听懂的第一句话。

“哦，武器！”军官说，转身对那个同皮埃尔一起被捕的赤脚法国兵说话。

“好，好，你到法庭上去招供吧！”军官说。然后他转身问皮埃尔：“你会说法语吗？”

皮埃尔用充血的眼睛朝四周看了看，没有回答。他的脸色一定很可怕，因为军官低声说了些什么，又有四名枪骑兵离开队伍，站到皮埃尔的两旁。

“你会说法语吗？”军官同他保持一定距离，又问。“叫翻译来！”行列中骑马跑出一个穿俄国便服的矮小的人。皮埃尔从他的服装和语言上立刻认出他是莫斯科一家商店的法国人。

“他不像个普通人。”翻译望望皮埃尔，说。

“哦，哦，他很像一个纵火犯，”军官说，“问问他是什么人？”他添加说。

“你是什么人？”翻译问，“你要回答长官的话。”

“我不告诉你们我是谁。我是你们的俘虏。把我带走吧！”皮埃尔忽然用法语说。

“哦，哦！”军官皱着眉头说，“开步走！”

人群围住枪骑兵。离皮埃尔最近的是那个抱着女孩的麻脸女人；等枪骑兵一走开，她就走到前面。

“他们这是要把你带到哪儿去啊，我的好人？”她说，“女孩，这女孩，叫我把她往哪儿送，如果她不是他们的孩子！”麻脸女人说。

“她想干什么？”军官问。

皮埃尔好像喝醉了酒。他一看见他救出的女孩，更加兴奋。

“她想干什么吗？”皮埃尔说，“她抱的是我的女儿，是我从大火中救出来的，”他说，“再见！”他自己也不知道怎么会脱口说出这句没有目的的谎话来，接着就雄赳赳地在法国兵中间大踏步走去。

这队法国枪骑兵是奉杜洛奈[①]命令巡逻莫斯科街道的巡逻队之一，目的是要制止抢劫，尤其是要拘捕纵火犯，因为根据法国高级官员当天发表的意见，他们是引起火灾的原因。巡逻队经过几条街，又逮捕了五名俄国嫌疑犯、一个小商人、两个神学院学生、一个农民、一个家奴和几名抢劫犯。但所有的嫌疑犯中嫌疑最大的是皮埃尔。全体人犯被带到祖波夫堡一座权充拘留所的大房子里，而皮埃尔则被严格地单独监禁。

① 杜洛奈（1771—1849），法军占领莫斯科期间的驻防军司令。